學術資料的檢索與利用

林慶彰 主編

工欲善其事，必先利其器。
學術資料是從事學術研究的基礎，
能善用資料的人，常常能引發新見。

目次

編者序

　　學術資料是從事學術研究的基礎，能善用資料的人作研究時比較會有新的見解或發現。學術資料上至天文下至地理，上下古今縱橫數千年，累積之多，不是用人腦或電腦所可能完全掌握的。因此，歷來要檢索學術資料，往往先利用工具書。而學術研究的種類既多又繁複，工具書也多至萬種以上，一個人要背熟唐詩三百首都有相當的困難，更何況要記住萬種以上的工具書，並熟悉其作用？

　　為了解決這個問題，從民國初年以來即有學者編輯工具書的工具書，一般稱它們為工具書指引。如果每一種工具書都是一把鎖，工具書指南就是一把萬能鑰匙。利用這把鑰匙，打開學術的殿堂的大門，進而窺探學術的堂奧。可惜，一般工具書指南雖能指引讀者登堂入室，但也有可改進的地方。大部分的工具書指南，都按照工具書的類型來分章節，如分書目、索引、字辭典、類書和百科全書、年鑑和年表、法規、統計、名錄、手冊等。這就如同作菜時，僅告訴讀者這是某某菜、某某佐料，至於菜要如何炒，加多少佐料等，讀者根本一無所知。

　　為了能切實指導讀者找到所需的資料，我們設計了三十一個主題，每一主題請相關的年輕學者和研究生來撰寫。每篇字數限在五千字左右。在編撰的過程中，《國文天地》雜誌社覺得對想檢索學術資料的人頗有幫助，將其中部分主題作成專輯先行發表於二〇七期（2002年8月），專輯名稱為「學術資料的檢索與利用」，計有五篇：

　　1.查尋古代典籍的方法（馮曉庭）

2.檢索方志中人物傳記資料的方法（陳恆嵩）

3.查尋歷代人物圖像的方法（王清信）

4.出土文獻的檢索與利用（翁敏修）

5.現有文史資料庫簡介（蕭開元）

這一專輯出版後，學術界反應甚佳。《國文天地》又希望我們提供古典文學資料檢索的文章，作成「古典文學資料大搜查」的專輯，刊於二一二期（2003年1月）。這個專輯計有六篇文章，它們是：

1.古典詩學資料的檢索與利用（林淑貞）

2.詩話資料的檢索與利用（連文萍）

3.詞學資料的檢索與利用（黃文吉）

4.散曲資料的檢索與利用（陳美雪）

5.戲曲資料的檢索與利用（陳蕙文）

6.古典小說資料的檢索與利用（鄭誼慧）

以上十一篇，即以十一個主題為對象，告知讀者如何檢索該主題所需的資料。這好像做菜時，不只告知菜的種類，更親自做一道菜來讓大家品嚐。這種以主題為主，告知讀者檢索方法的安排，可以說是本書在既有的工具書指引之外的另一種嘗試。其它未列入這兩個專輯的二十篇文章，撰寫方法大抵如此，已刊登的文章，為了使資料更完備，多少作了必要的修改，我們希望這本書的呈現方式，使讀者在檢索資料時能事半功倍。

當《國文天地》雜誌社需要兩個專輯的稿件時，從催稿到統一文稿體例都由東吳大學中國文學系碩士生何淑蘋來承擔，後續二十篇的催稿和統一體例由何淑蘋和鄭誼慧同學負責。謝謝他們兩人的辛勞，也謝謝本書三十一個主題的作者，沒有他們的供稿，這本書是沒有辦法出版的。

　　本書各主題雖經精心設計，但以五千字來敘述一個主題的資料，有的作者稍嫌不能暢所欲言；有的作者敘述較詳細，則長達萬餘字。為免各主題的字數相差太多，也作了刪節，這是要跟兩方面作者致歉的地方，也懇請海內外先進賜予指正。

二〇〇三年二月　林慶彰誌於
中央研究院中國文哲研究所

古代典籍的檢索與利用

馮曉庭

中央研究院中國文哲研究所博士後研究

一、前言

　　對於有志從事中國傳統文、史、哲學研讀工作的學者而言，中國古代典籍不但是初學者進入該領域的基本依據，同時也是高階研究者進行深層詮釋與探究、發揮個人識見的必要文獻，因此，正確地掌握相關古籍的資訊，進而迅速地尋得研究過程中所需的文獻史料，是絕對必須具備的基本能力。另一方面，對於期盼能夠藉著保存於中國古代典籍中的相關記載以滿足個人喜好或興趣的讀者而言，輕鬆並且迅捷地掌握書籍資訊，則應該是整體閱讀環境之中的重要條件之一。基於上述的認知，筆者於此提出數項查詢古代典籍的經驗與諸有志者相互探討，希望能夠提供正在「上窮碧落下黃泉」、孜孜檢尋中國古代典籍的讀者們些許助益。

二、確定可資依據的古籍

　　研究者或讀者在認定研究範疇或者閱讀對象（人物或學科）之後，首先需要確認的，便是該範圍或對象歷來的相關撰著狀

況。在一般的狀態下，某位古代人物的撰作訊息，通常會記錄在該人物的相關傳記資料之中，檢尋的過程較為容易；至於查尋各類典籍的著述狀態，則必須借助較廣泛的載錄文字，而這些記載當中，最為重要的依據莫過於編列在歷代正史（即通稱之《廿五史》）之中以及後世學者根據相關文獻敘述所綴編而成的各代的〈藝文志〉或者〈經籍志〉。

無論是《漢書‧藝文志》採用的「六略」式區分法或者是《隋書‧經籍志》依據的「四部」式區分法，大凡曾在該時代流傳、受中央政府圖書庋藏單位收藏的重要典籍，這些「圖書目錄」幾乎都會收錄，當然，其中包括了完成於前代的作品及當代人的著作。整體來說，讀者在檢閱這些內容包括「書名」、「撰、注者」、「篇幅」的記載之後，通常都能夠建立對於試圖檢索之古籍的初步認識。

歷來學者關於各代圖書的述記載錄，其可靠性較高、較易於書肆及圖書館中尋獲者，大致有以下數部：

(一)歷代總錄

・藝文志二十種綜合引得　哈佛燕京學社引得編纂處編　臺北成文出版社　1966年
・中國歷代藝文總志　國家圖書館特藏組編　臺北　國家圖書館　1984年11月

(二)漢代

・漢書藝文志　（漢）班固著，（唐）顏師古注（等八種）
・補續漢書藝文志　（清）錢大昭著（等五種）

(三)魏晉南北朝

- 三國藝文志　（清）姚振宗著
- 補晉書藝文志　（清）丁國鈞著，（清）丁辰注（等五種）
- 補宋書藝文志　聶崇岐著
- 補南齊書藝文志　陳述著
- 補南北史藝文志　徐崇著

(四)隋唐五代

- 隋書經籍志　（唐）魏徵著（等四種）
- 兩唐書經籍、藝文志　（後晉）劉昫等著（等六種）
- 補五代史藝文志　（清）顧懷三著

(五)宋、遼、西夏、金、元

- 宋史藝文志　（元）脫脫著（等九種）
- 西夏藝文志　（清）王仁俊著
- 遼藝文志　（清）繆荃孫著（等三種）
- 金史藝文志補錄　（清）龔顯曾著（等二種）
- 補元史藝文志　（清）錢大昕著
- 補遼金元藝文志　（清）倪燦著，（清）盧文弨校正（等三種）

(六)明代

- 明史藝文志　（清）張廷玉等著

㈦**清代**

・重修清史藝文志　彭國棟等纂（等三種）

　　除了上述以時代為編纂屬性的各部書目之外，由宋人王應麟編纂的類書《玉海》、元人馬端臨編輯的政書《文獻通考》、宋人晁公武編纂《郡齋讀書志》、清人黃虞稷纂輯的《千頃堂書目》、清人朱彝尊纂錄的《經義考》、清代乾隆年間由四庫館臣編成的《四庫全書總目》、孫殿起的《販書偶記》等目錄，都具備補充史志載錄不足的功能，讀者在檢索古人著述之際，也應該參酌利用。

三、查尋古籍的流傳狀況以及庋藏處所

　　讀者在確認所要查尋的古籍之後，接下來所要進行的步驟，便是訪查古籍的流傳狀態與庋藏處所。在訪查古籍流傳的過程中，讀者應該掌握的重點有兩項，一是所要查尋的古籍是否尚未亡佚、仍然傳世，一是現下仍然存世的古籍。

　　要確認古籍是否已然亡佚，必須就歷代書目進行比對工作，設若一部古籍在時代較早的書目中有所載錄，而在後世的書目之中卻無由得見，那麼這部古籍亡佚的可能性就很高，通常於編成年代較晚書目之中仍見載錄的古籍，仍然傳世的機率較高。當然，如是的狀況僅是普遍現象，並非絕對原則。

　　在確認所要查尋的古籍仍然傳世之後，接下來要進行的程序，便是調查該書的庋藏處所，而要確定古籍的庋藏處所，則必須仰賴各個收藏古籍的機構所編輯的「藏書目錄」，透過這些藏書目錄，讀者可以很便捷地知悉所要尋找的古籍現存何處。

　　讀者在查尋各類古籍的庋藏處所之際，可以參酌以下數部重要古籍藏書目錄：

㈠**臺灣**

1、**總合性書目**

‧臺灣公藏善本書目書名索引　國家圖書館編　臺北　國家圖書館　1971年6月

‧臺灣公藏善本書目人名索引　國家圖書館編　臺北　國家圖書館　1972年8月

‧臺灣公藏普通本線裝書目書名索引　國家圖書館編　臺北　國家圖書館　1982年3月

‧臺灣公藏普通本線裝書目人名索引　國家圖書館編　臺北　國家圖書館　1967年1月

2、**各圖書館館藏書目（略舉）**

‧國立中央圖書館善本書目（經、史、子、集、叢）　國家圖書館特藏組編　臺北　國家圖書館　1986年12月

‧中央研究院歷史語言研究所善本書目　中央研究院歷史語言研究所編　臺北　中央研究院歷史語言研究所　1970年11月

‧國立故宮博物院善本書目　國立故宮博物院編　臺北　國立故宮博物院　1968年4月

‧東海大學圖書館中文古籍簡明目錄　東海大學圖書館編　臺中　東海大學圖書館　1960年12月

㈡**中國**

1、**總合性書目**

‧中國古籍善本書目（經、史、子、集、叢）　中國古籍善本

書目編輯委員會編　上海　上海古籍出版社　1989年10月-
1998年3月

2、各圖書館館藏書目（略舉）

- 北京圖書館古籍善本書目（經、史、子、集）　北京圖書館
編　北京　書目文獻出版社　5冊　1987年
- 北京圖書館普通古籍總目　北京圖書館普通古籍組編　北京
書目文獻出版社　1990年8月
- 河北省圖書館藏古籍目錄　河北省圖書館古籍與地方文獻部
編　石家莊　河北省圖書館　1997年9月
- 四川大學圖書館古籍叢書目錄　倪晶瑩等編　成都　四川大
學出版社　1994年7月

(三)日本

- 國立國會圖書館漢籍目錄　國立國會圖書館圖書部編　東京
國立國會圖書館　1987年（昭和62年）3月
- 東京大學東洋文化研究所漢籍分類目錄　東京大學東洋文化
研究所編　東京　東京大學東洋文化研究所　1996年（平成
8年）1月
- 京都大學人文科學研究所漢籍分類目錄　京都大學人文科學
研究所編　京都　京都大學人文科學研究所　1979年（昭和
54年）3月
- 靜嘉堂文庫漢籍分類目錄　靜嘉堂文庫編　臺北　古亭書屋
1980年6月（影印本）
- 東洋文庫所藏漢籍分類目錄　東洋文庫編　東京　東洋文庫
1992年（平成4年）4月

㈣韓國

- 韓國所藏漢籍目錄　全寅初等編　不著出版項

㈤美國

- 美國國會圖書館藏善本書目　王重民等編　臺北　文海出版社　1972年6月
- 普林斯頓大學葛斯德東方圖書館中文舊籍書目　普林斯頓大學葛斯德東方圖書館編　臺北　臺灣商務印書館　1990年9月
- 普林斯頓大學葛斯德東方圖書館中文善本書目　屈萬里編　臺北縣　藝文印書館　1975年1月
- 美國哈佛大學哈佛燕京圖書館中文善本書志　沈津編　上海　上海辭書出版社　1999年2月

　　透過上述相關館藏目錄，讀者不但可以輕易地尋得所要查閱的古籍，同時也可以透過這些書目的載錄知悉傳世古籍的版本，進一步瞭解古籍流傳的過程。

四、透過叢書查尋古籍

　　中國叢書的編輯，肇始於宋代俞鼎孫、俞經二人所彙輯的《儒學警悟》，這類集結數部甚或數百部著作成帙的編輯形式，無論在屬性上是各類兼收或專輯一門、在編輯標準上是以時代為依歸或以人物為準繩，由於每每蒐羅了不易單獨流傳或各式書目疏於載錄的書籍，所以不但能夠確保古籍的流傳，同時也為查閱古籍開啟方便之門，倘使讀者能夠善用叢書所彙集的古籍文獻，就

能夠免除許多人為限制與時空侷限，迅速便捷地尋獲想要查閱的古籍。

　　就今日所知，自宋代以來彙集成帙的叢書數量已超越三千，而其中彙錄的古籍更是難以數計，面對如是龐大的資料體系，讀者必須倚賴以下諸書，方能以簡馭繁，收便捷之效：

- 中國叢書綜錄　上海圖書館編　上海　上海古籍出版社　3冊　1986年2月

　　楊家駱先生在編輯《叢書大辭典》之際將本書第一冊更名為「叢書總目類編」，列於《叢書大辭典》之後，又將第二、三冊更名為「叢書子目類編」。

- 中國叢書綜錄補正　陽海清等編　揚州　江蘇廣陵古籍出版社　1984年8月
- 中國近代現代叢書目錄　上海圖書館編　香港　商務印書館香港分館　1980年2月
- 中國叢書廣錄　陽海清等編　武漢　湖北人民出版社　1999年4月
- 臺灣各圖書館現存叢書子目索引　王寶先編　美國舊金山中文資料中心　1975年

五、實例說明

(一)查尋宋人蘇軾《周易》類作品在臺灣庋藏狀態

- 《宋史‧藝文志‧經類‧易類》：蘇軾《易傳》九卷
- 《臺灣公藏善本書目人名索引》：蘇軾

　　東坡先生易傳九卷　明萬曆刊本（《兩蘇經解》之一）——國家圖書館

東坡易傳九卷　清文淵閣四庫全書本、四庫薈要本——故宮博物院

東坡易傳八卷　明烏程閔氏刊朱墨套印本——國家圖書館、故宮博物院

蘇氏易解八卷　明萬曆間南京吏部刊本——中央研究院歷史語言研究所（傅斯年圖書館）

蘇氏易傳九卷　明汲古閣刊本（《津逮秘書》之一）——國家圖書館

‧《臺灣公藏普通本現裝書目人名索引》：蘇軾

東坡先生易傳九卷　版本不明——臺灣師範大學

　説明　：

　1. 由《宋史‧藝文志》的載錄可知，蘇軾撰有《周易》類專著《易傳》一書，篇幅為九卷。

　2. 以蘇軾姓名為據，查尋《臺灣公藏善本書目人名索引》，可以得知蘇軾的《易傳》在流傳過程中已遭後人更名為《東坡先生易傳》、《東坡易傳》、《蘇氏易解》、《蘇氏易傳》，而卷數亦有八卷、九卷的區別。

　3. 臺灣地區藏有蘇軾《易傳》的機構計有國家圖書館、故宮博物院、中央研究院歷史語言研究所、臺灣師範大學等四處。

㈡查尋國家圖書館是否庋藏元人趙汸《春秋金鎖匙》

　‧《國立中央圖書館善本書目‧經部‧春秋類》：

春秋金鎖匙一卷一冊　　（元）趙汸撰　明鈔本

　説明　：

　國家圖書館確實藏有元人趙汸《春秋》學著作《春秋金鎖匙》一書，該書篇幅一卷，裝為一冊，是明代人的鈔本。

(三)查尋各叢書收錄唐人成伯璵《毛詩指說》的狀況

· 《中國叢書綜錄·子目分類目錄·經部·詩經類·傳說之屬·隋唐》：毛詩指說一卷　（唐）成伯璵撰

通志堂經解·詩

四庫全書·詩部經類

摛藻堂四庫全書薈要·經部

說明：

　　唐人成伯璵《毛詩指說》一書，共有三部叢書收錄，一是清代納蘭成德編輯的《通志堂經解》，其餘分別為清乾隆年間四庫館臣編輯的《摛藻堂四庫全書薈要》以及《四庫全書》。

(四)藉各叢書的蒐錄查尋業已亡佚的古籍文獻

· 《漢書·藝文志·六藝略·書類》：《歐陽章句》三十一卷

說明：

　　該書《隋書·經籍志》及其以下之書目全無載錄，可見本書業已亡佚或者流傳不廣，有鑒於歷來各叢書每每收錄坊間罕見的古籍，是以由各部叢書入手。

· 《中國叢書綜錄·子目分類目錄·經部·尚書類·傳說之屬·漢》：

今文尚書說一卷　（漢）歐陽生撰，（清）王謨輯　漢魏遺書鈔·經翼第一冊

尚書歐陽章句一卷　（漢）歐陽生撰，（清）馬國翰輯　玉函山房輯佚書·經編尚書類

尚書章句一卷　　（漢）歐陽生撰，（清）黃奭輯　漢學堂叢書‧經解
書類黃氏逸書考‧漢學堂經解

　說明　：

　　1. 各叢書所收《歐陽章句》並非完書，全數是清人王謨、馬
國翰、黃奭輯佚的成果，三人所錄各有不同，分別收錄在三人編
輯的《漢魏遺書鈔》、《玉函山房輯佚書》、《黃氏逸書考》（《漢
學堂叢書》）之中。

　　2. 《歐陽章句》一書自《隋書‧經籍志》以下絕無著錄，亡
佚失傳之事實十分明顯。宋代以後，逐漸有學者（如王應麟）
開始自相關古代文獻中蒐集亡佚舊籍，到了清代，由於漢學
大興，許多學者戮力於蒐羅兩漢舊籍文字，同時也產生數部專
門彙集漢、魏失傳典籍殘存文字的叢書，讀者引用這類叢書，雖
然無法得知古籍舊說的全般特色，卻可以略窺漢、魏學術的風
貌。

六、結論

　　由於印刷技術與出版事業日益進步，除了許多珍貴的古籍被
直接翻印複製之外，經過新校標點後排版印刷者亦不在少數，如
是的革新，致使古籍存在與流傳的形式產生極大的變動；同時，
由於各圖書館庋藏的古籍數量迭有增加，舊編各部館藏書目也已
無法確實反映各單位圖書收藏的實際情形；所以，除了以上所述
運用歷代書目、各圖書館古籍書目、叢書等方法之外，讀者還可
以透過各圖書館的館藏目錄檢索最即時確切的古籍資訊，尤其在
各圖書館普遍運用電腦從事館藏檢索工作之後，讀者查尋古籍必

定會更加便捷。

　　另一方面，基於種種因緣，中國的古代典籍散佈於世界各地，而各個度藏處所也大多各行其是，缺乏全面性的相互聯繫與合作，閉門造車的狀態，往往造成讀者在查尋古代典籍之際的極大不便與困擾，要解決這樣的問題，除了加強各圖書館之間的合作，編成一部《世界各圖書館漢籍聯合目錄》，增加讀者搜尋古籍資訊的便利性，或許也是可行之道。

偽書和輯佚書資料的檢索與利用

陳恆嵩

東吳大學中國文學系副教授

一、前言

　　學者從事學術研究工作，旨在發現問題時，透過蒐集、檢索資料，取得可靠信實的材料，以探討分析問題形成的原因，進而提出解決問題的方法，提供可靠真實見解及答案。中國歷代文人由於受到「立功、立德、立言」三不朽論點之影響，遂往往傾其平生所學以從事著書立說的豐功偉業，為後世留下浩瀚繁博的典籍。中國的文史古籍雖多，在漫長流傳過程中，圖書卻紛紛產生偽造或亡佚的現象，兩者都對從事學術研究工作者造成相當大的傷害與困擾。為減少學術困難，前輩學者因而遂紛紛投入古籍辨偽與輯佚的工作，試圖為後世學者解決這兩類問題，獲致的成就相當高，成果也極為豐碩。辨別偽書和輯存古佚書是學術研究工作的基本知識，辨偽關係到使用資料的真實性與可靠性，輯佚則在企圖使恢復原書舊觀，嘉惠後人，兩者於學術研究皆關涉甚鉅，掌握兩類圖書資訊，進而充分利用它，實為學者必要的工作。但要檢閱這兩類資料應該如何入手？以下即根據個人使用的經驗，分項加以說明。

二、偽書及其檢索方法

　　所謂「偽書」就是指一本書的內容全部或部分屬偽造，或是書作者及其著作時代，與真實的作者並不相符者，前人即將它判為偽書。古代偽書的產生，可說歷代皆有，層出不窮。探究作偽的原因，大別可分為有意作偽與無意作偽兩大類。有意作偽者或為好古託傳、名利驅使、竊人之作、愛憎造假、好奇虛構等，原因甚多，不一而足。偽書的出現，不僅對閱讀古書造成困擾，對學術工作者在史料徵引時，真偽莫辨，也形成研究的極大困擾與不便。因此從事研究時，首先應當掌握典籍作品的真實性，想要檢查古代專門辨別偽書的典籍，主要約有以下幾種可資利用：

　　‧唐人辨偽集語　張西堂輯點　北京　中華書局　1955年11月；臺北　世界書局　1979年10月

　　唐代辨偽言論大都散見於文集、序跋及注疏之中，罕有單獨成書者，張西堂將《五經正義》、《隋書經籍志》、顏師古、劉知幾、司馬貞、啖助、趙匡、杜佑、韓愈、柳宗元、李漢、張籍、劉肅、李肇、皮日休、司空圖、道世、成伯璵、邱光庭及樂史等諸家辨偽言論，或片言隻語，或長篇累牘，全加以輯錄點校成書，後被顧頡剛收入《古籍考辨叢刊》之內。

　　‧諸子辨　（明）宋濂著　北京　中華書局　1955年11月；臺北　世界書局　1979年10月

　　本書考辨宋代以前諸子書四十種，原在文集之中，顧頡剛單獨輯出點校出版，且收入《古籍考辨叢刊》首集之內。

　　‧四部正訛　（明）胡應麟著　北京　中華書局　1955年11月；臺北　世界書局　1979年10月

　　本書分為上中下三卷，原為胡氏所著《少室山房筆叢》中的辨偽言

論，所辨偽書遍及四部古籍，約有百餘種。民國初年，顧頡剛將它單獨點校輯出刊布，並收入《古籍考辨叢刊》之內。

- 群經疑辨　（清）萬斯同著　臺北　廣文書局　1979年10月
- 古今偽書考　（清）姚際恆著　北京　中華書局　1955年11月；臺北　世界書局　1979年10月（《偽書考》五種本）

本書原為姚際恆所撰《庸言錄》的附錄，鮑廷博將其輯刻入《知不足齋叢書》內，民國後由顧頡剛將它單獨點校出版，收入《古籍考辨叢刊》之中。

- 重考古今偽書考　顧實著　上海　大東書局　1926年
- 古今偽書考補證　（清）姚際恆著，黃雲眉補證　南京　金陵大學中國文化研究所　1932年；臺北　文海出版社　1972年1月

二書皆在補充或證成姚氏《古今偽書考》一書的說法。

- 考信錄　（清）崔述著　上海　大東書局　1926年

此書專事考辨古籍的真偽，包括：《補上古考信錄》、《唐虞考信錄》、《夏考信錄》、《商考信錄》、《豐鎬考信錄》、《洙泗考信錄》及《豐鎬別錄》等十幾種，經顧頡剛點校，並為其刊布流傳。

- 新學偽經考　（清）康有為著，章錫琛校點　北京　中華書局　1959年9月；臺北　世界書局　1962年12月

以上諸書均為清代之前學者有關古書的辨偽資料。

民國以後，古史辨偽的學術風氣盛行，學者競事於古史真偽的考辨，新的學術成果不斷發表，能蒐羅總結此期辨偽成績的專門著作有：

- 古書真偽及其年代　梁啟超講，周傳儒、姚名達、吳其昌記錄　北京　中華書局　1955年9月；臺北　臺灣中華書局　1956年

　　此書係梁氏在燕京大學的講義,全書共分為上下兩卷,上卷論述梁啟超有關辨偽理論及其考辨的方法,下卷則論述經部各書的真偽及其著作年代。

　　‧古史辨　顧頡剛等著　上海　上海古籍出版社　1982年;臺北　藍燈文化事業公司　1987年11月

　　顧頡剛將崔述古史考辨方法與胡適的方法論相結合,提出「層累地造成的古史」的學說,風靡一時,形成古史論辨的疑古風潮,顧氏將它集結成書,以便利閱讀省檢。

　　‧偽書通考　張心澂編著　北京　商務印書館　1957年11月三版修訂本;臺北　盤庚出版社　1979年2月

　　張氏之書,共收錄偽書一千一百零四部。其書是將《諸子辨》、《四部正訛》、《古今偽書考》三部書的內容加以合併,以書名為綱,且徵引其他辨偽材料,文末附按語。是書薈萃歷朝歷代的偽書和辨偽言論,為辨偽學集大成的著作,使學者能夠執一編而眾說畢備,不需費事他尋,甚便利學界。

　　‧續偽書通考　鄭良樹編著　臺北　臺灣學生書局　1984年6月

　　本書主要是為補充張心澂《偽書通考》之書而作。張氏之書行世二十餘年,辨偽論著仍不斷出版,鄭氏將散見於大學學報、期刊的各種辨偽論文、序跋、專書之辨偽章節等皆盡可能加以收錄,綜合整理成書;未能載錄其文章者,就錄其篇名,以備讀者依目檢索。執此一編,諸家之說齊備,省卻搜尋之勞,甚便省覽。書末附有《偽書通考》正續編考訂古籍、徵引古籍索引兩種。關於鄭氏之書,林慶彰先生嘗撰有〈評鄭良樹編著《續偽書通考》〉(《漢學研究》2卷2期,1984年12月;後收入《圖書文獻學研究論集》,臺北,文津出版社,1990年1月)一文評價其得失,並提供鄭氏遺漏之文章篇目,可供參考。

‧中國偽書綜考　鄧瑞全、王冠英主編　合肥　黃山書社
1998年7月

　　本書收錄古代至近代有關的偽書一千二百種，為目前收錄偽書數量與
種類最多的辨偽專書，全書主要收錄大陸數十年來學界的辨偽成果，而採
用論述方式撰寫，使條理清晰明暢，便於初學者閱讀。

‧中國偽書大觀　俞兆鵬主編　南昌　江西教育出版社　1998
年10月

‧先秦文史資料考辨　屈萬里著　臺北　聯經出版事業公司
1983年2月

　　想要了解古籍真偽，及前人對於其書的考辨，上列諸書所述
大致上齊備，唯上開書目都是屬於古代的偽書，至於從民國三十
八年國民政府遷臺以來，因兩岸敏感的政治問題牽連，居留大陸
學者的學術著作變成禁書，禁止出版及閱讀，出版社為迎合市場
需求，致大量竄改各種禁書，竄改的方式，或更改書名、作者，
或竄亂內容，形成當代的新偽書，其數量相當龐大。由於與我們
生活的時代接近，又牽涉敏感的政治問題，學者大都避而不談，
或以為不值得費心關注。近年來僅有林慶彰先生嘗撰寫〈當代偽
書問題〉、〈偽書概觀〉（皆收入《圖書文獻學研究論集》）兩篇
文章關注此類問題，針對當代偽書作偽的方法、辨識偽書的技巧
及偽書之影響與對應之道，有詳盡的敘述，值得讀者參考。

三、輯佚書及其檢索方法

　　中國歷史久遠，歷代累積的古書數量自然相當多，前人雖然
常以浩博繁雜去形容它的眾多而難以計數，但由於傳播條件的限
制，天災、兵燹或人為因素的破壞，流傳過程中造成為數龐大的

古籍殘佚毀損。典籍的散亡佚失，形成學術文化上莫大的損失。元代馬端臨就在《文獻通考・經籍考序》說：「漢、隋、唐、宋之史，俱有藝文志，然《漢志》所載之書，以《隋志》考之，十已亡其六七；以《宋志》考之，隋、唐亦復如是。」可見古代書籍散佚速度之快，及其亡佚數量之眾。

　　為了彌補此種缺憾，學者開始尋找散亡典籍的佚文、佚篇的遺存，將被其他古籍引用過的文字採錄而編輯成書，以期恢復古籍文獻之面貌，為後世提供一些僅存而難得的資料。輯佚始於宋代，陳景元用以輯《相鶴經》，王應麟利用古注輯東漢鄭玄的經注，後學仿效，相沿成習，清代學者紛紛投入輯佚之列，風氣大盛，獲得的成果也極為豐碩。後世學者從事學術工作，應當充分掌握進而利用此一難得的成果。究竟要如何入手去檢索這些前賢的輯佚成果？以下僅依個人的經驗，將輯佚文獻資料分為叢書、總集、工具書三類來作簡要說明。

㈠利用叢書進行檢索

　　叢書是彙集眾多圖書文獻於一編之中的大型圖書。它彙聚圖書，分類編排，不僅方便讀者檢索資料，使得圖書資料容易獲得保存，功用相當宏大，歷來為學者所重視。前人的輯佚書籍往往被叢書收入保存。讀者想要獲得叢書資料時，可查閱以下幾種叢書目錄工具書：

- 中國叢書綜錄　上海圖書館編　上海　上海古籍出版社1986年2月
- 中國叢書綜錄補正　陽海清等編　揚州　江蘇廣陵古籍刻印社　1984年8月
- 中國叢書廣錄　陽海清等編，陳彰璜參編　武漢　湖北人民

出版社　1999年4月
- 中國近現代叢書目錄　上海圖書館編　上海　上海圖書館
1982年7月
- 臺灣各圖書館現存叢書子目索引　王寶先編　美國舊金山
中文資料中心　1975年
- 叢書總目續編　莊芳榮編　臺北　德浩書局　1974年
- 百部叢書集成分類目錄　藝文印書館編　臺北　藝文印書館
1972年
- 叢書集成續編目錄索引　藝文印書館編　臺北　藝文印書館
1971年
- 叢書集成三編目錄索引　藝文印書館編　臺北　藝文印書館
1973年

　　前面四種目錄係彙錄宋代以來至近代各種叢書中的三萬餘種
古籍資料，是相當方便檢索的工具書。五、六兩種主要針對臺灣
收藏的叢書而編。《叢書總目續編》收錄臺灣自民國三十八年至
六十三年間所重印及新編叢書六百八十三種的分類目錄。至於最
後三種是藝文印書館為該書局所影印出版的《百部叢書集成》、
《叢書集成續編》、《叢書集成三編》三套大型叢書所編纂的分類
目錄索引，可說都是實用性極高的工具書。

(二)掌握輯佚典籍資料

　　輯刻失傳古籍，雖起始於宋代，而將它發揚光大且成為一門
專門學問，則要遲至清代，舉凡周秦諸子百家、漢儒經注、魏晉
南北朝逸史逸集等，只要有片言隻語留存，無不詳加蒐採編錄，
成果斐然。清朝僅官方的四庫館臣即從《永樂大典》就輯出數百
種古籍，其中收入《四庫全書》的有三百八十八種，列入存目者

有一百二十八種。至於民間學者自行盡力輯佚，獲致成果的書籍更是數倍於官方的成就，以下僅據筆者所知較重要而常用者加以列舉：

1. 輯佚總集

從事古籍的輯佚工作，有將輯得文人作品匯集於一編者，有將各種著作輯集於一書者，此類輯佚書總集諸書，頗便學者檢閱，比較重要者有：

- 漢魏六朝百三家集　（明）張溥輯　臺北　臺灣商務印書館1986年3月（影印文淵閣四庫全書本）；臺北　文津出版社1979年8月
- 漢魏遺書鈔　王謨輯　北京　中華書局　1998年9月

王氏原計畫輯書四五百種，分為「經翼」、「別史」、「子餘」、「載籍」四大類。後僅收「經翼鈔」一類整理雕版，輯書一百零七種，餘皆未能刊印而致亡佚。

- 重訂漢唐地理書鈔　王謨輯　清嘉慶間金溪王氏刊本

輯漢唐地理書佚文凡五十種，為研究地理學和地理沿革極有價值的著作。

- 玉函山房輯佚書　馬國翰輯　北京　中華書局　1998年9月

共輯書五百九十四種，為一部規模巨大的輯佚典籍，其中以經編最多，史編、子編數量較少。

- 玉函山房輯佚書續編　王仁俊輯　上海　上海古籍出版社影印稿本　1989年9月
- 玉函山房輯佚書補編　王仁俊輯　上海　上海古籍出版社影印稿本　1989年9月
- 經籍佚文　王仁俊輯　上海　上海古籍出版社影印稿本1989年9月

　　王仁俊輯《玉函山房輯佚書續編》、《玉函山房輯佚書補編》、《經籍佚文》三種，續馬國翰的不足，補其闕遺，內容廣羅四部遺佚典籍，起自周秦，下迄元明，共輯佚書五百二十三種，後人將它合稱為《玉函山房輯佚書續編三種》。《玉函山房輯佚書續編三種》與《玉函山房輯佚書》為清代輯佚類書籍中的兩大鉅著。

・黃氏逸書考（又名：《漢學堂叢書》）　黃奭輯　北京　中華書局　1998年9月

　　此書有《黃氏逸書考》及《漢學堂叢書》二名，收書數目亦不同，以民國二十三年朱長圻刊本收書二百九十一種最多。

・十種古逸書　茆泮林輯　清道光十四年梅瑞軒刊本

　　另外，對於古經注的輯佚，數量也相當多，因數繁不列舉單經，以下僅就綜合輯存群經佚注者而較重要者舉例如下：

・九經古義　惠棟輯　臺北　臺灣商務印書館　1986年3月（影印文淵閣四庫全書本）；臺北　藝文印書館　1965年10月

・古經解鉤沈　余蕭客輯　臺北　臺灣商務印書館　1986年3月（影印文淵閣四庫全書本）

・十三經漢注四十種輯佚書　王仁俊輯　稿本

・經典集林　洪頤煊輯　臺北　臺灣商務印書館　1986年3月（影印文淵閣四庫全本）

・古微書　孫瑴輯　臺北　臺灣商務印書館　1986年3月（影印文淵閣四庫全書本）

・緯書集成　（日）安居香山、中村璋八輯　上海　上海古籍出版社　1994年6月；石家莊　河北人民出版社　1994年12月

《古微書》和《緯書集成》兩種皆重在蒐採古籍中存留的讖緯佚文，詳

加編次考訂，藉此可復見漢代讖緯盛行的大概情形。

- 全上古三代秦漢三國六朝文 （清）嚴可均輯 北京 中華 書局 1958年12月；臺北 世界書局 1982年2月；北京 商務印書館 1999年10月

本書主要為接續清代編纂的《全唐文》而作，起自上古，下迄隋代，共收三千四百九十七人，每人作一小傳，分編為十五集，網羅唐以前全部現存的單篇文章，為收錄唐以前文章最全的一部總集，具有極高文獻價值。

- 全漢三國晉南北朝詩 （清）丁福保輯 北京 中華書局 1959年5月

本書係西漢到隋代文人的詩文總集，主要為續補《全唐詩》以前朝代而作。

- 先秦漢魏晉南北朝詩 逯欽立輯校 北京 中華書局 1983 年9月；臺北 木鐸出版社 1983年9月

本書也是為續補《全唐詩》以前朝代而作。除《詩經》、《楚辭》而外，舉凡先秦漢魏晉南北朝各代的詩歌謠諺均予以收錄，並詳細註明出處及版本異文。

- 宋詩話輯佚 郭紹虞輯校 北京 中華書局 1980年；臺北 華正書局 1981年12月

本書所輯宋人詩話分為補輯與全輯兩大類，全書分為上、下兩卷，共收宋人詩話三十五種，下卷收詩話二十四部，書末附輯非純粹論詩專著三種。

- 全宋詞補輯 孔凡禮補輯 北京 中華書局 1981年8月； 臺北 源流出版社 1981年12月
- 宋元戲文輯佚 錢南揚輯 上海 古典文學出版社 1956年 12月

- 元人雜劇鉤沈　趙景深輯　上海　古典文學出版社　1965年 2月
- 明代徽調戲曲散曲輯佚　王古魯輯　上海　古典文學出版社 1956年6月
- 戲曲演唱論著輯釋　周貽白輯釋　北京　中國戲劇出版社 1962年12月
- 古小說鉤沈　魯迅輯　北京　人民文學出版社　1951年10月

2.單行本

　　總集之輯佚，所需耗費的心力及時間相當大，成果的獲得較不容易。至於為單一學者輯校學者之著作或某一部書，時間、心力的耗費較少，成果也相對比較多，此類著作為數甚夥，涵蓋經、史、子、集四部，僅舉數例說明：

- 尚書大傳輯校　（漢）伏勝著，（清）陳壽祺輯　臺北　藝文印書館　1986年6月（影印《皇清經解》本）
- 詩辨妄　(宋)鄭樵著，顧頡剛輯　北京　樸社　1933年7月
- 詩三家義集疏　（清）王先謙輯　臺北　藝文印書館　1986年6月（影印《皇清經解》本）；北京　中華書局　1987年2月
- 詩義鉤沉　（宋）王安石著，邱漢生輯　北京　中華書局 1982年9月
- 三經新義輯考彙評——詩經　（宋）王安石著，程元敏輯　臺北　國立編譯館　1986年7月

　　邱、程兩書皆旨在鉤稽王安石的《詩經新義》一書的文字，程元敏先生的書除輯考王氏文字外，並附有後代學者對其書的評論。

- 宋會要輯稿　徐松輯　北京　中華書局　1957年12月
- 宋中興禮書、續中興禮書　徐松輯　臺北　臺灣商務印書館

1986年3月

· 世本八種　秦嘉謨等輯　北京　商務印書館　1957年12月
· 古本竹書紀年輯校訂補　范祥雍輯補　上海　上海人民出版社　1957年9月
· 春秋後語輯考　王恆傑輯　濟南　齊魯書社　1993年12月
· 十六國春秋輯補　湯球輯著　上海　商務印書館　1958年6月
· 八家後漢書輯注　周天游輯注　上海　上海古籍出版社　1986年12月

上述七種皆是前人對有關亡佚史籍的輯佚成果。

· 唐人軼事匯編　周勛初主編　上海　上海古籍出版社　1995年

本書以時代為序，以人為目，搜採唐、宋人所撰寫之雜史、傳記、故事、小說中有關的唐五代人物軼事，以提供學者閱讀時不同方面記載。

· 宋人軼事匯編　丁傳靖輯　北京　商務印書館　1958年9月

本書編纂體例與《唐人軼事匯編》相同。

· 唐文拾遺、唐文續拾　（清）陸心源輯　北京　中華書局　1983年11月
· 古謠諺　（清）杜文瀾輯　北京　中華書局　1958年1月
· 藍田呂氏遺著輯校　（宋）呂大臨著，陳俊民輯　北京　中華書局　1993年11月
· 王安石老子注輯本　（宋）王安石著，容肇祖輯　北京　中華書局　1979年5月
· 范成大佚著輯存　孔凡禮輯　北京　中華書局　1983年11月
· 朱熹佚文輯考　束景南輯著　南京　江蘇古籍出版社　1991年12月

- 四庫輯本別集拾遺　欒貴明輯　北京　中華書局　1983年10
  月
- 夷堅志佚事輯補　王秀惠輯　漢學研究　第7卷第1期　頁
  163-182　1989年6月

　　古典文學的著作，在正史藝文志中的記載，為四部典籍中最
多者，相對的亡佚也最多，後學為保存前賢的心血結晶，往往費
心蒐輯，以求能尋得吉光片羽之資料，此種輯本相當多，要能充
分掌握利用此類資料，仍需仰賴平日多注意留心新資料的出版。

　　民國以後，許多大型總集的編輯，如趙萬里輯《校輯金元人
詞》（北京：人民文學出版社，1951年10月）、唐圭璋輯《全宋詞》
（北京：人民文學出版社，1965年6月）及《全金元詞》（北京：
中華書局，1979年10月；臺北：洪氏出版社，1980年11月）、隋
樹森輯《全元散曲》（北京：中華書局，1964年2月）等書，實皆
可視為輯佚學的著作，唯此類著作甚多，不勝枚舉，成果也極為
豐碩。有關輯佚學的理論及歷代成績，可參考大陸學者曹書杰所
撰寫《中國古籍輯佚學論稿》（長春：東北師範大學出版社，
1998年9月）一書中有詳盡完整的論述。

(三)利用工具書進行檢索

　　古佚書輯本大都被收入前人所編各種叢書中，以往要檢索古
籍的佚文資料，可謂相當困難。學者僅能從各輯佚名家的著作中
逐次搜尋，或從各類叢書中尋找，造成諸多不便。目前要檢索古
書輯本資料，最便利使用的工具書是：

- 古佚書輯本目錄　孫啟治、陳建華編輯　北京　中華書局
  1997年8月

本書專門收錄先秦至南北朝之佚書輯本，以及現存書之佚文輯本，時

間以一九四九年以前出版之版本為限。全書依照經史子集四部分類,各書依作者時間先後排列。同一佚書有不同輯本,則以版本最早者為主條目,其餘版本依次換行低一格分條列目,單行本列前,叢書本列後,亦以年代先後為次。書末附錄所收叢書版本表,以依照四角號碼排列的書名索引、作者索引。目錄資料著錄詳盡,讀者查閱起來相當方便。

四、結語

　　時代不斷在前進,圖書出版的速度,不僅快速而且數目眾多繁雜,加上論文期刊上的研究成果日新月異,更是增加資料尋找的困難度。如何在浩如煙海的圖書中找尋到所需的文獻資料,常常會令初學者視為畏途。筆者淺見以為文獻學為從事任何門類學問必具的基礎學科。學者治學想要有成績,不但需要用功讀書,有正確的治學方法,平日更應充分掌握各種工具書。學者能善用工具書,明白各書編輯體例,深入瞭解其使用方法,舉凡叢書、類書、方志、輯佚、辨偽目錄,皆能了然於胸,則不論檢索辨別偽書的資訊,或是輯佚圖書資料的搜尋,使用起來都將能夠得心應手,節省寶貴的時間,迅速準確而有效率的搜檢到所需要的資料。

域外漢籍的檢索與利用

馮曉庭

中央研究院中國文哲研究所博士後研究

一、前言

依據標題，本文所指涉的重點有二，一是「域外」，一是「漢籍」。所謂「域外」，指的是中國地區（亦即今日俗稱的「兩岸三地」——中國、臺灣、港澳）以外的國家或地域；而所謂「漢籍」，則是對於「漢文古籍」——滿清皇朝覆亡以前（1910）在中國地區撰成流通之諸家著述的統稱。

漢籍向域外流傳的確切起始年代以及箇中情狀，由於文獻記載闕如，所以至今仍然無法辨明，比較能夠肯定的是，日人藤原佐世奉敕編纂的《日本國見在書目》當中，就羅列了四十大類、數量超過千種的中國典籍，由此可見，至少在隋、唐時期，漢籍便已經由陸路或海路運輸大量傳入朝鮮半島與日本列島。當然，漢籍流傳的途徑與方向並不止於東向朝鮮、日本，趙宋以後，掌控中國地區的政權就經常與鄰近的遼、金、蒙古、後金、安南等政治實體進行文化交流，而這些交流活動當中，書籍的贈與可以說是相當重要的環節。

事實上，從現存的文獻史料可以得知，國際間書籍的贈與，並不是漢籍流布到域外的主要原因與方式，在中國撰成以及出版

的書籍之所以流傳於海外，商業行為（尤其是清代中葉以後）是最重要的媒介，換言之，大量的漢語典籍曾經通過商人刻意的蒐羅與買賣，遠渡重洋、超越關山，進入文化迥異於中國地域的國度，最終成為這些國家文化機構或圖書館的重要收藏。例如美國普林斯頓大學葛思德東方圖書館典藏的漢籍，便是美國商人葛思德在中國地區精心蒐羅的成果。

不同時代的各類漢籍廣布海外，現今已然成為無可爭議的共同認知與學術狀態，依循常理推論，這些典籍既然根源於中國，學者就地尋擇、研究閱讀，原本是極為正確合宜的行為；然而，歷代諸家論述，在經過長期流傳之後，或者因為戰火天災而毀滅損折，或者由於學風轉變而乏人問津，逐漸在中國地區亡佚失存，在這樣的狀態下，保存於海外的漢籍，不但具有存亡補佚的文獻學功能，對於學者探研歷代學術風貌也極有助益。另一方面，這些域外漢籍也可能由於版本珍稀，故而存在著相當程度的版本、校讎以及辨偽功能。

域外漢籍既然蘊含著如是緊要的學術性功能，學者於從事研究工作之際自是不應輕忽，而對於域外漢籍分布暨庋藏狀況的確切掌握，則需借助各典藏機構的藏書目錄或者專門目錄。一般而言，由於普遍缺乏聯繫以及合作，海外漢籍相關書目所載錄的範圍大多數為單一機構，而設若必須強加分別，則以地域概念為中心的「日本」、「韓國」、「美國」、「歐洲」之區隔方式較為簡便。

二、日本的漢籍書目

除了中國地區之外，收藏漢籍數量質精且量多的，首推日

本，而典藏機構與漢籍目錄數量最多者，也是日本；梁朝皇侃《論語義疏》由東瀛回傳中土，使學者得以窺見南朝經學及「義疏之學」梗概，至今仍是研究者津津樂道的學術佳話。現今日本地區較為重要的漢籍目錄有以下數部：

‧國立國會圖書館漢籍目錄　國立國會圖書館編　東京　紀伊國屋書店　1987年（昭和62年）3月

本書為日本國會圖書館庋藏漢籍的清冊，以傳統「經」、「史」、「子」、「集」、「叢」五部為編排的主軸，包含書末「新學部」，共計收錄漢籍23943種，各類書籍以清代出版為大宗。

‧東京大學總合圖書館漢籍目錄　東京大學附屬圖書館編　東京　東京堂　1995年（平成7年）7月

本書為東京大學總合圖書館（即總圖書館）所藏漢籍目錄，以「經」、「史」、「子」、「集」、「叢」為編排原則，其中經部一五→二部、史部二二三五部、子部三三二六部、集部二一一九部、叢書二五五部、附錄一一六部，總計收書九五六三部。

‧東京大學東洋文化研究所漢籍分類目錄　東京大學東洋文化研究所編　東京　東京大學東洋文化研究所　1996年（平成8年）1月

本書為東京大學東洋文化研究所典藏漢籍書目，該所藏書以學者大木幹一（大木文庫）、長澤規矩也（雙紅堂文庫）、下中彌三郎（下中文庫）、仁井田陞（仁井田文庫）為基礎，陸續擴張至二十餘萬冊，全書以「經」、「史」、「子」、「集」、「叢」為編排依據。

‧東京大學文學部中國哲學中國文學研究室藏書目錄　東京大學文學部中國哲學中國文學研究室編　東京　東京大學文學部中國哲學中國文學研究室　1965年（昭和40年）3月

本書為東京大學文學部中國哲學中國文學研究室於昭和三十七年

（1962）的藏書狀況調查，當中「第一編」為漢籍書目，全書以「經」、「史」、「子」、「集」、「叢」五項為分類原則。

・京都大學人文科學研究所漢籍分類目錄　京都大學人文科學研究所編　京都　京都大學人文科學研究所　1979年（昭和54年）3月

本書為京都大學人文科學研究所度藏漢籍書目，京都大學人文科學研究所度藏的漢籍以清代善本為重心，自吉川幸次郎起逐漸樹立規模，全書以「經」、「史」、「子」、「集」、「叢」五項為分類原則，條列漢籍七千餘部。

・日本九州大學文學部書庫漢籍目錄　周彥文編　臺北　文史哲出版社　1995年10月

本書羅列九州大學文學部書庫所藏漢籍，全書以「經」、「史」、「子」、「集」四部為分類標準，其中「經部」收書一三六種、「史部」收書六五五種、「子部」收書二四四種、「集部」收書二八九種。所收大致上是清代刊本，編者除了羅列書名卷帙以外，並紀錄其板式行款。

・早稻田大學圖書館所藏漢籍分類目錄　早稻田大學圖書館編　東京　早稻田大學圖書館　1996年（平成8年）3月

早稻田大學圖書館成立百餘年，至今搜羅漢籍八二五七部，本書為早稻田大學圖書館館藏漢籍目錄，全書以「經」、「史」、「子」、「集」、「叢」五項為分類標準。

・靜嘉堂文庫漢籍分類目錄　靜嘉堂文庫編　臺北　古亭書屋　1980年6月

靜嘉堂文庫以陸心源所收「皕宋樓」、「十萬卷樓」、「守先閣」等諸家藏書為基礎，陸續增益，至昭和三年（1928）已有藏書十餘萬冊，本書即該文庫所藏漢籍書目，全書以「經」、「史」、「子」、「集」、「叢」五項為分類標準，在本書編成之後，靜嘉堂文庫又撰《續編》，將未及納入前

書的漢籍編於其中。

除了《靜嘉堂文庫漢籍分類目錄》之外，靜嘉堂文庫並編纂《靜嘉堂文庫宋元版圖錄》(圖版篇、解題篇)，介紹該文庫所藏宋元時期刻本。

- 東洋文庫所藏漢籍分類目錄　東洋文庫編　東京　東洋文庫　1992年（平成4年）4月

本書為東洋文庫所藏漢籍書目，全書以「經」、「史」、「子」、「集」四部為分類原則。東洋文庫一向以蒐集有助於研究的「實用本」、「普通本」為選取書籍方針，所謂的「善本」數量較少，而各類書籍中又以「史部」中的「方志類」為數最多。

- 懷德堂文庫圖書目錄　大阪大學文學部編　大阪　大阪大學文學部　1976年（昭和51年）3月

懷德堂為日本江戶時期興起於大阪市井之間的學術團體，幾經演變之後，學風為大阪大學所承繼，而歷來的圖書也由大阪大學接續管理。懷德堂文庫的書籍漢、和並存，即使所謂「漢籍之部」，也包含許多日本學者的漢語著作，全書依「經」、「史」、「子」、「集」、「叢」原則分類，而「純正」的漢籍則以清代刊本為多，明代以前刊本甚少。

- 足利學校遺蹟圖書館漢籍分類目錄　長澤規矩也編　東京　汲古書院　1988年（昭和63年）11月

足利學校為日本「室町幕府」時期（14-15世紀）貴族的專屬學校，該學校收藏了許多珍貴的鈔本以及古老刊本（宋元時期），其中最負盛名的莫過於數部「單疏本」——《尚書正義》、《禮記正義》，皇侃《論語義疏》的寫本以及宋刊《毛詩註疏》、《新唐書》。本書分為「漢籍」與「國書」兩大部分，所謂「漢籍」即是撰成於中國地區（少數為朝鮮人著作）的典籍，「漢籍」部分依照「經」、「史」、「子」、「集」、「叢」加以區隔。

- 日本藏宋人文集善本鈎沉　嚴紹璗編　杭州　杭州大學出版社　1996年12月

本書專就日本地區所藏宋人文集善本進行陳述，書中除記載庋藏地之外，並有「按語」說明該書冊數、板式、印記、批校、序跋等狀況，倘若有所疑義，則加以考證。

以上所列十二項書目，僅是現下坊間較易尋得以及所藏書籍較為整備者，日本國內若干縣、市圖書館也曾就館內庋藏漢籍編就專門目錄，例如《大阪府立圖書館藏漢籍目錄》、《千葉縣立中央圖書館所藏漢籍目錄》、《八戶市立圖書館漢籍分類目錄》等等。此外，日本民間的古書買賣專門書店為數甚眾，這些書店經常會依照庫內存書編製「古書目錄」，例如「琳琅閣輸入書目錄」、「汲古」、「東方」等，儘管這些書目是依據商業利益的思維編製而成，但是其中不乏可貴的重要典籍，並且都有若干題解與圖版寫真，對於學者查尋域外漢籍可以說頗有助益。

三、韓國的漢籍書目

韓國地區的漢籍為數頗眾，一直以來各個庋藏機構均是各自為政，缺乏聯合性目錄，數年前，以韓國延世大學教授全寅初為首的「韓國所藏中國古書調查研究」工作小組，陸續進行各部漢籍目錄的彙整工作。二〇〇〇年，該小組發佈「第一次」結果，將下述目錄彙整成《韓國所藏漢籍目錄》一書：

㈠韓國國立中央圖書館：《古書目錄》（1970）、《外國古書目錄‧中國／日本篇》（1976）

㈡奎章閣：《奎章閣圖書——中國本綜合目錄》（1982）、《奎章閣圖書——韓國本綜合目錄》（1994）

㈢藏書閣：《藏書閣圖書中國版總目錄》（1974）、《藏書閣圖書韓國版總目錄》（1984）

㈣韓國精神文化研究院：《藏書目錄：國內書篇》（1984）、
《藏書目錄：東洋書篇》（1986）

《韓國所藏漢籍目錄》以四部分類為依據，主要編列一九一
一年以前板刻的中國書籍，舉凡一九一一年以前在中國出版、在
中國出版而在韓國復刊、韓國人為漢籍進行注釋者，均在蒐集的
範圍。該書除了按照四部分類法分類書籍之外，各類當中單書的
排列順序是以「漢語拼音」為序，學者在使用之際務須先行了
解。

《韓國所藏漢籍目錄》的整編工作仍在持續進行當中，日後
學者在針對韓國漢籍進行查尋工作之際，除了利用原有的各機構
館藏漢籍目錄之外，更可以使用《韓國所藏漢籍目錄》進行全面
完整的檢索。

四、美國的漢籍書目

截至目前為止，美國地區較便利於臺灣學者使用的漢籍目錄
為數並不多，相對地，編輯這些書目的藏書機構對臺灣學者而言
便顯得相當重要，這些機構分別是美國國會圖書館、哈佛大學哈
佛燕京圖書館、普林斯頓葛思德東方圖書館。

‧美國國會圖書館藏善本書目　王重民等編　臺北　文海出版
社　1972年6月

本書完成於編者王重民旅美期間，是現今唯一針對美國國會圖書館所
藏漢籍進行整理工作的工具書。全書以「經」、「史」、「子」、「集」四部
分類法為編輯大綱，由於是以「善本」為著錄中心，因此本書所列並非美
國國會圖書館庋藏的全數漢籍，僅是其中版本較佳者。除了登錄板式、卷
冊、印記以及相關序跋之外，編者亦會針對有疑義的部分提出分析考訂。

本書隨後成為編者另一部著作《中國善本書提要》的基礎，設若學者無法尋得《美國國會圖書館藏善本書目》，亦可查尋《中國善本書提要》。

· 普林斯頓大學葛思德東方圖書館中文舊籍書目　普林斯頓大學葛思德東方圖書館編　臺北　臺灣商務印書館　1990年9月

普林斯頓大學葛思德東方圖書館的漢籍，最初得力於美國商人葛思德的蒐購，葛思德因受中國醫方之惠，多年宿疾得以痊癒，所以委託陳寶琛代為蒐集醫家之書，隨後遍及四部，因為求書的因由及過程如是，醫家之書遂成為葛思德東方圖書館藏書的大宗。本書以「經」、「史」、「子」、「集」、「叢」為分類原則，所收書大多以清代刻本為主，明代刊本則為少數。除了醫書數量較多為特色之外，其間所收各家文集也為數頗眾。

· 普林斯頓大學葛思德東方圖書館中文善本書目　屈萬里編　臺北　藝文印書館　1975年1月

本書於屈萬里先生旅美擔任交換訪問教授期間編纂而成，所選錄的可區分為「經」、「史」、「子」、「集」，書中所載大抵為明代刊本。除了註明卷冊，說明行款板式，辨識印記、說明題記序跋之外，屈先生亦針對其中有疑義處，如作者身分若何、書中所提作者是否為依託、刊刻時間是否偽述、著作性質分辨等詳加考訂。

· 哈佛大學哈佛燕京圖書館藏中文書目錄　哈佛大學哈佛燕京圖書館編　NewYork：Garland Publishing,Inc　1986年

哈佛大學哈佛燕京圖書館所藏漢籍為數頗眾，然而卻未曾經過專業編目整理，因此讀者在試圖就《哈佛大學哈佛燕京圖書館藏中文書目錄》查檢所需資料之際，往往倍感艱辛。本書並未區隔舊刊本以及新式出版品，所以在書籍的編排順序上可以說是新舊雜陳；同時，該書以書名英文字母順序為排目準則，對於非出身英美語系的使用者而言，除了原本性的不便之外，更麻煩的是，所謂以英文字母為順序的編排方式也並非單純劃一，

例如以字義做為分類依據的「CHINA」，就下接以字音做為依據的「CHIAO T'UNGPU（交通部）」，如此編排，對於習慣以內容性質為書籍分類準則的臺灣學者來說，的確會造成困擾。

‧美國哈佛大學哈佛燕京圖書館中文善本書志　沈津編　上海　上海辭書出版社　1999年2月

本書羅列哈佛大學哈佛燕京圖書館庋藏宋、元、明三朝善本漢籍一四三三種，書中以「經」、「史」、「子」、「集」除了敘述書名卷冊、板式行款、藏書印記、題記序跋、刻工書鋪等項目之外，還敘述作者生平、書籍特色要旨、學術淵源，可以說甚為詳盡。學者若能善用本書，可以稍減翻閱《哈佛大學哈佛燕京圖書館藏中文書目錄》的不便。編者接著預計針對哈佛大學哈佛燕京圖書館庋藏的清代善本兩千餘冊進行相同的工作，相信在計畫完成之後，哈佛大學哈佛燕京圖書館藏書的價值會更形凸顯。

五、歐洲的漢籍書目

由於交流薄弱與語言隔閡，臺灣學界對於歐洲地區的漢籍典藏狀況以及相關書目均難以掌握，現今唯一較可依據的，是：

‧法蘭西學院漢學研究所藏漢籍善本書目提要　田濤主編　北京　中華書局　2002年1月

該書以「經」、「史」、「子」、「集」為分類依歸，「經部」收書九部，「史部」收書六十七部（《廿一史》併為一部）、「子部」收書四十二部、「集部」收書十八部，收書最多的「史部」以「方志類」書籍為眾。

編者除了為所收諸書敘述書名卷冊、板式行款之外，對於作者生平、書籍特色要旨、學術淵源也略有涉及。此外，編者也會在「按語」最末註載該書亦庋藏於中國境內何地，或是某部書目亦有登錄。

六、結　語

　　除了上述四個地域之外，位處中國南端的越南，因為久受漢文化陶冶，對於漢籍的重視及使用漢文從事撰著的風氣也頗為興盛，中央研究院中國文哲研究所便曾以越南漢文著作為中心議題，邀集專家編輯《越南漢喃文獻目錄提要》一書（劉春銀、王小盾主編，臺北：中央研究院中國文哲研究所，2002年12月），全書以「經」、「史」、「子」、「集」為分類依歸，除了敘述書名卷冊、板式行款之外，也針對內容略有介紹，雖然所收絕大多數是越南士人的漢文著作，但是對於釐清漢文化與漢籍流傳對越南的影響，應該仍舊具有極大助益。

　　對於漢學研究者來說，完備的資訊、清晰正確的文本，應該是研究工作暢行無礙的基本保障，是以充分掌握域外漢籍的分布以及流傳情形、各地區典藏機構的藏書特色與資料結構，應該是現代漢學研究者應該具備的能力。在粗略地敘述了查尋各地域漢籍的依據之後，筆者深有感觸，今日吾人能夠得見並使用的漢籍目錄，事實上並無法充分顯現真實的資料結構，詳實、正確而涵蓋面完整的「世界漢籍聯合目錄」，應該是漢學界人士共同努力的目標。然而，如是浩大的工程，是需要龐大時間與人力的，在偉業未竟，吾人仍需貢獻精力、戮力從事於茲之際，筆者以為，臺灣有志於漢學研究的學者，應該先行加強外語能力，培養對於域外文獻的蒐集能力，如此，臺灣漢學界的國際地位方能有所提昇。

文集篇目的檢索與利用

王清信

東吳大學中國文學系博士生

一、前言

　　在古籍中，將個人著作編輯在一起的，稱為「別集」；將數人的著作彙編成書的，稱為「總集」。而在現代的著作中，將個人的論文編輯在一起的，稱為「個人論文集」；將數人的論文編輯在一起的，稱為「團體論文集」。不論是「別集」、「總集」、「個人論文集」、「團體論文集」，都是由篇目組成的，這些篇目，在本文中統稱為「文集篇目」。由於「文集篇目」中的資料異常豐富，要利用其中的資料，就必須仰賴「文集篇目」的索引了。從現存的索引之中，可以發現編輯者根據不同編輯方法，所編輯的目錄也呈現出不同的面貌，在使用時有何特別需要注意的地方？現存「文集篇目」的索引又有何不足之處？本文首先列舉檢索「文集篇目」的工具書，其次就編排的方法檢討其利弊得失，提醒使用者使用時應該留意的地方，最後提出日後編輯相關索引時的方向。

二、檢索文集篇目的方法與注意事項

(一)檢索古人文集篇目的方法與注意事項

就筆者所見，目前可見的檢索古人「文集篇目」的索引，按文集時代先後為順序，計有：

- 全上古三代秦漢三國六朝文篇名目錄及作者索引　中華書局編　北京　中華書局　1965年12月；臺北　宏業書局　1975年

本書為北京中華書局於一九五八年十二月影印《全上古三代秦漢三國六朝文》一書的附冊，分為「篇名目錄」和「作者索引」兩部分。「篇名目錄」按時代先後以作者為綱，作者下面分繫篇目，其次序均依原書；「作者索引」依四角號碼次序排列，姓名後附註朝代及卷次、頁次。

- 全上古三代秦漢三國六朝文篇名索引、作者索引　陳延嘉等校點主編　石家莊　河北教育出版社　1997年10月

本書為《全上古三代秦漢三國六朝文》點校本的末冊（第十冊），分為「篇名索引」和「作者索引」兩部分。「篇名索引」以漢語拼音為序，篇名首字字音相同者，以在書中出現的先後為序；「作者索引」以姓氏的漢語拼音為序，同姓名者，以在書中出現的先後為序。

- 四庫全書文集篇目分類索引　中華文化復興運動推行委員會四庫全書索引編纂小組主編　臺北　臺灣商務印書館　1989年1-3月

本書為臺灣商務印書館影印故宮博物院所藏文淵閣《四庫全書》完成後，為了充分利用《四庫全書》，昌彼得先生曾提議編製三種索引，即《四庫全書傳記資料索引》、《四庫全書文集篇目分類索引》、《四庫全書說部

篇題分類索引》。為完成工作，在中華文化復興運動推行委員會的贊助下成立「四庫全書索引編纂小組」，其中的《四庫全書文集篇目分類索引》所收的資料，以《四庫全書》集部的「文集篇目」為主，再加上史部詔令奏議類的篇目和地理類的藝文部分。此外，凡四庫著錄的圖書載有序跋者，亦悉數編入。全書編排，依照《清代文集篇目分類索引》的體例，分為三大部分：一是學術文之部，下分經、史、子、集四類；二是傳記文之部，以傳主姓名筆畫為序；三是雜文之部，下分書啟、碑記、辭賦、雜文四類。由於該書採用按文集篇目的內容分類編排而成，在某些朝代的文集篇目尚未編輯分類索引時，就只能檢索本書了。

・全唐文篇名目錄及作者索引　馬緒傳編　北京　中華書局
1985年5月

　　本書依據北京中華書局一九八四年版《全唐文》影印本編製，分為「篇名目錄」和「作者索引」兩部分。「篇名目錄」以作者為綱，作者下分繫篇目，作者及篇目的次序均原書，篇目下標出影印本的總頁數。「作者索引」以作者姓氏的四角號碼為序，同姓氏者以第二字上兩角號碼順序排列。

・全唐文篇目分類索引　馮秉文主編　北京　中華書局　2001
年5月

　　本書亦依據北京中華書局一九八四年版《全唐文》影印本編製，共收錄《全唐文》、《唐文拾遺》、《唐文續拾》三部書二三〇三四篇文章，採取按照文獻內容分類編排的方式。本書參考了《清代文集篇目分類索引》、《元人文集篇目分類索引》分類方法而分為三大部分：一是人物傳記之部，下分男子、婦女、釋道三大類，各以姓氏首字筆畫為序；二是史事典制之部，下分政事、職官、選舉、食貨、禮儀、軍事、刑律、營造、農民起義、邊政邦交、釋道等十一大類；三是藝文雜撰之部，下分經、史、子、集等四大類。並為兼顧檢索其他舊版《全唐文》、《唐文拾遺》、《唐文續

拾》使用者的方便，本書對於文集篇目的出處，採取較為詳細的著錄方式，即註明原書卷次、頁數，並註明中華書局版的冊數及總頁數，以方便使用者。、

・宋代文集索引　（日）佐伯富編　京都　京都大學文學部東洋史研究會　1970年3月

本書將所收三十餘種文集的篇目按照日文五十音為序編排，屬於機械式的編排方法。

・元人文集篇目分類索引　陸峻嶺編　北京　中華書局　1979年12月

本書收元人別集一五一種，總集三種，以及涉及元代史事的明初人別集十六種，共計一七○種。本書分為三大部分：一是人物傳記，下分人物甲（男子）、人物乙（婦女）、人物丙（釋道）、人物丁（有姓無名者）四類，各按姓氏筆畫排列；二是史事典制，下分政事、賦役、禮教、軍事、刑法、營造、農民起義等七類，一般以作者時代先後為序，有的類目如「三、禮教9.學校」中的「路學」、「書院」等，則按其名稱或姓氏筆畫排列；三是藝文雜撰，參酌《四庫全書》分為經、史、子、集及雜撰五類。其分類方式基本上承襲於《清代文集篇目分類索引》而略做調整。

・清代文集篇目分類索引　王重民、楊殿珣編　北平　國立北平圖書館　1935年11月；北京　中華書局　1965年；臺北台聯國風出版社　1979年12月

本書收錄清代別集四二八種，總集十二種。全書依照文集內容分為三部分，一為學術文之部，分經、史地、諸子、文集四類；二為傳記文之部，分碑傳甲、碑傳乙、贈序、壽序、哀祭、贊頌、雜類等七類，各以傳主姓氏筆畫為序；三為雜文之部，分為書啟、碑記、賦、雜文等四類。卷首有「所收文集目錄」、「所收文集提要」、「所收文集著者姓氏索引」。該《索引》為我國最早的文集篇目分類索引，對於研究清代學術有重大的貢

獻。而且,由於該《索引》體例頗為完善,後人編輯文集篇目索引深受其影響。

　　從上面的介紹中可以發現,缺少專為明代文集所編的索引。其實在一九七一年左右,政治大學中國文學研究所在已故的王夢鷗先生領導下,已著手編輯《明人文集篇目分類索引》,書稿完成後,在一九七六年交給聯經出版事業公司排印,不知何故,至今尚未出版。一九九八年,張璉先生在「漢學研究中心」支持下,著手進行「明人文集聯合目錄與篇目索引資料庫」的建置①,但目前尚未有依據主題來檢索篇目的功能。大陸方面,由於整理《全明文》的關係,由吳格先生倡議編製「明人文集篇目數據庫」,並根據《清代文集篇目分類索引》草擬了「明人文集篇目數據庫主題詞擬表」。②除了希望以上兩種資料庫能夠早日建置完成,並具備完整的檢索功能之外,也期待「明代文集篇目分類索引」的紙本目錄能夠早日出版。如就收錄範圍而言,可分為兩種情形:一種是以收錄叢書、總集為範圍,例如:《四庫全書文集篇目分類索引》、《全唐文篇目分類索引》等;另一種則為編輯者根據自己所能掌握的文獻為範圍,例如:《宋代文集索引》、《元人文集篇目分類索引》、《清代文集篇目分類索引》等。歷代總集中只有《全唐文》是按照文集內容分類編排而成的,當然目前尚未有《全清文》的整理成果,然而,《全上古三

①張璉撰:〈現存明人文集的特色與「明人文集聯合目錄與篇目索引資料庫」建置概述〉,收於《明人文集與明代學術》(臺北:中國明代研究學會,2001年12月),頁423-430。

②吳格撰:〈「明人文集篇目索引數據庫」編製芻議〉,收於《明人文集與明代學術》(臺北:中國明代研究學會,2001年12月),頁407-422。

代秦漢三國六朝文》、《全宋文》、《全元文》、《全明文》等總集，應該及早依照《全唐文》的模式，編製按內容分類的索引，如此一來，使用者要利用這些總集中龐大的文獻時，將有更大的實用性與便利性。

如就編輯方法而言，以上的文集篇目索引大致可分為二類：一是按內容分類編排而成；一是不按內容編排而成。茲分別說明如下：

1. 按內容分類編排而成

根據文集篇目的內容，將同類的篇目按時代先後編排在一起。例如：《四庫全書文集篇目分類索引》、《全唐文篇目分類索引》、《元人文集篇目分類索引》、《清代文集篇目分類索引》等即是。這類的工具書，除了可以看出同時代學術研究的風氣之外，有的更可以窺知不同時代對同一問題的看法，將相關論文彙集在同一類目之下，可以集中了解分散在不同文集當中，內容性質相近的篇目及出處，節省使用者檢索資料的時間。然而對編輯者而言，必須先通讀該文，通曉大意後，再依類分別編排入相關類目，無形中增加了編輯的時間與編輯的難度。但是根據此類編成的目錄，對使用者提供了更大的實用性。例如：王重民、楊殿珣編輯的《清代文集篇目分類索引》，對於研究清代學術有重大的貢獻，而且，由於體例完善，也成為後人編輯文集篇目索引時取法的對象。

2. 未按內容編排而成

這種編排方法，編排時不管文集篇目的內容，只是機械式地將所收錄的文獻按照「字序法」編排，其中又可分為兩種方式：其一是以篇名首字為編排順序，其中日本人所編輯的則依照「五十音順」排列，大陸所編輯的則按照漢語拼音排列。以此法編成

的目錄，實用性遠不如上者。例如：要檢索有關《詩序》的篇目，其篇目有可能是以「《詩序》……」、「《毛詩序》……」、「論《詩序》……」等篇名來呈現，如按篇名首字編排，很顯然地，此類索引是無法滿足使用者的需求的。另一種是將同一作者的所有篇目繫於該作者之下，這種編排法，僅適用於檢索單一作者的所有文集篇目的內容。由上可見，以此法編輯而成的索引，雖然對編輯者而言是比較省事的，但對於使用者而言，該種目錄的使用價值與前者是無法相比的。

㈡檢索今人文集篇目的方法與注意事項

今人的文集篇目，除了少數目錄因為收錄資料的類型較豐富而兼收論文集的篇目外，例如：《中國文化研究論文目錄》、《經學研究論著目錄》等，另有專門為現代論文集篇目所編輯的工具書，據筆者所見有：

- 現代論文集文史哲論文索引　楊國雄、黎樹添編　香港　香港大學亞洲研究中心　1979年

全書分為二十類，收錄論文集八五五種，篇目一○三一八篇，書後更附有「著者譯者索引」、「標題索引」、「年代索引」、「地域索引」等輔助索引。

- 一五二二種學術論文集史學論文分類索引　周迅等編　北京　書目文獻出版社　1990年2月

全書分為十八類，收錄史學論文三四一四六篇，書後附有「人名索引」、「書名索引」等輔助索引。

- 建國以來中國史學論文集篇目索引初編　張海惠、王玉芝編　北京　中華書局　1992年5月

全書分為二大部分十八類，收錄論文集一千餘種，史學論文一萬五千

餘篇，書末附有「篇目著者索引」。

　以上三種目錄中，《現代論文集文史哲論文索引》收錄時限為一九二七至一九七四年間，《一五二二種學術論文集史學論文分類索引》收錄時限則為一九一一至一九八六年間，《建國以來中國史學論文集篇目索引初編》則收錄一九四九至一九八四年間大陸地區的論文集。由上可見，近二十年來出版的論文集，則尚未見到相關工具書面世。近年來，出版個人或團體論文集蔚為風氣，這類文獻資料，圖書館一般當作專書處理，讀者除非特別留意，否則將會漏失重要資料。在此除了希望有志者能繼續編輯此類目錄之外，讀者除了時時留意研究資訊，例如《漢學研究通訊》、《中國文哲研究通訊》、《書目季刊》的相關訊息外，就只能親自到圖書館勤加翻檢了。

三、結語

　文集中所蘊藏的文獻資料是非常豐富的，如何善用工具書來利用，對從事研究者而言是非常重要的課題。就現存的相關目錄而言，筆者認為仍有相當大的成長空間。首先是應該利用現代古籍整理的成果，編輯斷代總集的篇目分類索引。例如：明人文集的資料，除了《四庫全書文集篇目分類索引》收錄一部分外，「漢學研究中心」有資料庫可供檢索，但該索引目前功能尚不完整，而已經整理編輯完成（或編輯中）的《全上古三代秦漢三國六朝文》、《全宋文》、《全元文》、《全明文》，應就文集內容分類編排。其次是歷代學者讀書札記類的著作③，由於體例特殊，內容豐富，數量眾多，為從事研究時相當重要的文獻。在傳統的目錄學中，這類文獻並不歸屬於集部，因此歷來的文集篇目索引

往往並不收錄。這類文獻數量眾多，例如：北京中華書局出版的
《學術筆記叢刊》、《唐宋史料筆記叢刊》、《元明史料筆記叢
刊》、《清代史料筆記叢刊》等，但據筆者所見，只有京都大學
東洋史研究會編輯的《中國隨筆索引》（京都：日本學術振興
會，1954年）；（日）佐伯富編輯的《中國隨筆雜著索引》（京
都：京都大學東洋史研究會，1960年6月）二書可供檢索，但是
此二書合計收錄僅二百餘部，體例是以題目中的主要語辭或原文
中的重要事項作為條目，且為根據日文五十音為序編排而成，實
用性並不高。一九八三年八月，臺灣商務印書館影印故宮博物院
所藏文淵閣《四庫全書》完成後，欲編製索引以便利用《四庫全
書》，昌彼得先生曾經擬具了三種索引中的《四庫全書說部篇題
分類索引》，不知何故，並未出版。鑑於歷代的學術札記文獻異
常豐富，對於從事研究頗富有參考價值，然亦難於查考，似應利
用現代古籍整理成果的基礎上，編輯相關索引。

---

③一九七一年間，屈萬里先生曾主編《雜著秘笈叢刊》，為此類文獻的
專門叢書。昌彼得先生稱此類文獻為「說部」，見於昌氏撰：〈四庫
全書文集篇目分類索引序〉，《四庫全書文集篇目分類索引》（臺北：
臺灣商務印書館，1989年1-3月），頁1-2。劉兆祐先生則稱為「雜著
筆記」，見於劉氏撰：〈雜著筆記之文獻資料及其運用〉，收於《文獻
與資訊學術研討會論文集》（臺北：東吳大學中國文學系，2001年6
月），頁113-163。

典章制度的檢索與利用

邱秀春

萬能技術學院通識教育中心助理教授

一、前言

專門記載歷代典章制度沿襲和變革的工具書，通常稱之為「政書」。它是研究歷代政治（官制、選舉）、經濟（土地、賦稅、貨幣）、軍事（兵制）、文化（學校）、禮俗（婚姻、喪葬、輿服）等制度的資料彙編，這些制度都是學術研究的重要內容。

政書取材自各種圖書，以類相從，綴而為專書。其形式有專記一朝的，如《會要》、《會典》之屬；有貫通數代的，如《十通》之屬。政書之內容，有詳有略，因此，參酌其他典籍，方得見其全貌。而經籍子史雜記類書亦載有豐富的典制資料，因此吾人欲檢索古代之典章制度，需多方查考，以免掛一漏萬。

二、基本文獻資料

(一)經籍

· 周禮注疏　（漢）鄭玄注，（唐）賈公彥疏　臺北縣　藝文印館　1989 年

- 儀禮注疏　（漢）鄭玄注，（唐）賈公彥疏　臺北縣　藝文印書　1989年
- 禮記正義　（漢）鄭玄注，（唐）孔穎達等正義　臺北縣　藝文印書館　1989年

　　《周禮》又名《周官》，記載官職設置之詳細規劃，然而其天官有六十三種職官，地官七十八，春官七十，夏官六十九，秋官六十六，冬官亡佚不詳，漢人補入〈考工記〉職官二十八。其制之龐大，學者常疑之，故今可謂之「入秦之學者規劃下之理想官制」，並非真有其制，因此，此書可作參考之用，不能視其為真。由此言之，則最早記載典制之書，則是《儀禮》。此書完整的記載了古代的各式禮儀，如成年禮、婚禮、喪禮等。至於《禮記》，其書中所記之制度如：〈曲禮〉、〈王制〉、〈禮器〉、〈少儀〉、〈深衣〉、〈明堂位〉等；喪服者如：〈曾子問〉、〈喪服小記〉、〈雜記〉、〈喪大記〉、〈奔喪〉、〈問喪〉、〈服問〉、〈問傳〉、〈三年問〉、〈喪服四制〉等，記錄了非常豐富的有關古代的祭祀、文化、禮俗等內容，是考察古代典制的重要書籍。

㈡正史書志

　　正史中有不少史書有「書」或「志」，也記載了不少典章制度。

- 史記　（漢）司馬遷著　臺北　鼎文書局　1994年

　　其中的「八書」系統地記載古代典制的開端，包括禮、樂、律、曆、天官、封禪、河渠、平準。

- 漢書　（漢）班固著　臺北　鼎文書局　1994年

　　「十志」，律曆、禮樂、刑法、食貨、郊祀、天文、五行、地理、溝洫、藝文。

・後漢書 （南朝宋）范曄著 臺北 鼎文書局 1994年

「八志」，律曆、禮儀、祭祀、天文、五行、郡國、百官、輿服。

・晉書 （唐）房玄齡等著 臺北 鼎文書局 1994年

「十志」，天文、地理、律曆、禮、樂、職官、輿服、食貨、五行、刑法。

・宋書 （梁）沈約著 臺北 鼎文書局 1994年

「八志」，律曆、禮、樂、天文、符瑞、五行、州郡、百官。

・南齊書 （梁）蕭子顯著 臺北 鼎文書局 1994年

「八志」，禮、樂、天文、州郡、百官、輿服、祥瑞、五行。

・魏書 （北齊）魏收著 臺北 鼎文書局 1994年

「十志」，天象、地形、律曆、禮、樂、食貨、刑罰、靈徵、官氏、釋老。

・舊唐書 （後晉）劉昫著 臺北 鼎文書局 1994年

「十一志」，禮儀、音樂、曆、天文、五行、地理、職官、輿服、經籍、食貨、刑法。

・新唐書 （宋）歐陽修、宋祁著 臺北 鼎文書局 1994年

「十一志」，禮樂、儀衛、車服、曆、天文、五行、地理、選舉、百官、兵、食貨、刑法、藝文。

・宋史 （元）脫脫等著 臺北 鼎文書局 1994年

「十五志」，天文、五行、律曆、地理、河渠、禮樂、儀衛、輿服、選舉、職官、食貨、兵、刑法、藝文。

・遼史 （元）脫脫等著 臺北 鼎文書局 1994年

「十志」，營衛、兵衛、地理、曆象、百官、禮樂、儀衛、食貨、刑法。

・金史 （元）脫脫等著 臺北 鼎文書局 1994年

「十四志」，天文、曆、五行、地理、河渠、禮、樂、儀衛、輿服、

兵、刑、食貨、選舉、百官。

· 元史　（明）宋濂等著　臺北　鼎文書局　1994年

「十三志」，天文、五行、曆、地理、河渠、禮樂、祭祀、輿服、選舉、百官、食貨、兵、刑法。

· 明史　（清）張廷玉等著　臺北　鼎文書局　1994年

「十五志」，天文、五行、曆、地理、禮樂、儀衛、輿服、選舉、職官、食貨、河渠、兵、刑法、藝文。

· 清史稿　（清）趙爾巽等著　臺北　鼎文書局　1994年

「十六志」，天文、災異、時憲、地理、禮、樂、輿服、選舉、職官、食貨、河渠、兵、刑法、藝文、交通、邦交。

前述經籍所記有關典制之內容，其實尚未系統化；能系統地記錄古代之典制內容者，屬司馬遷《史記》之「八書」，「八書」分記了漢代的禮制、樂禮、曆法、經濟各項制度，其後之正史多循其法式，立「志」以誌典制。正史書志，在記載古代典制方面之內容非常富贍，是查核古代典章制度之重要文獻。

⑸十通

· 通典　（唐）杜佑著　臺北　臺灣商務印書館　1987年

上古至唐天寶末年，分食貨、選舉、職官、禮、樂、兵刑、卅郡、邊防八門。

· 續通典　（清）高宗敕編　臺北　臺灣商務印書館　1987年
唐肅宗至明崇禎末年，同上分八門。

· 清朝通典　（清）高宗敕編　臺北　臺灣商務印書館　1987年
清初至乾隆五十年，同上分八門。

· 通志　（宋）鄭樵著　臺灣　臺灣商務印書館　1987年

二十略自上古至唐，紀傳及譜自三皇至隋，分本紀、世家、年譜、列傳及二十略。二十略包括禮略、職官略、選舉略、刑法略、食貨略等。

・續通志 （清）高宗敕編 臺北 臺灣商務印書館 1987年

二十略自五代至明，紀傳自唐初至元季，體例同上，唯缺世家、年譜。

・清朝通志 （清）高宗敕編 臺北 臺灣商務印書館 1987年

清初至乾隆，體例同上，唯缺本紀、世家、年譜、列傳。

・文獻通考 （元）馬端臨著 臺北 臺灣商務印書館 1987年

上古至宋光宗，分田賦、錢幣、戶口、征榷、職役、選舉、學校、職官、郊社、宗廟、兵考、刑考等二十四考。此書收錄了非常珍貴的宋朝的典章制度的資料，而且記載詳實，可補《宋史》、《宋會要》之不足。

・續文獻通考 （清）高宗敕編 臺北 臺灣商務印書館 1987年

宋寧宗至明莊烈帝，體例同上，唯郊社考分為郊祀、群祀；宗廟考分宗廟、群廟。

・清朝文獻通考 （清）高宗敕編 臺北 臺灣商務印書館 1987年

清初至乾隆五十年 體例同上亦分郊社考分為郊祀、群祀；宗廟考分宗廟、群廟。

・清朝續文獻通考 劉錦藻著 臺北 臺灣商務印書館 1987年

清乾隆五十一年至宣統三年，體例同上，並增外交、郵傳、實業、憲政四考。

十通乃「三通典」、「三通志」、「四通考」十種著作之合

稱，其中杜佑《通典》之編纂，肇因於劉秩《政典》之不夠完備，遂採集五經群史以及漢魏六朝文集、奏疏之中關於典章制度之材料，參以《大唐開元禮》編纂而成。可知此書之內容詳贍，涵括了古代的財經、選舉、爵位、考核官吏、敘官制、禮制、樂制、兵制、法律、輿地沿革、歷代四境外族邦國等典制，是查考古代典章制度不可或缺的重要文獻。至於鄭樵《通志》一書，不僅著錄典章制度，更兼敘人物傳記，故此書分紀傳、二十略兩部分。不過，二十略才是《通志》一書之精華所在。此書不僅載錄了上古至唐代典章制度之沿革演變，亦關顧到文化藝術之發展情況。而馬端臨《文獻通考》分田賦、錢幣、戶口、職役、土貢、選舉、職官等二十四門，不論在分類上，或是材料內容上都比《通典》更加充實，所保存之文獻資料亦多他書所未見，尤其對宋代制度的記錄最為詳盡，可補「宋史」之不足，實是珍貴無比。以上三部書是檢索古代典章制度必備之要籍，影響深遠，故其後有《續通典》、《續通志》、《續文獻通考》等書出現。後代所續之書與原書之體例多同，查考方式亦無差異。因十通篇帙浩繁，內容富贍，為有效查檢，可多加利用下列索引：

· 九通分類總纂　（清）汪鐘霖著　臺北　藝文印書館　1974年

· 十通分類總纂　楊家駱主編　臺北　鼎文書局　30冊　1975年

· 十通索引　洪浩培改編　臺北　新興書局　2冊　1959年

· 十通索引　臺北　臺灣商務印書館　1987年

㈣**歷代會要、會典**

· 春秋會要　（清）姚彥渠著　臺北　世界書局　1960年

全書百分之七十以上都是敘「禮」，包括吉、凶、軍、賓、嘉等五禮。

・七國考　（明）董說著　臺北　中華書局　1956年

此書乃述戰國七雄之制度，分職官、食貨、都邑、宮室、國名、群禮、音樂、器服、喪制、兵制、刑法、瑣征等十四門。

・秦會要　（清）孫楷著　臺北　中華叢書委員會　1956年

全書分世系、禮、樂、輿服、學校、職官、選舉、民政、食貨、兵、刑等十四門。

・秦會要訂補　徐復著　臺北　鼎文書局　1978年

此書乃就《秦會要》一書所作之考訂，關於秦代典章制度、文物史蹟的論著共有十一篇，可作為參考。

・西漢會要　（宋）徐天麟著　臺北　藝文印書館　1966年

全書分：帝系、禮、樂、輿服、學校、職官、選舉、民政、食貨、兵、刑等十五門。

・東漢會要　（宋）徐天麟著　臺北　藝文印書館　1966年

此書體例與《西漢會要》相同，共分十五門。

・三國會要　（清）楊晨著　臺北　藝文印書館　1971年

全書分帝系、曆法、天文、五行、禮、樂、學校、職官、選舉、庶政、食貨、兵、刑等十五門。

・唐會要　（宋）王溥著　臺北　商務印書館　1968年

此書將唐代典章制度細分為五一四目，初傳本乃是抄本，故脫誤良多，亦有殘缺，後經補脫正誤後，由武英殿用木活字版印行。

・五代會要　（宋）王溥著　臺北　藝文印書館　1966年

此書所載乃五代典章制度，分二五六目，可補歐陽修《五代史》之缺遺。

・宋會要輯稿　（清）徐松輯　臺北　新文豐出版公司　1976年

　　全書分：帝系、后妃、禮、樂、輿服、儀制、職官、選舉、食貨、兵、刑法等十七門。

　・宋會要輯稿補編　（清）徐松輯　北京　全國圖書文獻微縮複印中心　1988年

　・明會要　（清）龍文彬著　臺北　世界書局　1971年

　　全書分：帝系、禮、樂、輿服、學校、職官、選舉、民政、食貨、兵、刑事十五門。

　・元典章　元代官修　北京　中華書局　1957年

　　此書即是《大元聖政國朝典章》，記載元代之典章制度。前集分詔令、聖政、朝綱、臺綱、吏部、戶部、禮部、兵部、工部、刑部等十門，此書可以補《元史》、《元經世大典》之不足，是研究元代典制的重要資料。

　・明會典　（明）徐溥等奉敕編，李東陽等重修　臺北　臺灣商務印書館　1983年

　・大明會典　（明）李東陽等奉敕撰，申時行等重修　臺北　文海書局　1986年

　・皇朝掌故彙編　（清）張壽鏞等編　臺北　文海書局　1964年

　・皇朝政典類纂　（清）庸裕福等著　臺北　成文書局　1969年

　・大清會典　（清）崑岡等奉敕編　臺北　中文書局　1963年

　　會要乃斷代政書之總稱，彙錄一代之典章制度，並扼要加以說明；會典則專指明、清兩代官修之政書，對於考查當代之典制，使用非常方便。如（宋）王溥所編之《唐會要》八十三卷至八十四卷，記載有關賦稅制度的租稅、雜稅、租庸使、兩稅使等內容，因此想要查考唐朝實行之租、庸、調制度和兩稅法等相關材料，在此可以得到詳細的文獻資料。

(五)**實錄**

- 明實錄　黃彰健校勘　京都　中文出版社　1984年
- 清實錄　李澍田主編　吉林　吉林文史出版社　1991年
- 東華錄　（清）王先謙纂輯　臺北　大通書局　1984年

　　實錄乃官修之編年體史料，記載歷朝皇帝起居言行，兼及國家大事、施政與詔令章奏。我國從唐代開始，在每一個皇帝死後，皆由朝臣入史館撰寫實錄，因此實錄可謂纂修史書最原始之材料。可惜的是，明以前實錄消損殆盡，珍貴史料實所存無幾。就《明實錄》而言，其書自太祖至熹宗，共歷十三朝，雖然無刊本，僅靠鈔本流傳，但仍是研究明史的第一手資料，價值頗高。至於《清實錄》則共錄十二朝，所修之實錄以漢、滿、蒙三種文字繕寫。《清實錄》內容雖豐，但常因皇帝敕命修改，內容失真，史料價值並不高。而《東華錄》涵括清太祖、太宗、世祖、聖祖、世宗五朝之史料，共計三十二卷，因國史館位於東華門，故名之為《東華錄》。其後朱壽朋又編有《東華續錄》，體例與《東華錄》相同，但材料更多，史料價值更高。

(六)**歷代職官表**

- 職官分紀　（宋）孫逢吉著　上海　商務印書館　1934-1935年
- 歷代職官表　（清）永瑢等奉敕主修　上海　商務印書館　1938年

　　此書以清代官制為綱，分宗人府、內閣、吏部、戶部、戶部三庫、禮部、樂部、兵部、刑部等六十七類目。每類目下，將上古至明代的職官依序排列，各代職官名稱不相同者，按其職尚掌性質以定隸屬關係。

- 歷代職官表　（清）黃本驥等著　臺北　洪氏出版社　1976年

　　此書之作，肇始於永瑢等奉敕主修、紀昀總纂之《歷代職官表》過於繁瑣，遂刪其釋文，僅存各官制表及簡略之清代官制說明，改編而成。

- 清季重要職官年表　錢實甫編　臺北　臺灣中華書局　1959年
- 清季新設職官年表　錢實甫編　臺北　臺灣中華書局　1961年
- 清代各地將軍都統大臣等年表　章伯鋒編　臺北　臺灣中華書局　1965年
- 清季職官表　魏秀梅編　臺北　中央研究院近代史研究所　1977年
- 清季新設職官年表　錢寶甫編　臺北　文海書局　1979年

　　中國古代官制之檢索，亦可善用職官方面的辭書，因為它提供讀者更方便、更快速的查檢歷代官制、名稱及釋義，例如：

- 中國古代職官大辭典　張政烺主編　鄭州　河南人民出版社　1990年
- 中國近代官制辭典　邱遠猷主編　北京　書目文獻出版社　1991年
- 中國官制大辭典　俞鹿年編著　哈爾濱　黑龍江人民出版社　1992年
- 歷代官制兵制科舉制常識　徐州師範學院中文系編　澳門　爾雅出版社　1977年
- 宋史職官志索引　（日）佐伯富編　京都　東洋史研究會　1963年；臺北　宗青圖書出版公司　1986年

　　除此之外，若想明瞭民國時期、北洋政府時期至行憲前我國

官制之沿革，可利用下列各書，例如：

- 辛亥以後十七年職官年表　劉壽林編　臺北　文海書局
  1974年
- 民國職官表（民國元年一月至民國七年六月止）　東方雜誌
  社編　臺北　文海書局　1981年
- 民國職官年表　劉壽林編　北京　中華書局　1995年
- 北洋政府職官年表　錢實甫編著　上海　華東師範大學出版
  社　1991年
- 國民政府職官年表（1925—1949）　張朋園、沈懷玉合編
  臺北　中央研究院近代史研究所　1987年
- 中華民國行憲政府職名錄　國史館徵校處時政科編　臺北縣
  國史館　1988年—
- 中華民國職官年表　楊家駱主編　臺北　鼎文書局　1978年

(七)歷史檔案

- 唐大詔令集　（宋）宋敏求編　臺北　臺灣商務印書館
  1959年

全書共收制、詔、表、冊文等，分帝王、皇太子、諸王、大臣、典禮、政事等十三門。此書收入的詔令比較完整，可補《唐書》、《通典》、《唐會要》的不足。

- 宋大詔令集　（宋）宋綬、宋敏求編　臺北　中華書局
  1959年

全書收北宋九朝君主頒布的文書、文告三千八百餘篇，分十七門。

- 明清史料　國立中央研究院歷史語言研究所編　臺北　臺灣
  商務印書館　1930-1951年

此書收入各種奏摺、揭帖、稿簿、敕諭等。明朝檔案部分尚包含兵部

檔案、漕運、荒田、租賃等文件。

現存之歷史檔案，以清朝的數量最多，共有七十多個全宗（每一個獨立建制的中央或地方機構所形成的系統檔案）。其中主要是藏在內閣大庫全宗（大內檔案），包括制、詔、誥、敕、紅本（內閣代皇帝以紅筆批過的官員題本）、實錄、起居注、表章等。其次尚有軍機處、宗人府、內務府和六部衙門等檔案。這些資料後由故宮文獻館整理出版了《文獻叢編》、《史料旬刊》、《清代文字檔案》。至於由其他學術機構刊行的有：《清季外交史料》、《明清史料》、《義和團檔案史料》、《戊戌變法檔案史料》、《宋景詩檔案史料》、《關於江寧織造曹家檔案史料》、《李熙奏折》、《清代檔案史料叢編》等，都是研究典制的重要參考資料。

(八)**類書**

· 北堂書鈔　(唐)虞世南著，(清)孔廣陶校注　臺北　臺灣商務印書館　1983年

此書實際卷數不詳，今所存者，僅有：帝王、后妃、政術、刑法、封爵、設官、禮儀、藝文、樂、武功、衣冠、儀飾、服飾、舟、車、酒食、天、歲時、地等十九部，八百五十一類。

· 初學記　(唐)徐堅等奉敕編，(明)安國校　臺北　鼎文書局　1972年

全書共分天、歲時、地、州郡、帝王、中宮、儲宮、帝戚等二十三部，三百一十三類，將唐以前各種典章制度做了扼要的紀錄。

· 太平御覽　(宋)李昉等奉敕編　臺北　臺灣商務印書館　1986年

此書分天、時序、地、皇王、偏霸、皇親、州郡、居處、封建、禮

儀、職官、兵、服章、樂、刑法等五十五部，部下又有子目，凡四千五百五十八類。其書取材非常地廣泛，內容龐雜，所著錄者，大抵以典章制度為主軸，是一部研究歷來政制沿革的好材料。

‧山堂考索　（宋）章如愚編著　北京　中華書局　1992年

此書又名《群書考索》，全書分天文、地理、君道、臣道、禮樂、兵刑、官制、財用等五十五門。

‧冊府元龜　（宋）王欽若等奉敕編　臺北　臺灣中華書局　1967年

書中專載上古至五代君臣事蹟為主，分宰輔、掌禮、學校、刑法、詮選、貢舉等三十一部，一千一百餘門，保留了非常豐富的唐五代各朝的詔令奏議等文獻資料。每部均有總序，詳述該部事蹟的沿革,亦可參酌。

‧事物紀原　（宋）高承著，（明）閻敬校　臺北　臺灣商務印書館　1983年

此書是一部考證事物起源和沿革的專門類書，分天地生殖、學校貢舉、經籍藝文、草木花果等。

‧玉海　（宋）王應麟著　臺北　大化書局　1977年

此書多記錄有關典章制度的文獻，取材範圍很廣，故其體例多似《通典》、《會要》類之政書。全書分天文、律曆、地理、帝學、藝文、詔令、禮儀、車服、器用、郊祀、音樂、學校、選舉、官制、兵制、朝貢、宮室、食貨、兵捷、祥瑞等。

‧三才圖會　（明）王圻撰、王思義續編　上海　上海古籍出版社　1988年

此書包羅萬象，有天文、地理、人物、時令、宮室、器用、身體、衣服等十四門。對於歷史、文化史、官制等研究，有助於考鏡其源流。

‧經濟類編　（明）馮琦、馮瑗等編　臺北　臺灣商務印書館　1983年

全書分帝王、政治、儲宮、宮掖、臣、諫諍、詮衡、財賦、禮儀等二十三大類，性質與《冊府元龜》相似。

· 廣博物志　（明）董斯張編　臺北　臺灣商務印書館　1983年

全書分天道、時序、地形、職官、靈異、食飲、人倫等二十二門，一六七個子目，可供採索事物之起源。

· 永樂大典　（明）解縉、姚廣孝等編　臺北　大化書局　1985年

本書內容包羅萬象，上自先秦下至明初，收入七、八千種圖籍，包括經、史、子、集、釋藏、道藏、戲劇、醫卜、農、雜考等各類著作。

· 古今圖書集成　（清）陳夢雷編，蔣廷錫等奉敕重編校　臺北　鼎文書局　1977年

此書分曆象、方輿、明倫、博物、理學、經濟六編；六編下分乾象、歲功、曆法、祥刑、考工、坤輿、職方、官闈、官常、選舉、禮儀、樂律、戎政、食貨等三十二典。

· 格致鏡原　（清）陳元龍編　揚州　江蘇廣陵古籍出版社　1987年

全書分為三十類，內容記載事物的起源，包括：乾象、坤輿、身體、冠服、宮室、飲食、布帛、舟車等，皆博物之學。

· 事物原會　（清）汪伋編　揚州　江蘇廣陵古籍出版社　1988年

書中多記天地、時令、政制、禮俗、器物等。

類書在彙總材料和保存文獻上，頗具價值，因此多便於典章制的查檢，然而，在使用類書時亦需注意下列事項：

1.書中所徵引之資料，不可盡信：類書大多成於眾人之手，諸人所據版本不同，輾轉抄錄易生訛謬；再者引文常有刪削，甚

至改竄者，所以利用類書時宜盡可能核對原始資料，多方參稽，以免以訛傳訛。

2.應擇善本而用之：類書因傳鈔傳刻，易生訛誤，故應擇善本而用。

3.應瞭解類書之體例：有些類書兼收四部，如《北堂書鈔》；有些類書只收與君臣事蹟有關之經史文獻，如《冊府元龜》；有些類書只收錄野史、傳記及小說，如《太平廣記》。瞭解類書之收錄範圍及編輯體例，有助於文獻之檢索。以上可參考劉兆祐〈中國類書中的文獻資料及其運用〉（刊載於《國立中央圖書館館刊》，新22卷2期。）

4.善用目錄及索引：各類書之前均編有目錄，是查檢類書之鑰。然而類書中有些與現今習慣用法相距甚遠，難望詞生義；有些類目之歸屬不合理，類與類、子目與子目之間缺乏邏輯連貫，不熟悉古籍者，應盡可能利用後人所編之索引，如《太平御覽引得》、《冊府元龜引得》、《古今圖書集成引得》、《古今圖書集成分類索引》等。

三、實例說明

研究學術若能多方了解古代之典章制度，才能深入探索古人之社會風俗、文化背景以及生活習慣，例如：杜甫〈兵車行〉一詩，側面描述天寶年間不義戰爭帶給人民之深重苦難，其詩句有言：

或從十五北防河，便至四十西營田。
去時里正與裹頭，歸來頭白還戍邊。

　　以往注本僅注解「防河」、「營田」、「里正」之詞義,吾人若能檢索唐朝天寶年間以前之府兵制度,即可得知:唐朝府兵制規定,應徵充當府兵之人,平時需務農,農閒教練,征伐時須自備兵器,負擔相當沈重;再加上,服役者的年齡是「以成丁入,六十出役」,古代男子成丁即束髮裹頭,由此言之,則當時成年男子「一生」都有服役的義務。因此,可以了解杜甫詩中之男子剛成年即被徵召出征,里正為之裹頭,直到頭髮斑白之時,還要去戍邊。吾人透過杜甫之詩句,不難體會唐代繇役、征戰帶給人民的災難,亦可明白「府兵制」之「猛虎苛政」了,此詩之深刻內涵與杜甫之悲憫情懷,則一覽無遺。

　　類似的例子繁多,不能一一列舉,不過,吾人可以就以下所列之大方向,作為檢索典章制度之參考:

　　㈠若須查考古代土地所有制的演變、租稅制度、貨幣變革、鹽鐵管理等有關社會經濟的材料,可以利用史志中的食貨、《通典》的〈食貨典〉、《文獻通考》之〈田賦考〉、〈錢幣考〉、〈征榷考〉等所記資料查閱。

　　㈡若要考查古代官制,包括員額編制、官階俸祿、升遷考核等,即可利用史志之職官志、《通典》之〈職官典〉、《文獻通考》之〈職官考〉、《歷代職官表》等書籍之資料。

　　㈢若欲參考軍事方面的資料,可利用史志之兵志(兵衛志)、《通典》之〈兵典〉、《文獻通考》之〈兵考〉等文獻資料。

　　㈣若要研究古代禮制儀文的起源演變,可利用史志之禮制、《通典》之〈禮典〉、《文獻通考》之〈王禮考〉等文獻資料。

四、使用文獻資料應注意事項

㈠利用《通典》之文獻資料時必須注意：此書在每典、每個項目下所收的材料，有不全和不妥當之處，例如〈食貨典〉的「賦稅」條目下，載周官貢賦，而不載太宰所掌九貢之法。又如〈兵典〉中亦載火鳥、火獸等近乎荒謬的兵法，卻不記重要的兵制沿革。

㈡在使用《文獻通考》時亦須注意：此書在〈田賦考〉中對楊炎所定之「兩稅法」的奏疏沒有收錄；〈選舉考〉中雖詳載兩漢的選舉制度，但對《漢書》中所記之元封五年詔舉茂才（秀才）異等（才能出眾的人）、始元元年遣廷尉持節行郡國舉賢良、永光元年詔舉質樸敦厚遜讓有行者，都沒有記載。其他各考中，亦有類似的情況。因此，吾人在檢索典章制度時，必須參考其他書籍中的資料，例如會要、類中所記者。

㈢會要、會典只收錄一個朝代的資料，比《通典》、《通志》、《文獻通考》所收的當代的資料豐富，例如：《文獻通考·田賦考》所記之唐代租、庸、調的制度，就不如《唐會要》周全。據《唐會要》所載，唐朝的租、庸、調的制度，自開元以後，其法屢次修改，而《文獻通考》並沒有此部分的資料。又，五代之田賦制度，據《五代會要》及天成四年戶部奏定三京諸府夏秋稅法之資料，《文獻通考·田賦考》也沒有記錄。所以，吾人在檢索典章制度時，宜避免就單一資料論斷，應該多方查考。

五、結語

　　檢索典章制度的方法很多，唯吾人運用資料時，必須小心謹慎，最好能多方查考，不要謹就單一文獻立論，以免誤引訛謬材料。若嫌檢索之資料浩繁，查閱費時，可以多使用索引、目錄等工具書，再就研究議題著手，即可得事半功倍之效。

現有文史資料庫的檢索與利用

蕭開元
東吳大學中國文學系碩士

一、前言

　　從事學術研究工作者，建立正確的治學方法是首要的工作。有了正確的治學方法，不但可以快速地蒐集到自己研究範圍的相關資料，加速對資料的分析歸納，也可以在有效的時間內，很快地獲得學術研究的成果。但研究者往往歎於古籍浩瀚，而人的生命有限，勢必難以盡讀古今天下之書，因此如何可以更有效的掌握自己所需要的資料，也成為研究者苦心思慮的問題。然而，在科技日益精進的現代，學者已不必繁複不斷地檢索各種圖書目錄或是類書等工具書，而僅需透過無遠弗屆的網際網路（Internet），便可以獲得自己想要的研究資料。因此，網際網路的使用，提供了學者研究上的方便，也節省了學者許多寶貴的時間，更促進了學術研究的發達，使學術研究獲得了更進一步的發展。

　　一般而言，廣義的資料庫檢索包含圖書館的館藏查詢、中外文期刊論文及博碩士論文的檢索等，而狹義的資料庫檢索則是以書籍的「全文檢索」與「全文瀏覽」兩種方式為主。「全文檢索」即是將要檢索的字詞輸入於檢索欄位後，便可顯示該字詞在某書

中所有出現的位置；而「全文瀏覽」則是在點選某書或某卷後，即可顯示某書或某卷之全文。基於一般研究工作者對廣義資料庫的檢索並不陌生，因此本文則多以書籍的「全文檢索」與「全文瀏覽」方式為主、並輔以其他重要相關檢索目錄的文史資料庫加以選介，使研究者可以廣為利用進行研究。

二、資料庫選介

(一)中央研究院 （http://www.sinica.edu.tw）

漢籍電子文獻「瀚典全文檢索系統」

http://www.sinica.edu.tw/~tdbproj/handy1

中央研究院漢籍電子文獻（舊稱漢籍全文資料庫）是頗具規模、且資料整理嚴謹的中文古籍全文資料庫。製作漢籍資料庫的軟體工具命名為瀚典全文檢索系統，則是取其典籍豐富浩瀚之意。該資料庫的內容包含整部《二十五史》、整部阮刻《十三經》、超過兩千萬字的臺灣史料、一千萬字的《大正藏》以及其他典籍，並依其性質分為「史書」、「經書與子書」、「宗教文獻」、「醫藥文獻」、「文學與文集」、「政書、類書與史料彙編」六大類，以便研究者使用檢索。各書所依據的版本，可參考史語所漢籍全文資料庫資料庫書目。另臺史所「臺灣方志」、「臺灣檔案」、「臺灣檔案」(一)至(四)均採用臺灣銀行經濟研究室所出版之「臺灣文獻叢刊」，而文哲所《姚際恒著作集》則選自該所林慶彰先生主編之《古籍整理叢刊一》。此外，該資料庫摘錄其中有關一般文史教育的內容，編製為「人文資料庫（師生版）」，供國小、國中、高中以及大學通識教育的師生免費使用，藉以增強

漢籍資料庫在教育學術界的效益。全文檢索結果可分為「檢索條列」及「檢索報表」兩種方式，方便使用者明瞭檢索結果出自某書某卷某頁。

㈡國家圖書館 （http://www.ncl.edu.tw）

古籍文獻資訊網「古籍影像檢索系統」
http://rbook.hyweb.com.tw

國家圖書館所保存的善本書多達一萬兩千餘部，內容包含古典文學、史學及哲學，特別是明代所刻印的古籍佔了約近一半，這些第一手的古籍史料對於中國古代社會、文化以及經濟各方面的研究很有幫助，所以國家圖書館所藏的善本資源享譽國際。本系統乃將館藏善本的相關書目訊息以詮釋資料（Metadata）格式提供查詢，以方便利用，使用者無論從善本書的書名、著者、版本乃至於序跋者、刻工、版式行款等各個角度來檢索，都可以查出所需要的古籍資訊。配合不同檢索需求，系統提供「簡易查詢」、「詳細查詢」、「更多查詢」等三種查詢介面，藉由題名、人名、標題、版本、篇目、出版地、出版朝代等二十一個欄位，以布林邏輯的組合運用，輕鬆查到所需參考的善本書目資料。除了書目資料外，本系統並連結影像資料庫，可在查詢結果的詳細顯示畫面，直接瀏覽影像外，還可以點選該書的卷次及篇目，以便在網路上閱覽到整部古籍的影像，如欲線上瀏覽影像全文的話，則必須先將影像瀏覽軟體下載安裝後才能在線上看到全文影像。本系統將計畫性地將館藏所有重要善本古籍悉數置放在網路上，屆時這批數位典藏品將可成為研究中國文化的重要漢學資源。

漢學研究中心資訊網「典藏目錄及資料庫」

http://ccs.ncl.edu.tw

　　國家圖書館漢學研究中心資訊網現已完成「典藏國際漢學博士論文摘要資料庫」、「明人文集聯合目錄及篇目索引資料庫」、「兩漢諸子研究論著目錄資料庫」、「經學研究論著目錄資料庫」、「敦煌學研究論著目錄資料庫」五個資料庫。檢索方式除了一般檢索方式外，另提供類目選項的檢索方式。專科目錄資料庫提供了專科目錄檢索的方便，可以讓使用者瞭解該科某領域的研究成果外，也可以清楚知道各個研究學者豐碩的研究成果。

㈢故宮博物院 （http://www.npm.gov.tw）

「寒泉古典文獻全文檢索資料庫」

http://libnt.npm.gov.tw/s25/index.htm

　　該資料庫需經由故宮博物院圖書文獻館的網頁進入，資料庫規劃與程式撰作者為東吳大學陳郁夫教授，提供了「十三經」、「先秦諸子」、「全唐詩」、「宋元學案」、「明儒學案」、「四庫總目」、「朱子語類」、「紅樓夢」、「白沙全集」、「資治通鑑」、「續通鑑」十一項可供檢索全文的資料庫。使用介面簡易明瞭，使用者依循檢索方式即可檢索想要的資料。各資料庫所使用的書籍均附有版本說明。「十三經」資料庫僅可針對經文字句進行檢索，不含注疏，此為使用者所應注意的地方。

㈣中華電子佛典協會 （CBETA）

「線上藏經閣」

http://ccbs.ntu.edu.tw/cbeta/index.htm

　　中華電子佛典協會（Chinese Buddhist Electronic Text Association，簡稱CBETA），由「北美印順導師基金會」與「中華

佛學研究所」於一九九八年二月十五日贊助成立。其目的為免費
提供電子佛典資料庫以供各界作非營利性使用。CBETA電子資料
庫是以「大正新脩大藏經」（大藏出版株式會社）第一卷至第八
十五卷為底本，並正式取得該底本版權者「大藏出版株式會社」
輸入與公開之授權。該資料庫可提供經書下載，對研究者提供了
全文瀏覽使用的方便。該協會網可連結「佛學數位圖書館暨博物
館」（http://ccbs.ntu.edu.tw/DBLM/cindex.htm），可提供「書目檢
索」、「全文檢索」與「佛學網路資源檢索」，對佛學研究有興趣
者，不妨多多利用。

(五)元智大學 （http://www.yzu.edu.tw）

「網路展書讀」中國文學網路研究室
http://cls.admin.yzu.edu.tw

　　本資料庫由元智大學中國語文學系羅鳳珠教授所規劃主持，
內容以中國文學作品為主。現有資料庫有「詩經」、「唐詩」、
「宋詩」、「宋詞」、「元曲」、「紅樓夢」、「三國演義」、「水滸
傳」、「臺灣古典漢詩」等。資料庫大致以全文檢索及全文瀏覽
為主。又本網站以推廣教育為宗旨，因此有許多內容結合了教學
方式，達到普及文學的目的。一般中文系學生如果對中國古典詩
詞創作有興趣者，網站內有相當豐富的資料可供參考。

(六)山東大學易學與中國古代哲學研究中心

http://zhouyi.sdu.edu.cn

　　山東大學哲學系於一九八四年成立「周易研究室」，至一九
八八年三月進一步成立「周易研究中心」，二〇〇〇年九月正式
更名為「山東大學易學與中國古代哲學研究中心」。在推動《易》

學研究上的具體成果，除定期舉辦研討會外，還創辦專門刊物
——《周易研究》，並成立此網站，用以提供《易》學研究之相
關訊息。在該網站上可以查詢到一九七八至一九九九年大陸出版
《易》學書目，以及中國主要期刊發表的《易》學論文目錄及摘
要（目前收錄為1997—2001年）。另經由此網站可連結「孔子
2000」網站（http://www.confucius2000.com），其中的「文獻資料」
提供某些書籍的全文瀏覽、「中國社會科學出版社近年出版圖書
目錄」、「中華書局近年出版圖書目錄」、「2000年儒學研究論文
要目」、「1980—1992年港臺地區宋明理學研究論文目錄」、
「1981—1994年大陸宋明理學研究論文目錄」等，可謂相當實
用。

(七)郭店楚簡資料庫

http://decapps.lib.cuhk.edu.hk/basisbwdocs/bamboo/bam_main.html
　　郭店楚簡資料庫由香港中文大學圖書館與香港中文大學中國
語言及文學系張光裕教授共同製作，並發放於國際網絡之萬維網
內，主要為張光裕教授《郭店楚簡研究‧第一卷‧文字編》乙書
載錄之十六篇釋文修訂本，提供全文檢索。使用者如欲檢索郭店
楚簡資料庫，可按竹簡編號、篇目名稱、或於內容項下輸入有關
字詞，作全文檢索。二○○一年十二月開始，本資料庫新增「郭
店楚簡主要參考論著」檢索系統，使用者可於作者、書（篇）目
或出處項下，輸入欲查檢資料之關鍵詞，即可檢獲所需。另「簡
帛研究」網站（http://www.bamboosilk.org）之「簡帛圖庫」選
項，將簡帛文字原相掃瞄，省去研究者查找資料的麻煩；而「文
獻寶藏」選項，則將翻譯後之馬王堆漢墓出土之簡帛文字提供全
文瀏覽，使得研究者在使用上更加方便。

㈧迪志文化出版有限公司

文淵閣四庫全書電子版——原文及全文檢索版

http://www.skqs.com

　　本檢索系統由迪志文化出版有限公司研發製作，並與香港中文大學出版社合作出版。為務求確保「電子版」的專業素質，共動用了北京、上海、香港等地的技術人員和編輯人員逾四百人，更邀請多位專家學者出任顧問，計有中國的王元化先生、任繼愈教授、汪道涵先生、顧廷龍先生，臺灣的謝清俊教授、潘美月教授，香港的饒宗頤教授、黃景強博士及以金耀基教授為主席的香港中文大學顧問委員會等。「文淵閣四庫全書電子版」利用先進的數碼科技，將《四庫全書》電子化，使其成為內容豐富、方便查考的研究工具。檢索系統共分為「原文及標題檢索版」（標題版）和「原文及全文檢索版」（全文版）兩種。「標題版」共有一百六十七張光碟，包含原書四百七十萬頁（按現代頁計算）的圖像，備有多種書目檢索、卷內標題檢索和輔助研究功能，並附有「《四庫全書簡明目錄》電子書」、「《中華古漢語字典》電子版」、「《四庫大辭典》」、「古今紀年換算」、「干支／公元年換算」、「八卦六十四卦表」六種輔助工具。「全文版」則有一百七十五張光碟，除具備「標題版」的所有內容及功能外，更擁有約八億個中文字的字符及其索引，可作全文檢索，堪稱為相當實用的檢索系統。本檢索系統由於售價昂貴，一般研究者若無力負擔購買，可到大型圖書館的線上查閱服務區使用。

㈨中華文化網

http://yanzi.dyndns.org:723

　　該資料庫雖僅提供全文瀏覽，然資料卻相當豐富，一般中文系學生所需修讀的專書幾乎都有，共分為「諸子百家」、「歷史傳記」、「文學藝術」、「古詩詞曲」、「科學技藝」、「古今散文」、「精彩小說」七大類目。所有書籍皆經過標點，因此不會造成使用者閱讀上的困難。某些書籍有註明所使用的版本。

㈩臺灣研究資源

http://www.lib.ntu.edu.tw/spe/taiwan/taiwan.html

　　國立臺灣大學前身為日據時期之「臺北帝國大學」，其中臺灣資料舊籍數量龐大，與中央圖書館臺灣分館和臺灣省文獻委員會鼎足而三，為臺灣史資料重要的收藏機構。國立臺灣大學所藏臺灣史資料包括「淡新檔案」、「岸裡大社文書」、「伊能文庫」、臺灣總督府各局部及臺北帝國大學之刊行物等，內容上起十八世紀，下迄終戰前夜。國立臺灣大學圖書館為便於讀者檢索該校所藏之臺灣資料，特設立本網站。本站包括檔案文書（含淡新檔案、岸裡大社文書及伊能手稿），同時提供各目錄（舊藏日文臺灣資料目錄、原住民圖書聯合目錄、伊能文庫刊行書目錄、田代安定文庫目錄與館藏UMI臺灣研究相關博碩士論文微卷目錄）便於使用者以全文或分類查詢方式檢索；在期刊方面則提供期刊篇目索引、《臺灣時報》資料庫與臺灣生物相關論文集目次，此外另有《蕃人所要地調查書》、臺灣宗教民俗資料圖錄與臺北帝國大學校史檔案等。本站除了可以檢索臺大館藏臺灣資料外，並蒐集整理網際網路上臺灣研究相關之網路資源，包括電子文獻、研究及教學資訊、其他相關檢索系統與網站等。

三、使用文史資料庫應注意之事項

利用網路資料庫檢索，雖然方便了研究工作者的檢索工作，節省了許多寶貴的時間，但是在使用上仍有需要注意的地方。以下提供三點供大家參考。

(一)檢索後的資料結果仍須核對原文

網路雖然提供了研究者在檢索原典上的方便，研究者仍應不厭其煩地將檢索結果與書籍資料再次核對，避免錯誤。特別是因為版本差異所造成字句上的誤差，以及繁簡字、古字、俗字等異體字之間的關係，都會成為我們在研讀及分析原典時的重要因素。因此大家切不可因為得到了結果而忽略了求知及考證的精神，務必要再仔細地確認後才可引用。

(二)尊重智慧財產權，以免誤觸法網

利用網路檢索是一件極方便也容易的事，但絕對不可以因為方便、容易，就任意地下載或是列印原文，而侵犯到作者苦心經營的成就。因此我們要隨時提醒自己尊重智慧財產權，千萬不要因為一時的私念而誤觸法網，悔憾終生。畢竟有更多人不斷地創造，才會帶動學術的研究熱潮，不是嗎？

(三)網路檢索全文僅為資料蒐集的一種手段，不可過於依賴

利用網路檢索全文，僅是我們蒐集資料的其中一種方式，切不可因為網路所提供的便利性，而使我們忽略了治學應有的態

度。縱使我們可以利用任何一種搜尋引擎,鍵入關鍵字,就可以
查詢到部分相關資料,省去不少查找工具書的時間,但是我們回
過頭想,在沒有網際網路的時代,古人們也是靠著平時的努力及
嚴謹的治學態度,一紙一筆的抄、寫,一步步地積累著自己的學
問,才使得中國學術不斷地發揚光大。因此,我們仍然不可放棄
任何一種蒐集資料的方式,即使是現在強調 e 化及數位化的今
天,紙本的存在還是有其必要性,畢竟沒有人可以保證數位化後
的資料不會遺失,正如同千百年來中國古籍遭受到的厄運一般。
所以大家仍然要培養在紙本上尋找資料的功夫,不可過份仰賴網
路檢索,養成自己偷懶的惡習。

期刊論文的檢索與利用

黃智信

中央研究院中國文哲研究所計畫助理

一、 前言

　　期刊是指連續而且定期出版的刊物，種類包括有雜誌、學報、會報、研究集刊等。由於期刊種類的繁多、出版的迅速，與數量的龐大，因此，如果能夠掌握期刊論文的大致情況，就能了解學術研究的大致趨向。

　　但面對為數可觀的各式期刊，往往使讀者彷彿置身於茫茫文海中一般，不知該從何處著手，才能從中獲取我們所需要參考的資料。各種期刊逐期地一一翻閱，自然是其中的一種方法，但這麼做既曠日費時，用力苦而所獲少，加以許多期刊不易尋得，所以在執行上也有其實際的困難。是否有更為簡易、快速而且有效的方法呢？以下試就「如何檢索到我們所要的期刊條目」，以及「如何確定哪些圖書館藏有這些期刊的這幾個卷期」兩方面，來討論檢索期刊資料的方法。

二、檢索期刊論文的幾種方法

㈠利用網路系統搜尋

隨著科技的不斷進步，期刊資料的檢索方法，已從必須經由紙本的目錄索引展開辛苦費時的盲目勾選，逐漸轉換成透過網路的系統資料進行便捷快速的準確搜尋。網路資源的有效運用，能夠讓我們對於學術資料的掌握，更為簡易、全面而快速。以下，分別就臺灣地區、大陸地區、香港地區較便於檢索期刊論文的三種系統，做簡要的介紹。

1.「中華民國期刊論文索引系統」

由國家圖書館期刊文獻中心所建立，是檢索臺灣地區（部分港澳地區）所出版中西文期刊最為方便的一種資料庫。這個系統，又可分成以下二類：

(1)「中華民國期刊論文索引光碟系統」

「中華民國期刊論文索引光碟系統」主要在蒐集臺灣地區（部分港澳地區）所出版的學術期刊論文篇目資料，現有Windows版與WWW版兩種。其中WWW版光碟自二〇〇一年起擴大系統收錄範圍，除原「中華民國期刊論文索引資料庫」學術性期刊論文篇目之外，並合併收錄「國家圖書館期刊目次資料庫」的期刊目次資料，收錄了從一九七〇年一月到二〇〇二年九月出版的期刊篇目資料總計一百二十九萬五千七百二十七筆，包括源自「中華民國期刊論文索引資料庫」八十九萬六千八百一十三筆，以及「國家圖書館期刊目次資料庫」三十九萬八千九百一十四筆，收錄期刊共三千六百一十三種。可藉由期刊論文之篇名、作者、類

號、關鍵詞、刊名、出版日期、摘要等,透過這個系統,查到所需參考的期刊論文。同時,已掃描的論文,可直接線上複印本文。

(2)「中華民國期刊論文索引影像系統」

「中華民國期刊論文索引影像系統」資料庫收錄臺灣地區(部分港澳地區)所出版中西文期刊、學報約三千種,收錄了從一九九一年以來所刊載的各類期刊論文篇目資料約三十萬餘筆。可藉由期刊論文之篇名、作者、類號、關鍵詞、刊名、出版日期、摘要、電子全文等,查到所需參考的期刊論文,這套系統並提供了付費的直接線上顯示、列印、傳真或郵寄等文獻傳遞服務。

2. 「中國期刊網」

是由北京清華大學光盤國家工程研究中心、清華同方光盤股份有限公司、中國學術期刊電子雜誌社所共同出版,內容包含理工A(數理科學)、理工B(化學化工能源與材料)、理工C(工業技術)、農業、醫藥衛生、文史哲、政治經濟法律、教育社科綜合、電子信息科學等九大類,收錄了中國大陸從一九九四年到二〇〇三年出版的六千六百種學術期刊,五千三百種核心與專業期刊,共約五百萬篇全文、一千五百萬筆篇目資料,是檢索近十年來大陸地區期刊論文最方便迅速的資料庫。可藉由期刊論文之篇名、作者、關鍵詞、機構、中文摘要、引文、基金、全文、中文刊名、ISSN、年、期、主題詞等,檢索所需要的期刊論文,其中大部分文章都可以從系統下載原文及列印。但因涉及版權問題,「中國期刊網」僅限於有訂購此套系統的單位(如中研院),以內部Internet連線方式提供單位內部使用。

3. 「香港中文期刊論文索引」

　　這套由香港中文大學圖書館製作的「香港中文期刊論文索引」系統，收錄了香港出版的中文和雙語期刊超過一百五十種。所選取的論文大體上自一九九〇年開始，但部份學術期刊可上溯至一九五〇年代。這個系統可用來檢索香港地區所出版的期刊論文資料，但本索引所收錄的文章，一九九八年以前選取的主要是與中國大陸、香港、臺灣、澳門四地的社會、經濟、政治、時事或社會科學相關的論文，從一九九八年開始，涵蓋的主題才擴及所有人文科學及相關課題，而不再只限於上述四地，這一點是使用時必須注意的。

(二)藉由目錄索引檢索

　　雖然利用一些網路系統搜尋所需要的期刊論文非常迅速方便，但這些檢索系統至少都存在一項共同的缺點，就是所收錄的都是年代較晚的期刊論文，未在收錄年限內的期刊論文，仍然必須藉由紙本的參考工具書來進行檢索。紙本的參考工工具書中，查閱期刊論文資料最容易也最直接的，就是論著目錄或論文索引。以下，分專科性目錄索引與綜合性目錄索引來討論：

1. 專科性目錄索引

　　許多專門學科已經出版相關論著目錄或論文索引，可以提供研究者該領域的相關研究成果，當中自然也收錄不少的期刊論文資料。這類的目錄與索引，為數甚多，茲擇要列舉如下：

〔經學〕

· 經學研究論著目錄（1912—1987）　林慶彰主編　臺北　漢學研究中心　1989年12月
· 經學研究論著目錄（1988—1992）　林慶彰主編　臺北　漢

學研究中心　1995年6月

· 經學研究論著目錄（1993—1997）　林慶彰、陳恆嵩主編
臺北　漢學研究中心　2002年4月

· 日本研究經學論著目錄（1900—1992）　林慶彰主編　臺北
中央研究院中國文哲研究所籌備處　1993年10月

· 十三經論著目錄　周何等編　臺北　洪葉文化事業公司
2000年6月

〔哲學〕

· 中國哲學史論文索引　方克立等編　北京　中華書局　1986
年—

· 中國思想、宗教、文化關係論文目錄　中國思想宗教史研究
會編　東京　國書刊行會　1976年6月；臺北　明文書局
1981年3月

· 秦漢思想研究文獻目錄　坂出祥伸編　臺北　木鐸出版社
1981年7月

· 兩漢諸子研究論著目錄（1912—1996）　陳麗桂主編　臺北
漢學研究中心　1998年4月

〔宗教〕

· 中國大陸宗教文章索引　王雷泉主編　臺北　東初出版社
1995年10月

· 中國佛教美術論文索引（1930—1993）　李玉珉主編　新竹
覺風佛教藝術文化基金會　1997年12月

· 臺灣民間信仰研究書目（增訂版）　林美容主編　臺北　中
央研究院民族學研究所　1997年3月

〔史學〕

- 中國史學論文引得（1902—1962） 余秉權編 香港 亞東學社 1963年；臺北 泰順書局 1971年；臺北 華世出版社 1975年
- 中國史學論文引得續編——歐美所見中文期刊文史哲論文綜錄（1905—1964） 余秉權編 美國麻省 哈佛大學哈佛燕京圖書館 1970年；臺北 宗青圖書出版公司 1989年
- 中國史學論文索引（第一編） 中國科學院歷史研究所第一、二所編 北京 科學出版社 1957年
- 中國史學論文索引（第二編） 中國社會科學院歷史研究所編 北京 中華書局 1979年
- 中國史學論文索引（第三編） 中國社會科學院歷史研究所編 北京 中華書局 1995年
- 中國古代史論文資料索引 復旦大學歷史系資料室編 上海 上海人民出版社 1985年11月
- 中國歷史地理學論著索引（1900—1980） 杜瑜、朱玲玲編 北京 書目文獻出版社 1986年4月
- 中國古代科技史論文索引（1900—1982） 嚴敦杰主編 南京 江蘇科學技術出版社 1986年
- 戰國秦漢史論著索引 張傳璽等編 北京 北京大學出版社 1983年3月
- 戰國秦漢史論著索引續編 張傳璽主編 北京 北京大學出版社 1992年11月
- 戰國秦漢史論著索引三編 張傳璽主編 北京 北京大學出版社 2002年

- 秦史研究論著目錄　田靜編　西安　陝西人民教育出版社
  1999年
- 史記研究資料索引和論文專著提要　楊燕起、俞樟華編
  1989年5月
- 魏晉南北朝史研究論文書目引得　鄺利安編著　臺北　臺灣
  中華書局　1985年
- 隋唐五代史論著目錄　中國社會科學院歷史研究所魏晉隋唐
  史研究室編　南京　江蘇古籍出版社　1985年
- 宋史研究論文與書籍目錄（增訂本）　宋晞編　臺北　中國
  文化大學出版部　1983年
- 宋遼夏金史研究論著索引（1900—1982）　杭州大學古籍研
  究所宋史研究室編　杭州　杭州大學出版社　1985年
- 遼金史研究論著索引　叢禹編　呼和浩特　內蒙古大學出版
  社　1991年
- 蒙古學論文資料索引（1949—1985）　內蒙古大學圖書館蒙
  古學部編輯　呼和浩特　內蒙古大學出版社　1987年
- 蒙古學論著索引（1986—1995）　額爾德尼編　瀋陽　遼寧
  民族出版社　1997年
- 中國近八十年明史論著目錄　中國社會科學院歷史研究所明
  史研究室編　南京　江蘇古籍出版社　1981年
- 清史論文索引　中國社會科學院歷史研究所清史研究室、中
  國人民大學清史研究所合編　北京　中華書局　1984年6月
- 中國近代史論著目錄（1949—1979）　復旦大學歷史系資料
  室編　上海　上海人民出版社　1980年
- 中國近代史論文資料索引（1949—1979）　遼寧大學歷史系
  中國近代史教研室編　瀋陽　遼寧大學歷史系　1981年

· 中國近代史論文資料索引（1949—1979） 徐立亭、熊煒編
北京　中華書局　1983年

〔考古學〕
· 中國考古學文獻目錄（1900—） 北京大學考古系資料室編
北京　文物出版社　1991年—
· 中國藝術考古論文索引（1949—1966） 陳錦波編　香港
香港大學　1974年
· 百年甲骨學論著目　宋鎮豪主編　北京　語文出版社　1999
年7月
· 青銅器論文索引　孫稚雛編著　北京　中華書局　1986年
· 敦煌學研究論著目錄（1908—1997） 鄭阿財、朱鳳玉主編
臺北　漢學研究中心　2000年4月
· 1900—2001國家圖書館藏敦煌遺書研究論著目錄索引　申國
美編　北京　北京圖書館出版社　2001年

〔語言、文字學〕
· 語言學論文索引　董樹人主編　北京　北京語言學院　1993
年
· 中國語言學論文索引——甲編（1900—1949） 中國科學院
語言研究所編　北京　科學出版社　1965年
· 中國語言學論文索引——乙編（1950—1980） 中國科學院
語言研究所編　北京　商務印書館　1983年
· 臺灣五十年來聲韻學暨漢語方音學術論著目錄初稿（1945—
1995） 林炯陽、董忠司主編　臺北　文史哲出版社　1996
年

‧中國辭書學論文索引（1911—1989）　上海辭書學會、辭書
研究編輯部編　上海　上海辭書出版社　1990年

〔文學〕

‧文學論文索引（一～三編）　陳碧如、張陳卿、李維墀、劉
修業編　北京　中華圖書館協會　1932、1933、1936年；臺
北　臺灣學生書局　1970年

‧中國古典文學研究論文索引（1949—1966）（增訂本）　河
北、北京師範學院中文系資料室編　北京　中華書局　1979
年；香港　三聯書店　1980年

‧中國古典文學研究論文索引（1966—　）　中國社會科學院文
學研究所圖書資料室編　北京　中華書局　1982年—

‧中國古典文學研究論文索引（1949—1980）　中山大學中文
系資料室編　南寧　廣西人民出版社　1984年6月

‧中國文學論著集目正編　羅聯添等編　臺北　五南圖書出版
公司　1996年7月

‧中國文學論著集目續編　羅聯添等編　臺北　五南圖書出版
公司　1997年12月

‧中國民間文學論文索引　中國社會科學院文學所民間文學室
等編　北京　中國社會科學院　1981年

‧中國比較文學論文索引（1980—2000）　王向遠編　南昌
江西教育出版社　2002年

‧中外六朝文學研究文獻目錄（增訂本）　洪順隆主編　臺北
漢學研究中心　1992年6月

‧中外學者文選學論著索引　俞紹初、許逸民主編　北京　中
華書局　1998年

- 詞學研究書目（1912—1992）　黃文吉主編　臺北　文津出版社　1993年4月
- 詞學論著總目（1901—1992）　　林玫儀主編　臺北　中央研究院中國文哲研究所籌備處　1995年6月
- 中國古典戲曲小說研究索引　于曼玲編　廣州　廣東高等教育出版社　1992年
- 中國古典小說論文目　潘銘燊編　香港　中文大學出版社　1984年
- 日本研究中國現當代文學論著索引（1919—1989）　孫立川、王順洪編　北京　北京大學出版社　1991年

　　以上所列舉的專科性目錄或索引，能提供我們大量與研究領域直接相關的資料，對於學者從事研究工作助益很大。其中，漢學研究中心所出版的《經學研究論著目錄》（1912—1997）、《兩漢諸子研究論著目錄（1912—1996）》、《敦煌學研究論著目錄（1908-1997）》三種，已可從該中心的「典藏目錄及資料庫」中直接線上查詢；《中國佛教美術論文索引（1930—1993）》，也可透過臺灣大學文學院佛學研究中心的資料庫進行搜尋，都更有助於研究資料的檢索。

2. 綜合性目錄索引

　　雖然專科性目錄索引對於研究者的幫助甚大，而且專科性目錄索引的種類與數量也不能算少，但是有些收錄的條目遺漏太多、有些條目著錄不夠清楚或錯誤連篇、有些體例繁雜或分目過細以致檢索困難，這些都會造成讀者無法準確而有效地掌握資料。此外，真正能夠持續不斷增訂續編的目錄，並不多見，再加上還有許多領域尚未有能夠提供方便而準確檢索的專科目錄出

現，這種情況之下，就必須從收錄範圍跨越不同學科與研究領域的綜合性目錄索引著手，找尋所需的資料。常用的綜合性目錄索引有下列幾種：

‧ 國學論文索引（一～四編）　王重民、徐緒昌、劉修業編　北京　中華圖書館協會　1929、1930、1934、1936年；臺北　維新書局　1968年

初編：收錄光緒至一九二九年間八十二種刊物，論文三千餘篇。

續編：所收論文除少數為民國初年出版者外，其餘都是一九三〇年出版，刊物約八十種。

三編：收一九二八至一九三三年五月間出版刊物一九二種。

四編：收一九三四至一九三五年十二月間出版刊物約二一〇種，論文四千多篇。

這部書是檢索清末至民初期刊論文非常重要的工具書，雖書名曰「國學」，其實指的是傳統中國學術而言，實際上全書分成十七個門類著錄，幾乎所有學科的論文均已納入其中。

‧ 中國近二十年文史哲論文分類索引　國立中央圖書館編輯　臺北　正中書局　1970年

本書是根據國立中央圖書館所藏一九四八年至一九六八年出版的二六一種期刊與三六種論文集編輯而成，所收論文以在臺灣出版者為主，兼及海外自由地區出版者，共收錄論文二萬三千六百二十六篇，從本書的著錄，可以看出二十年間文史哲學研究的成果。

‧ 中國文化研究論文目錄　中華文化復興運動推行委員會主編、國立中央圖書館編輯　臺北　臺灣商務印書館　1982年—

本書共分六冊：

第一冊　國父與先總統蔣公研究、文化與學術、哲學、經學、圖書目

錄學

第二冊　語言、文字學、文學

第三冊　歷史（一），包括史學、通史、斷代史、考古學、民族民俗學

第四冊　歷史（二），專史

第五冊　傳記

第六冊　著者索引

　　收錄一九四五年至一九七九年間的期刊、報紙、論文集、學位論文、國科會研究報告等論文十二萬篇，所收論文以在臺灣出版者為主，兼及海外自由地區出版者。是繼《中國近二十年文史哲論文分類索引》之後，檢索國內三十餘年來文史哲論文很重要的一部工具書。

　・全國報刊索引　上海圖書館編　上海　該館　1955年3月—

　　原名《全國主要期刊資料索引》，創刊於一九五五年三月，一九五六年增收報紙資料，改名為《全國主要報刊資料索引》，一九六六年十月停刊，一九七三年十月始復刊，改為今名。收錄大陸地區公開出版與內部發行的主要報刊資料，為檢索大陸地區報刊論文最重要的工具書。

　・複印報刊資料　北京　中國人民大學書報資料社編印

　　早在五〇年代後期，該社就展開按專題複印報刊資料的工作，原在每期附有複印資料目錄，一九八三年起，又增加未複印專題資料選目，擴大了可供檢索的範圍。所收錄報刊約三千五百多種，共設置一百多個專題，可以提供有關中國大陸社會科學與人文科學報刊資料。另有光碟系統，可檢索一九七八年以後之分類論文索引與一九九五年以後之分類論文全文。

　・東洋史研究文獻類目（1934—1962）、東洋學研究文獻類目

　　（1963—1999）　京都大學人文科學研究所附屬東洋學文獻

　　中心編　京都　該中心　1935年—

　　原名為《東洋史研究文獻類目》，一九六三年易名《東洋學研究文獻類目》，是一種收錄中國、日本、韓國及西方各國出版有關東洋學研究的專

書、論文集及期刊論文的目錄。

‧**中國古籍整理研究論文索引　東北師大古籍整理研究所辭書編輯室編著　南京　江蘇古籍出版社　1990年**

　　本書收錄年限為清末至一九八三年，共收錄一千五百餘種報刊上有關古籍整理研究與古代文獻源流的論文二萬餘篇（包括部分港、臺論文）。

　　此外，李永璞主編《中國史志類內部書刊名錄（1949—1988）》、復旦大學歷史系資料室編《五十二種文史資料篇目分類索引（創刊號—1981年）》與李永璞主編《全國各級政協文史資料篇目索引（1960—1990）》等書，可以藉以掌握大陸地區中央與地方內部發行史志資料的大致情形，並可檢索當中各主要的「文史資料」的論文；吉林大學出版的《全國高等院校社會科學學報（1906—1949）總目錄》及數冊「全國高等院校社會科學學報」其他年度總目錄，可以協助查得一些學報論文的資料。

(三)善用其他輔助方法

　　除了藉由上述途徑來進行檢索以外，還有以下幾種方法可以找到我們所需要的資料：

　　1.各專門學科的相關年鑑，如：中國哲學年鑑、中國儒學年鑑、中國歷史學年鑑、中國考古學年鑑、中國語言學年鑑、中國文學研究年鑑、唐代文學研究年鑑、詞學研究年鑑、明清小說研究年鑑、中國比較文學年鑑、中國戲劇年鑑、中國文藝年鑑……等，多闢有該年度重要論文選介或研究概況等專欄，可以從中發現一些資料。

　　2.從與自己研究對象相關論著（包括專書、學位論文、期刊論文）的參考或引用資料中，往往可以尋得我們所未曾留意到的

資料。

3.一些「研究通訊」,如:《漢學研究通訊》、《中國文哲研究通訊》、《敦煌文學研究通訊》(後易名為《敦煌語言文學研究通訊》)、《徽州文化研究通訊》、《國際簡帛研究通訊》……等;以及「簡訊」,如:《古籍整理出版情況簡訊》等,也常刊載有與該領域相關之論著目錄或重要論文簡介。

4.國外所發表的相關漢學論文,除上述部分目錄索引可以檢閱外,《日本期刊三十八種中東方學論文篇目附引得》、《一百七十五種日本期刊中東方學論文篇目附引得》、漢學研究中心所編《外文期刊漢學論評彙目》與《日本中國學會報》的「學界展望」等,也都可以查到部分資料。

5.某些學科有其所屬專業性刊物,如研究敦煌學,有《敦煌學》、《敦煌研究》、《敦煌學輯刊》等刊物;研究詞學,有《詞學季刊》、《同聲月刊》、《詞學》等刊物;研究管子,有《管子學刊》等刊物。隨時留意這些相關領域的期刊,或許可以取得一些所需資料。

但是,在檢閱各種刊物之前,以下幾點可以多加注意:

(1)上海人民出版社出版之《中國近代期刊篇目彙錄》(共三卷六冊)選輯一八五七年到一九一八年六十年間四百九十五種主要刊物(以哲學、社會科學類為主),彙錄其所有篇目;天津人民出版社出版之《中國現代文學期刊目錄彙編》選輯一九一五年到一九四九年間二百七十六種現代文學相關刊物,彙錄其所有篇目。要檢索一九四九年以前所出版期刊的篇目,可以試著先查閱這兩種目錄。

(2)除可利用《篇目彙錄》、《目錄彙編》等書之外,部分已停刊之期刊,已經有可以檢索該刊的總目出版,如《東方雜誌》

有北京三聯書店之《東方雜誌總目》（上海書店曾重印此書）與臺灣商務印書館之《重印東方雜誌全部舊刊總目錄》兩種目錄的出版。還有一些雖然沒有總目的刊行，但在其他相關目錄中仍然可以查到，如《詞學季刊》、《同聲月刊》，《詞學論著總目》「附錄三」中，即羅列了兩者各期的篇目。

　　(3)許多具有悠久歷史、出版期數眾多的刊物，也有可以檢索該刊的總目或索引問世，如《傳記文學》有《傳記文學雜誌總目錄暨執筆人及篇名索引》、《傳記文學篇目分類索引》，《文物》有《文物五〇〇期總目索引》等。這一類的總目或索引為數不少，可善加利用。

　　(4)部分刊物每隔幾期，就會附有前此數期的簡目或分類索引，如《中國文哲研究集刊》第二十一期，就附有十六至二十期的目次與作者姓名索引。許多期刊則固定於每年最末一期附上該年各期的簡目或分類索引，如《辭書研究》等。又有許多期刊於每一期後面均附上前此各期的的目次，這一類的期刊多屬出版期數較少者，如學報、研究所集刊等。

　　(5)有些期刊於該刊出版單位的網站上，可直接查詢各期目次，如《漢學研究》、《漢學研究通訊》於漢學中心的網站上可查得，《中國文哲研究集刊》、《中國文哲研究通訊》於中研院文哲所的網站上可查得。

　　類似上述的這些情況，若能於平時多留意，即可省卻不少逐期翻檢之勞，而收事半功倍之效。

三、查詢期刊館藏的方法

　　所檢索到的期刊論文條目資料，除部分可以直接從網路上下

載原文與列印之外，當我們需要參閱這些論文甚至影印這些論文時，應該如何知道哪個圖書館藏有這幾種期刊，同時我們所需要的卷期，該處確有館藏無誤？及至目前為止，已經出版的幾種期刊聯合目錄，固然都可以參考，但是期刊出版的速度之快與數量之多，使得紙本的期刊聯合目錄之編纂速度總是跟不上圖書館的期刊收藏編目進度。所幸各大圖書館的期刊收藏情形，大多可透過網路的線上館藏查詢一窺梗概。

其中最為方便的，是進入國立中正大學圖書館的「國內圖書館圖書虛擬聯合目錄系統」，即可透過網路的連結，國家圖書館、許多重要研究單位圖書館、數十所大專院校圖書館等館藏情形都可以很容易查得。

此外，國科會科學技術資訊中心的「全國館際合作系統」中，提供了「西文期刊」、「中文期刊」與「大陸期刊」三種聯合目錄，也可以很清楚而且快速查詢到所需要的期刊在各研究單位與大專院校圖書館館藏情況。

四、結語

期刊論文以其無與倫比的數量、豐富多樣的內容、更新快速的資訊，成為研究者無法輕忽的一座學術資料寶庫。但該如何檢索期刊論文，才不會導致走進期刊室，面對汗牛充棟的各類刊物時，視之茫然，毫無頭緒。

拜現代科技之賜，許多期刊已經可以透過諸如「中華民國期刊論文索引」、「中國期刊網」與「香港中文期刊論文索引」等系統，進行資料查詢，「中華民國期刊論文索引」、「中國期刊網」更可以直接線上列印，非常方便。善用這些檢索系統，都可

縮短我們檢索資料耗費的時間。

　　未在這三種系統收錄年限內的論文資料，可以透過紙本的相關專科性目錄索引與綜合性目錄索引勾選我們所需要的資料。其中部分目錄索引，已可透過資料庫，直接進行線上查詢，也可以善加利用。

　　此外，可檢閱年鑑、相關論著（包括專書、學位論文、期刊論文）的參考或引用資料、「研究通訊」、「簡訊」，以及《外文期刊漢學論評彙目》、《日本中國學會報》的「學界展望」等會提供外文期刊論文資料的刊物，也可常常翻看與研究領域相關的各種期刊，或許可從當中取得未曾留意到的資料。

　　檢索到期刊條目之後，如果需要參考或影印這些論文時，可從國立中正大學圖書館「國內圖書館圖書虛擬聯合目錄系統」的「書刊名」一欄，或從國科會科學技術資訊中心的「全國館際合作系統」所提供的「西文期刊」、「中文期刊」與「大陸期刊」三種聯合目錄中，查得這些期刊論文在各圖書館的館藏情形，而不至於空跑許多圖書館，仍遍尋不到所要找的期刊。

　　當然，以上所列僅為檢索期刊論文方法的大概原則。隨著時代的進步，各種工具書、檢索系統、資料庫不斷地編制、開發出來，加上許多論文已跨越傳統紙本期刊的藩籬，而以電子期刊或公佈於網路上的方式呈現。讀者對於自己研究論題的瞭解愈深入、文獻的掌握愈豐富、工具書與資料庫的運用愈嫻熟，自然就能夠觸類旁通，知道自己所需要的資料應從何處尋蹤覓跡，但這就有賴於平時不斷地實際練習與經驗累積。

學位論文的檢索與利用

張穩蘋

德明技術學院通識教育中心兼任講師

一、學位論文的意義及其價值

從事研究工作，檢索資料是必備的專業能力。資料在哪裏？如何蒐集？如何避免毫無價值的研究成果氾濫個人所建立的資料庫，這些都仰賴我們對資訊來源的掌握及追蹤。平時不僅應培養廣泛而有效率的收集習慣，也應將蒐羅而來的資料作有效的消化，以評估這些資料的價值與可用性。

其中，各大學院校最重要的學術資產——博、碩士學位論文，與專書、劄記、期刊、報紙的性質類似，都是屬於記錄知識訊息的重要文獻資料。以學位論文來說，這些當代後出的研究，其範圍多半涉及前人尚未研究過，或是研究未臻成熟的論題，在研究角度的選擇上具有一定的開創性；此外，博、碩士論文大多是由該領域學有專精的學者及專家指導下完成，其研究動機、目的、研究方法、撰寫過程、以及論證成果的提出大多能在嚴謹的監督之下獲得較具系統的具體考察，就學術價值來看，確實具備一定的專業水準與參考價值。

學位論文對許多研究者而言的確是不可或缺的輔佐資源，然而不論國內或國外，目前並沒有一個整合性的資料庫可以庋藏所

有的學位論文資料,因此,本文將介紹檢索學位論文的各種方法及管道,其範圍以研究中國文史哲類的博、碩士論文為對象,從早期檢索學位論文目錄的工具書,以及國內紙本學位論文的典藏情形,到國內外數位化電子學位論文的收錄現況,與取得論文原件的方法,並概略介紹專門學科學位論文的資料庫。讀者應可依個人需求選擇,以取得最適當可用的資源。

二、傳統學位論文的檢索

㈠檢索學位論文書目(或提要)的工具書

在網路資源應用尚未普及之前,學者要取得學位論文的書目資料,不外乎以下幾種管道:一是至國立中央圖書館(國家圖書館的前身)查詢館藏資料;二是至各市立或縣立等公共圖書館檢索相關論文的書目工具書;另外則是到各公私立大學圖書館使用該校所提供的博碩士論文索引服務。路徑雖不一,所仰賴的工具書卻是大同小異,以下將擇要簡介國內學者早期最常使用的圖書館藏學位論文檢索工具書;至於大陸地區,目前博碩士授予單位達八百多家,每年產出博碩士論文至少五萬篇以上。如此龐大驚人的知識文庫,更深具開發與應用價值。自改革開放之後,大陸地區所謂的國家一級圖書情報機構,在學位論文的收集、整理、報導與開發利用上,確實取得積極的成果。重要的檢索工具書如《中國博士學位論文提要》及《中國學位論文通報》,亦將在此一併簡要介紹。

· 全國博碩士論文分類目錄 政大社會資料中心人員合編

主要收錄自民國三十八年至六十四年以及六十五年的一部分,共八千

七百零八種博碩士論文。目錄資料來自國立中央圖書館以及政治大學社會科學資料中心，收錄地區除臺灣之外，另外也包括一部分港澳地區及國防部派遣國外深造的論文。

本目錄將博碩士論文混合排列，以「中國圖書分類法」分類編排，凡屬同類者，依著者筆畫為序。每篇論文皆著錄有編號、著者、論文題目、畢業院所、年度、指導教授、收藏地點等項目。為方便區別，凡屬博士論文或論文以公開出版者，則分別於編號前加註「D」字或「☆」型記號。書後依筆畫排列，附有作者索引及篇名索引。

該書於民國七十一年出版續編，由國立政治大學出版，收民國六十五年至六十九年（1976—1980），以及部分七十年（文史哲學類）、及初編遺漏的學位論文，全書計七百一十五頁，八千七百七十四篇。地區則同樣包括港澳地區，另輯入民國三十八年以前大陸各大學研究所的部分論文四十五篇。

‧中華民國博士碩士論文目錄　國立中央圖書館主編　臺北
　中華叢書編審委員會　1970年

收錄民國三十八至五十七年間國內博士、碩士論文及國軍派遣國外深造人員所撰寫學位論文。

‧中華民國博士論文摘要暨碩士論文目錄　行政院國家科學委
　員會科學技術資料中心編　臺北　該中心

內容分博士論文摘要、碩士論文目錄、博碩士研究生姓名索引、提供論文之學校研究所一覽表及補遺等五部分。

‧全國博碩士論文目錄　李緒武編　國立政治大學　1989年
‧全國博碩士論文目錄　國立政治大學編　3冊　1991年
‧臺灣地區漢學學位論文彙目　國家圖書館漢學研究中心編集

以學年為單位，收錄臺灣地區公私立大學各文史哲相關系所於該學年通過論文考試，獲頒學位之論文。所收錄之論文資料，為該中心聘請之各

校通訊員所提供。體例編排上首先依照文學、歷史、哲學、語言、藝術及人類學等分成六類，每類下為各校系所名稱，每校論文資料，首列博士班，次為碩士班。每一論文著錄的項目包括：研究生姓名、論文題目名稱、指導教授姓名等三項。論文以研究生姓名筆畫之順序排列。

・四十九年至六十七年博士論文提要　教育部學術審議委員會編

該書為國內第一部博士論文提要。收錄民國四十九年至六十七年底通過博士學位的論文提要，共計二七〇篇。

・六十七學年度各校院研究生碩士論文提要　教育部高等教育司編

民國六十四年全國教育會議，建議教育部編印研究生論文提要，該部高教司乃於六十五年開始整理歷年碩士論文，並自六十七年起出版「六十三學年度各院校研究生論文提要」，六十八年出版「六十四學年度各院校研究生論文提要」，餘此類推。

・華岡碩士論文提要（一）　中國文化大學中正圖書館編著　1973年

・華岡碩士論文提要（二）　中國文化大學中正圖書館編著　1981年

・明史研究碩士論文提要　蔣武雄等著　1980年9月

・中國博士學位論文提要　中國北京圖書館學位學術論文收藏中心編製

收錄一九八一年起的博士學位論文。書目文獻出版社於一九九二年開始以圖書形式出版。其中社會科學部分為一冊，自然科學部分共三冊。

・中國學位論文通報

中國科技情報所於一九八四年創刊，以雙月刊的形式發行，一九九三年已停刊。

(二)國內紙本學位論文的館藏概況

政治大學社會科學資料中心以及教育資料館,是早期教育部委託指定的學位論文寄存單位,凡國內學位論文大多可從政大圖書館館藏目錄查得。自民國八十三年「學位授與法」第八條明文規定:「博碩士論文應以文件、錄影帶、錄音帶、光碟或其他方式,於國立中央圖書館保存之。」國立中央圖書館(以下稱國家圖書館)便成為國內博、碩士論文的法定寄存圖書館。因此部分學校之學位論文,已不再將學位論文寄存在政大社會科學資料中心,事實上國家圖書館也是目前保存學位論文最完整的學術單位。該館設有學位論文閱覽區開放給讀者閱覽利用。同時也建置「全國博士論文資訊網」,供線上查詢使用。

此外,各公私立大學院校則依各校內部之學務規章,規定所屬研究生所發表的博、碩士論文著作,必須繳交一定的冊數提供學校圖書館內典藏方可取得學位,辦理離校手續。因此透過各校圖書館借閱該校研究生之博碩士論文資料,也是一項相當直接便捷的管道。

茲將國內學位論文的館藏情況,依館藏單位簡介如下:

1.政治大學社會科學資料中心

該中心自民國六十三年起,收藏超過十六萬冊的博、碩士論文。為教育部早期提撥專款補助整理的指定法定寄存單位。過去收藏學位論文可說最為齊全,自「學位授與法」修正公布之後,多所大學院校僅將學位論文送繳國家圖書館,不再寄送該中心。

2.國立教育資料館

該館自民國七十六年起,收藏大約十萬冊左右的博、碩士論文。教育部自民國七十五年起規定,學位論文除繳交政大社資中

心外,亦需寄存國立教育資料館一份。自「學位授與法」修正公布之後,近年來部分大學院校亦停止將論文寄送該中心。

3.國家圖書館

該館自民國七十五年起,已收藏超過十四萬冊的博、碩士論文。為目前國內學位論文的法定寄存圖書館。其中八十七年以後的博碩士論文,於該館「讀者大廳」之「學位論文室」,採開架式陳列;在此之前的博碩士論文,則典藏於「中文書庫」,讀者可洽總服務臺調閱。惟部分大學院校並未送繳全部論文,因此仍有資料典藏不完整的情形。

4.行政院國家科學委員會科學技術資料中心

該中心自八十四學年度起取得超過四萬冊的博碩士論文重製權,製作微縮品保存及發行。由於是研究生自由授權,並無強制性,因此獲得授權的論文數量有限。

5.國家圖書館漢學研究中心

該中心收藏美加地區、以及荷蘭萊頓大學等有關「中國研究」之西文博士論文約一萬餘種。並建置「海外漢學博士論文摘要資料庫」,供讀者檢索。

6.各大學院校

由各校圖書館負責典藏畢業生之學位論文,部分學校並收錄報考該校博士班之他校研究生碩士論文,完整程度視各校處理情形而定。

三、數位化檢索系統的運用

國家圖書館正式成為國內博、碩士論文的法定寄存圖書館後,便積極推動各校研究生博、碩士論文電子全文授權上網計

畫,由研究生負責學位論文書目及摘要的上線建檔,包括學位論文的自由授權、上傳全文電子檔與下載利用。民國八十九年以來,該館已陸續取得各校研究學位論文全文電子檔超過一萬多篇。這項系統也提供館藏連結服務,如有未獲授權全文上網之論文,亦可在該系統取得論文書目及摘要後,連接至其他各圖書館查詢確實之館藏地,利用館際合作申請紙本論文之借閱及複印服務。

此外,行政院國家科學委員會科學技術資料中心自民國八十五年起,也開始向全國各大學院校研究生徵集各類博碩士論文,並以著作授權方式取得學位論文全文影像微片與光碟的重製權。目前該中心取得研究生授權之學位論文,已超過四萬餘篇。至於國內部分大學圖書館也根據教務規章,規定研究生除繳交紙本學位論文外,尚需繳交論文全文電子檔始得辦理離校手續。基本上,國內各學術單位均有將學位論文邁向數位化管理的共識。

至於大陸地區,也意識到印刷型紙本資料的資訊傳遞在速度上的瓶頸,以及利用上的不方便,特別是博碩士論文資源如不盡力開發及運用,則廣泛的學術資源共享更難達成。有鑑於此,大陸地區近幾年來在學位論文的數位化發展上亦相當積極。文後將針對大陸地區的學位論文,以及國際漢學、乃至文史哲領域中的專門學科學位論文檢索系統,做一精要的介紹。

(一)臺灣地區學位論文檢索

1.國家圖書館:全國博碩士論文摘要檢索系統

http://datas.ncl.edu.tw/theabs/00/index.html

該系統建置在國家圖書館的博碩士論文資訊網之下,為教育部高等教育司委託國家圖書館執行的專案計畫,自民國八十九年

九月起提供Web版線上檢索，內容包括：全國博碩士論文摘要檢索系統、博士論文全文影像系統、系所名錄、系所公告欄、學術論壇、進行中學位論文、研究所招生資訊、網際網路研究資源、研究所入學考題、線上勘誤表與研究方法等。

其中「全國博碩士論文摘要檢索系統」係國家圖書館收錄國內各大專院校之學位論文，資料內容時間是以學校之學年度為主，起訖時間目前為四十五至九十一學年度。以民國七十五年之後的論文資料收錄較為完整。自八十九年起提供部分已授權論文電子全文下載的服務。

目前，該系統為國內收錄博碩士論文資訊最豐富的資料庫，自八十七學年度推動線上建檔以來，每篇論文除了摘要之外，新增論文目次與論文參考文獻等資訊，自八十八年二月以來則奉教育部核示，全權推動博碩士論文全文電子檔案上網作業，屆時將取得授權之各校論文電子全文檔案上網，提供讀者免費下載參閱。

2.國家圖書館：博士論文全文影像系統

http://datas.ncl.edu.tw/theabs/11/main2.html

「博士論文全文影像系統」目前提供民國四十六年至八十八年間之博士論文全文影像，共計三四〇五本，因著作權相關規定，現階段僅開放給國家圖書館到館讀者在館內網路查閱。

3.中文博碩士論文索引

http://www.lib.tku.edu.tw/study/guide/guide41.htm

該資料庫內容涵蓋一九五六年迄今臺灣地區各大學研究所學生（含部份香港地區）之博碩士論文索引，資料取材自政大社資中心，不含摘要，目前已累積到大約十一萬多筆以上的記錄。

4.全國科技資訊網路（STICNET）博士論文摘要暨碩士論文索

引

http://192.83.176.196/these/index.html

該資料庫收錄國內七十五至八十三學年度各校研究所博士論文摘要及碩士論文目錄。

5. 國科會科資中心碩博士論文目錄檢索系統

http://140.113.39.184/

國科會科學技術資料中心收錄自民國八十三年度國內各大專院校，經研究生授權的博碩士論文全文，授權率高達百分之九十以上，查詢後可透過館際合作系統向科資中心申請全文複印。

6. 中華博碩士論文檢索光碟

本套光碟是由民間機構飛資得公司所出版，收錄臺灣（1960—1991年）、香港（1982—1988年）、中國大陸以及美加地區（1920—1988年）各大學研究所的中國人博士、碩士畢業論文索引及摘要。

7. 中文博碩士論文索引光碟資料庫

http://np.lib.pu.edu.tw/ttscgi/ttsweb.exe

收錄政大社資中心所藏臺灣地區自一九五六年以來所收錄的博碩士論文書目資料索引。

8. 全國科技資訊網路（STICNET）

http://sticnet.stic.gov.tw/sticweb/html/index.htm

可檢索「全國科技資訊網路」下，國內資料庫中的「中華民國博碩士論文」，收錄一九八七年起彙集國內各校研究所博士論文摘要及碩士論文目錄，主題涵蓋了自然、工程、醫、農、人文及社會科學。

9. 各院校研究生博碩士論文提要

該提要為微縮影片，為七十四至八十一學年度由教育部高等

教育司編。國立中央圖書館攝製,依各學科編排,並附人名索引。

10. 其他各大學院校論文查詢系統

隨著論文數位化的發展日漸成熟,國內各大學院校近幾年來,大多已著手建置數位化碩博士論文系統,並正式上線運作,通常由圖書館負責典藏畢業生的學位論文,完整程度視各校處理情形而定。各校除可自行建構及蒐集各校校內博碩士電子論文外,利用分散蒐集及集中查詢的方式,亦可達成全國博碩士論文數位典藏的統合工作。

(二)大陸地區學位論文檢索

1. CALIS學位論文庫

http://www.calis.edu.cn/

該數據庫是由CALIS全國工程文獻中心(清華圖書館)為首,協調中國地區八十六所高校合作建設的博碩士學位論文索引數據庫。目前已累積一九九八年以來的六萬七千條學位論文數據,以「合作建設、資源共享」為最高指標,為讀者提供學位論文及會議論文之查詢、文摘索引瀏覽、以及全文檢索等服務。

2. CDMD—— 中國優秀博碩士學位論文全文數據庫

http://www.cdmd.cnki.net/

該數據庫是「中國知識基礎設施工程」的系列成果之一,簡稱為CDMD (China Doctoral Dissertations & Master's Theses Full-text Databases),是大陸地區目前資源最完備、收錄質量最高的博碩士學位論文全文數據庫。每年收錄全國三百家博士授予單位的優秀博碩士學位論文。目前已經收錄完成二〇〇〇年至二〇〇一年三萬冊論文全文,預計二〇〇三年的後半年開始進行往前回溯的

工作，讀者可線上瀏覽、下載、列印。較特別的是，在收錄標準上嚴格規定，凡涉及國家機密或重大技術性秘密的論文，在有關單位宣布解密之前暫不收錄，凡存在黨和政府已有定論的明顯政治性錯誤的論文，或經過審查具有明顯抄襲行為的論文皆一概不予收錄。

3.中國高等學校學位論文檢索信息系統

http://stars.lib.tsinghua.edu.cn:8080/chinese/local/dris/indexb.html

　　該系統是一九九五年初以北京清華大學圖書館為首，連結北京大學圖書館等十所圖書館單位的網路共享型服務。目前已收錄論文文摘至少萬餘條。

4.國家科技圖書文獻中心中文學位論文查詢

　　國家科技圖書文獻中心網路服務提供外文科技期刊數據庫、外文會議論文數據庫、外文科技圖書數據庫、中文會議論文數據庫和中文學位論文數據庫等五個文獻資料。以文摘方式介紹近萬種外文期刊，特別是西文期刊上發表的論文，以及其他類型文獻。目前可供檢索的二次文獻（在原始文獻的基礎上，進行收集，分析、整理及重新編排，以供讀者檢索之用）數據量有近二百萬條。

5.北京大學學位論文庫

http://162.105.138.210:7777/searchbrief.htm

　　北京大學圖書館收藏學生畢業論文近二萬冊，其內容包含自一九八五年起始的上萬篇學位論文書目和部分文摘資料。學位論文閱覽室的論文是按照系、屆的順序排列，讀者可依據檢索到的論文系屆代號在書架上查找全文。

(三)國際漢學學位論文檢索

1.漢學研究中心：典藏國際漢學博士論文摘要資料庫

http://ccs.ncl.edu.tw/data.html

　　該系統以漢學中心典藏的海外漢學博士論文為主，收藏國家包括美國、加拿大、英國、荷蘭等。截至目前為止總計約九千種，皆為國外大學從事漢學研究的博士論文，堪稱為國際間相當完備的研究資源。檢索方式包括：(1)全文檢索，(2)論文題目／作者、畢業學校、學位名稱、主題分類等索引瀏覽。

2.美加地區碩博士論文線上資料庫ProQuest Digital Dissertation

http://wwwlib.umi.com/dissertations/gateway

　　博碩士論文數據庫（Digital Dissertations，簡稱PQDD）為世界著名的學位論文數據庫，收錄歐美一千餘所大學文、理、工、農、醫等領域的一百六十萬博、碩士論文的摘要及索引，是學術研究中十分重要的參考資源，每年約增加四萬多篇論文摘要。

(四)專門學科學位論文檢索

1.紅學學位論文檢索

http://cls.admin.yzu.edu.tw/hlm/retrieval/PAPER/Paper_srch.htm

　　該系統全名為「《紅樓夢》網路教學研究資料中心」。為元智大學羅鳳珠教授以自費方式開發的中國文學研究資料庫——「中國文學網路系統」下的一個子系統。其特色在於相關資料的建置，是以多媒體的方式整合，具備多向互動的功能，同時包含原著全文及週邊相關研究資料，提供網路展覽、教學與研究之用。《紅樓夢》網路教學研究資料中心則提供研究紅學主題之學者相關的學位論文書目資料。

2.經學研究論著目錄資料庫

http://ccs.ncl.edu.tw/data.html

該資料庫內容係根據漢學研究中心於民國七十八年、八十八年及九十一年出版之《經學研究論著目錄》（1912—1987）、（1988—1992）、（1993—1997）紙本資料彙整而成。該目錄係由中央研究院中國文哲研究所林慶彰教授主編，資料收錄範圍涵括一九一二年至一九九七年間，臺灣、大陸及日本學者之研究成果，計收錄五萬九千一百餘筆資料。檢索方式包括：「全文檢索」、「類目瀏覽」、「作者」、「書/刊名」、「期刊/論集名」索引瀏覽等。

3.經學博碩士論文目錄

由林慶彰教授主編的《經學研究論叢》（臺北：臺灣學生書局出版），自第五輯起，以每兩年度為單位，收錄該時段內臺灣地區博、碩士研究生完成的「經學類」論文，名為「經學博碩士論文目錄」。自民國八十四年起，迄今已進行三次彙整，分別刊載在第五輯（收錄民國八十四、八十五年論文）、第六輯（收錄民國八十六、八十七年論文）、第九輯（收錄民國八十八、八十九年論文），計已收錄六個年度的經學博碩士學位論文。

4.台灣文學學位論文

http://ws.twl.ncku.edu.tw/hak-ui/hak-ui.htm

由「台灣文學研究室」所提供臺灣文學作品、研究之博碩士論文資訊。

5.台灣史研究博碩士論文目錄

http://www.lib.ntu.edu.tw/spe/taiwan/phd01.htm

為臺大圖書館所整理以「臺灣史」研究為主體的博碩士學位論文目錄，部分論文提供全文。

四、取得學位論文原件的方法

㈠傳統紙本的借閱方式

國家圖書館及政治大學社會資料中心皆收藏有相當數量的博碩士學位論文,但上述單位為增加利用效率及論文保存的完整性,多不提供外借。因此,若該論文在網站上未授權免費下載,讀者必須親臨論文室自行影印全文。另外,國內其他大學院校的研究生畢業論文,其畢業學校的圖書館多有收藏,需要者可透過館際合作申請館際複印或互借。

㈡利用學位論文數位化檢索系統

1. 國內學位論文

⑴國家圖書館

a.全國博碩士論文摘要檢索系統

http://datas.ncl.edu.tw/

為了提供全國研究生一套更便捷的論文資訊建檔介面,國家圖書館在教育部的經費支持下已於民國八十七年六月完成「全國博碩士論文摘要線上建檔系統」。並依教育部規定推廣至各大學校院,提供全國七十所院校一千多個研究所畢業生進行學位論文線上建檔及授權工作。館方亦定期由專人將不同格式的電子檔統一轉換成可攜式電子文件格式檔(Portable Document Format,簡稱PDF),加上國家圖書館的浮水印並限制轉貼處理後,提供讀者下載全文影像檔,讀者將下載之論文電子全文影像檔,解壓縮後即可瀏覽全文。

　　同時該系統也提供館藏連結查詢，針對未獲授權「全文」上網之論文，可於查獲該篇論文之書目及摘要後，再連結至國家圖書館、政大圖書館的館藏目錄或全國圖書聯合目錄，查詢確實之館藏地，以便讀者透過館際合作申請印刷本論文之複印服務。

b.博士論文全文影像系統

　　「博士論文全文影像系統」目前提供民國四十六年至八十八年間之博士論文全文影像共計三千四百零五本，因礙於著作權法相關規定之限制，現階段僅開放到館讀者於館內網路系統查閱。

c.漢學博士論文

　　由漢學研究中心所典藏的漢學博士論文，係由微捲（片）翻製成紙本書。

⑵行政院國家科學委員會

a.博碩士論文微片目錄

　　國科會科學技術資料中心收錄各大學院校畢業之博碩士班研究生已授權該中心之學位論文，並經由著作授權方式取得學位論文全文影像微片與光碟的重製權，進而建置「博碩士論文微片目錄」系統，使用者在確認所需論文後，可向科資中心申購所需全文。

b.博士論文全文影像光碟

　　該項產品收錄國內經授權取得的博士論文全文資料，共有三套：第一套，八十四至八十六學年度，共一千六百一十九筆，二十四片光碟；第二套，八十七學年度，共七百七十筆，十片光碟；第三套，八十八學年度，共八百二十三筆，十片光碟。

⑶其他大學院校

　　一般而言，國內學位論文之畢業學校圖書館或畢業系所內皆會收藏該校畢業生之論文原件。部分大學圖書館規定研究生畢業

時除紙本學位論文外，也需繳交論文全文電子檔與授權書，以取得該畢業生之學位論文全文電子檔，並將之上載網路提供讀者檢索、瀏覽、下載或列印。有些學校直接將學位論文電子檔整理成清單，置於網頁提供讀者點選瀏覽全文；有些將電子檔轉成PDF檔後，再置於網頁提供清單點選方式瀏覽全文；有些則建置該校學位論文數位化全文檢索系統，並開放線上查詢、瀏覽全文、下載檔案及列印等服務。

2. 大陸地區學位論文

以北京大學為例，自二○○一年五月起，北京大學各院（系、所、中心）的碩博士研究生在通過學位論文答辯之後，除了提交學位論文印刷本外，同時也必須向學校圖書館提交學位論文的摘要及電子版全文。北京大學圖書館可為北京大學校園網用戶以及其他相關學術單位的讀者提供國內外學位論文的原件傳遞服務，並與國內的萬芳數據資源公司等文獻資源單位，以及北京清華大學，上海復旦大學等院校達成館際互借及文獻傳遞協議，特別是學位論文全文服務。

3. 國外地區學位論文

國內圖書館收藏的國外學位論文極為有限，若有收藏也多半當成一般圖書處理，讀者可利用國內圖書館館藏目錄得知館藏地。

(1)美加地區碩博士論文線上資料庫

如係從「美加地區碩博士論文線上資料庫」（ProQuest Digital Dissertation，簡稱PQDD）（http://wwwlib.global.umi.com/dissertations）查出之學位論文，凡有訂購號碼（order no.）者，可自行線上付費訂購或推薦圖書館購買。

(2)數位化論文典藏聯盟

http://www.sinica.edu.tw/%7Epqdd/

目前該聯盟運作以購置臺灣地區以外的博士論文為主，為因應國內對於博士論文之需求並協助國內各學術研究機構能更便利及以更優惠之價格獲得博士論文之電子資源，故國內圖書館相關單位共同成立美加地區數位化博士論文聯盟，共享數位資源並獲得更佳之產品及服務。只要是參加聯盟的會員皆可透過網路連線彼此分享訂購之論文。

五、結語

一位學術研究工作者，在進行知識的鑽研或生產時，特別需要隨時留意相關領域資料的蒐集、整理與歸納，並且積極培養自己對相關研究論題的精準判讀能力。即使是一個已經定論多年的議題，透過不同的研究方法，所呈現的思考角度也會有所差異。足夠而全面的資料，也比較能夠幫助學者避免重複的研究，繼而觸發其他研究方針的靈感，成為進行下一步成熟研究的重要基礎。

由於目前國內外的學術機構所典藏的碩博士學位論文各有參差，或有年代上的落差，或有範圍上的取捨。因此，筆者就能力所及，將國內外重要的學位論文典藏機構作一個整合性的介紹。特別是數位化的檢索系統，有別於過去傳統的紙本論文借閱模式。因此，在原件取得的方式上，筆者取樣國家圖書館的「全國博碩士論文摘要檢索系統」，以及行政院國家科學委員會的「博碩士論文微片目錄」兩大整合性機構，作了步驟性的詳細解說。為了保護著作權人的智慧財產權，這些機構的共通點，都要求申請人提出身分認證，方能合法取得論文原件。其中，國科會的認

證時間長達一到兩個工作天，認證通過之後，需在限定時效內完成申請動作，並且無法在線上提供免費下載及閱覽，**讀者宜事先提早訂購，以免貽誤時間。**

　　除此之外，由於早期的學位論文多半尚未納入數位化的檢索系統之中，讀者最多只能從線上查詢到書目，無法下載其原文，如欲查詢該論文的詳細內文，仍需要親自跑一趟該論文的典藏處所，以取得紙本資料。無論如何，未來線上的檢索模式將會是最主流的趨勢。因此，生活在資訊傳播新時代的我們，仍應學習運用迅捷而有效率的檢索技巧，隨時掌握學術資訊的最新動態。

歷代人物圖像的檢索與利用

王清信

東吳大學中國文學系博士生

一、前言

　　古人著書立說，往往圖文並列，希望藉由圖像的表形功能，提升文字詮釋的說服力，所以常常圖書並稱，而且認為書必有圖，雖然未必完全符合實情，然而古書中常有附圖卻也是不爭的事實。古書中的附圖，從自然景觀、歷史故事、歷史現象，到人物、建築、器用、藝術、科技、服飾等，幾乎無所不包，形成多采多姿的圖像文獻。其中的人物圖像，是研究人物傳記時的重要材料之一。中國古代的人物畫，若從原始社會彩陶上的紋飾算起，也有六七千年的歷史了。時代愈後，對於人物畫的技巧也更加講究，並產生幾部專門探討描繪人物圖像的專書，例如元代王繹的《寫像秘訣》、清代蔣驥的《傳神秘要》等書，也提出一些精闢的人物畫理論，可見其對人物圖像的重視。從事文史研究工作的人，本著「知人論事」的原則，在從事某人學術的研究時，首先要蒐集的就是傳記資料，而傳記資料中的人物圖像，常是比較不被重視的環節。筆者鑑於人物圖像在傳記資料中的重要性，僅就個人所見，提供幾個查尋歷代人物圖像的主要方向，並略加舉例說明如下。

二、查尋歷代人物圖像的幾個方向

(一)從人物的著作或相關書籍中去查尋

　　古人的著作往往會附上個人的圖像，就像現在常常可見在著作中附上作者的近照是同樣的道理。因此，要尋找人物圖像，可以先從這個方向著手。例如：歐陽脩的《歐陽文忠全集》（臺北：臺灣中華書局，1970年6月《四部備要》本）一書，卷首有「宋文忠公小影」；今人在從事古籍整理後，往往也會採錄該人物的圖像冠於卷首，例如：戴震研究會等編纂的《戴震全集（第一冊）》（北京：清華大學出版社，1991年4月），即據《安徽叢書》本《戴先生遺墨》收錄了一幅「戴震畫像」。

　　此外，日記具有反映人物的心理活動、人際關係、社會經歷、政治主張、學術思想等方面的資料，在研究人物的傳記資料時，有重大的作用，而且也是屬於人物的著作之一，通常也會附上該人物的圖像。例如：翁同龢的《翁文恭公日記》（臺北：國風山版社，1964年9月）一書，卷首有「翁文恭公遺像」；曾紀澤的《曾惠敏公手寫日記》（臺北：臺灣學生書局，1965年4月影印湘鄉曾八本堂家藏手寫本）一書，除了「遺像」外，尚有曾氏在英國、法國考察時的照片數幅。由此可見，從著作中往往可以找到人物圖像的資料，要知道著作的存佚情形，單行本可檢索：

・臺灣公藏善本書目書名索引　國立中央圖書館編　臺北　該館　1971年6月
・臺灣公藏普通本線裝書目書名索引　國立中央圖書館特藏組編　臺北　該館　1982年1月

‧中國古籍善本書目（經部、史部、子部、集部）　中國古籍
善本書目編輯委員會編　上海　上海古籍出版社　1989年10
月、1993年4月、1996年12月、1998年3月

　　或者利用國立中正大學圖書館製作的「國內圖書館圖書虛擬
聯合目錄」來輔助檢索。叢書本可利用：

‧中國叢書綜錄　上海圖書館編　上海　上海古籍出版社
1986年2月

‧中國叢書廣錄　陽海清主編　武漢　湖北人民出版社　1999
年4月

　　除了人物的著作之外，現代有許多針對某人編輯的資料彙編
或紀念文集性質的書籍，其中往往有豐富的人物圖像資料。例
如：林慶彰、賈順先編輯的《楊慎研究資料彙編》（臺北：中央
研究院中國文哲研究所籌備處，1992年10月）一書，收錄楊氏畫
像、塑像、石刻像等多幅圖像。另外還有為紀念某人而編輯的圖
像書籍，例如蔣秋華、林天祥編輯的《晦翁翰墨》（臺北：中央
研究院中國文哲研究所籌備處，1992年5月）一書，在「朱子像」
中，收錄十三幅各式各樣的圖像，在「附錄」中，則收錄了三幅
朱子神像。這類書籍所收的人物圖像，因為是針對特定人物，在
質與量上，往往非其他書籍所能比擬。

㈡從人物的年譜中去查尋

　　年譜為按年月記載人物生平事蹟的傳記類書籍。利用年譜可
以考察人物的政治經歷、學術思想和社會活動的發展過程，多由
後人根據譜主的著述及相關史料記載，考訂編次而成，也有自撰
年譜的。年譜既為探討歷史人物生平的重要書籍，其中也往往附
有人物圖像。例如：劉原道編輯的《陽明先生年譜》（北京：北

京圖書館出版社，1997年5月《明人年譜十種》本），卷首有「王陽明先生遺像」；陳築山編輯的《王陽明年譜》（同上），卷首有「王陽明肖像」；郭廷以等編定的《郭嵩燾先生年譜》（臺北：中央研究院近代史研究所，1971年12月）一書，除了郭氏照片數幅外，尚有其夫人梁氏、友朋劉錫鴻、馬格里等人的照片。要從年譜中檢索人物圖像的資料，必須先知道某人有無年譜存世，此時可利用：

- 中國歷代名人年譜總目（增訂版）　王德毅編　臺北　新文豐出版公司　1999年1月
- 中國歷代人物年譜考錄　謝巍編　北京　中華書局　1992年11月
- 中國歷代年譜總錄（增訂本）　楊殿珣編　北京　書目文獻出版社　1996年5月
- 中國年譜辭典　黃秀文主編　上海　百家出版社　1997年5月
- 近三百年人物年譜知見錄　來新夏編　上海　上海人民出版社　1983年4月

(三)從人物的家譜中去查尋

　　家譜又稱為族譜、宗譜、世譜、家乘、家牒，或單稱譜，皇帝家譜則稱玉牒。家譜的主要內容是以記世系為主，以男子為主軸，按照血緣關係，依先父後子、先兄後弟的順序排列，女子附於男子，女兒附於父親，妻子附於丈夫。一般只記男子的姓名，女子不記名。家譜的主要內容除了血緣關係圖的世系表、記載歷次修纂、刊刻情形的譜序、修譜凡例、家族中重要人物的傳志、家族中帶有法律色彩的宗規及教育族內子弟的家訓、本族的著述

目錄、參與修譜人員的名單、家譜的字號之外，還有始祖及顯達者的像及贊，這類的文獻通常在卷首。例如：《潯江吳氏族譜》（1930年6月十七世孫吳在帶重輯）一書，卷首「歷代祖像」收錄了「勾吳開國泰伯公遺像」至「石渠公」等畫像計十七幅；《范氏家乘》卷首「圖像」收錄了「漢清詔使公像」、「譜系始祖唐丞相公像」至「皇清松江府教授紳芸公像」等畫像計六十六幅。家譜的傳記史料價值，以往是較易受人輕忽的文獻。臺灣方面，一九八一年成立的「聯合報文化基金會」（1992年改為「財團法人聯合報系文化基金會」），下設「國學文獻館」即著力於家譜的收藏，並廣泛蒐購世界各地的家譜微卷，收藏頗為豐富，後來這些資料捐贈給（臺北）故宮博物院，現藏於圖書文獻館中。大陸方面，在「文化大革命」時期，家譜遭受毀壞，後來隨著尋根熱潮的湧現，家譜的重要性又逐漸受到重視，已故的（北京）中華書局副總編輯趙守儼先生四處訪求，最後在（北京）中國書店尋獲大量的家譜，此種特殊的文獻又再度受到重視。檢索時可利用：

・臺灣區族譜目錄 臺灣省各姓歷史淵源發展研究學會編 中壢 該會 1987年1月
・中國家譜綜合目錄 國家檔案局二處等編 北京 中華書局 1997年9月

以上兩本目錄，對於從家譜中尋找人物圖像提供了方便。

四從方志中去查尋

方志為記載地方史料的文獻，又有乘、圖經、記、志、錄、簿等名稱，從著錄地區的範圍可分為全國性的總志和地方性的省、府、州、郡、縣、鄉鎮志兩大類。方志分門別類，取材豐

富,記述了全國或一地的地理、風俗、教育、物產、人物、名勝、古蹟等特徵及其沿革,並由於方志是地方性的文獻,所收錄的資料,往往能補正史的不足。在方志中收錄各種圖像,較早見於明代李輯、莫旦修纂的《新昌縣志》(臺北:新文豐出版公司,1985年7月《天一閣藏明代方志選刊》本),此《志》第一冊全為「圖像」,下分為「境域圖」、「縣治圖」、「廟學圖」、「義塾圖」、「禮器圖」、「祠寺圖」、「勝跡圖」、「人物圖」等。將圖像列為卷首,說明了地方志以圖像為首重之意。又如明代張梯、葛臣修纂的《固始縣志》(臺北:新文豐出版公司,1985年7月《天一閣藏明代方志選刊》本),卷一為「圖像志」,下分「縣境」、「城郭」、「縣治」、「廟學」、「水利」、「八景」、「名宦」、「鄉賢」等細目,其中「名宦」收錄了該地區從漢代至明代的地方首長圖像,「鄉賢」則收錄了地方賢達。其中大多為名不見經傳的人物,但在該地卻算是個知名人物,這些地方性人物的圖像,往往僅能依靠屬性較為特殊的方志才能保存下來。要利用方志的資料,應特別注意檢索時,除了人物籍貫地的方志外,若曾至外地任官,甚至只是遊歷經迤,都有可能在該地所修纂的方志中找到資料。檢索現存方志,可利用:

- 中華民國臺灣地區公藏方志目錄 王德毅主編 臺北 漢學研究資料及服務中心 1985年3月
- 中國地方志聯合目錄 中國科學院北京天文臺主編 北京 中華書局 1985年1月
- 中國地方志總目提要 金恩輝主編 臺北 漢美圖書公司 1996年4月

㈤利用人物圖像專書

　　將人物圖像的資料編輯在一起，將使讀者查尋更為方便。在這方面，明代王圻、王思義父子編輯的《三才圖會》（又名《三才圖說》）一書，彙輯有關天、地、人的圖譜資料，全書共分十四類，計有一〇六卷。雖然並非專以人物為主，但該書「人物類」有十四卷，其中卷一至卷十一收錄歷代人物約三百人，乃彙輯眾書有關人物圖像，從上古至明代，對每一人物先描摹其圖像，後加以說明，是查考古代人物圖像的重要書籍，現代所編輯的歷代名人圖鑑中，就從本書中採錄了相當多的人物圖像資料，可見本書具有重要的參考價值。卷十二至卷十四則是以國為單位，例如有「高麗國」、「天竺國」、「日本國」、「三首國」、「小人國」、「不死國」等，可以看出當時對異族形象的描繪，以及將神話傳說中的國度形諸筆墨而具體地呈現出來。現代編輯的人物圖像專書，較著名的有：

- ‧清代學者象傳（第一集、第二集）　葉衍蘭、葉恭綽編　上海　上海書店　2001年5月
- ‧潮州先賢像傳　吳長坡、饒宗頤編　汕頭　汕頭市立中正圖書館　1947年9月
- ‧中國近代名人圖鑑　（美）勃德編　臺北　天一出版社　1977年4月
- ‧中國近代學人象傳初輯　大陸雜誌社編　臺北　大陸雜誌社　1971年9月
- ‧中國歷代名人畫像彙編　林明哲編　臺北　偉文圖書出版社　1977年1月
- ‧中國歷代名人圖鑑　瞿冠群、華人德編　上海　上海書畫出

版社　1989年9月

・中國歷代文學家畫傳　李俊琪繪畫、高克勤等撰文　上海　上海古籍出版社　2001年12月

・中國人物畫典　殷雪炎編　合肥　安徽美術出版社　2002年7月

　　這類書籍將人物圖像彙集為一書，讀者掌握了其中幾本，通常可以找到一些較為知名人物的圖像。其次，由於人物圖像往往收藏於博物館或紀念館中，因此在該館所出的畫冊、紀念特刊中，往往有豐富的人物圖像資料。例如：國父紀念館珍藏而編輯成的《中華偉人畫像（合訂本）》（臺北：該館，1985年11月）。再者，若為某人所專設的紀念館，例如：「高郵王氏紀念館」、「錢穆故居」（前身為「錢穆先生紀念館」，2002年3月改為今名）、「林語堂故居」（前身為「林語堂先生紀念圖書館」，2002年3月改為今名）等，館中必定收藏有外界較為罕見的圖像資料，而且不一定公開或出版過，這也是必須特別留意的。

　　近代照相技術發明以後，人物圖像的資料較古代更為豐富，因此出現了不少「畫傳」體裁的著作，這可以將其視為單一人物的圖像專書。例如：上海魯迅紀念館編、繆君奇執筆的《魯迅畫傳》（上海：上海書店，2001年9月）、王錢國忠編著的《李約瑟畫傳》（貴陽：貴州人民出版社，1999年1月）等書，除了以文字敘述之外，同時附上豐富的圖像給予形象表達，希望能藉此達到相輔相成的功用，以忠實地呈現出人物的生平。因此，這類書籍的人物圖像資料是相當豐富的。

㈥利用專門的工具書

　　前面所舉各方面的文獻，在利用時所用到的相關目錄，當然

也是屬於工具書的利用。這裡要特別提出的是專門為檢索歷代人物圖像而編製的工具書。據筆者所見，目前僅有：

　•中國歷代名人圖像索引　瞿冠群、華人德編　南京　江蘇教育出版社　1994年6月

　　該《索引》對於歷史人物如有同時代或後代人繪製過數種不同的圖像，例如：有半身、全身、側身、坐像、臥像、騎馬像等各種姿態；有畫像、木刻、石刻、磚刻、木雕、石雕、泥塑、壁畫以及近代照相等各種形式，共計收錄四三五三人（包括女性三二〇人）。不過該書仍存在一些不足之處，例如：收錄的範圍以華東地區為主，顯得不夠全面；某些重要人物圖像專書並未收錄；收錄多達四千餘人，書末並未編製「人名索引」，以及上面所舉的人物著作、年譜、家譜、方志等數量龐大的文獻，僅有少量被引用。但是沒有一本目錄是十全十美的，該《索引》除了能讓讀者基本掌握人物圖像資料的線索之外，也填補了以往查檢人物圖像資料方面工具書的空白，這是相當難能可貴的若能引起有志者從事相關工具書的編輯，而能有更進一步的成果呈現，那就更有意義了。

　　此外，有些為特定人物編輯的專科目錄，在其類目中，有可能因為該人物的圖像資料太多而獨立成一個類目。例如：紀維周等編輯的《魯迅研究書錄》（北京：書目文獻出版社，1987年7月）一書，在其類目「一、魯迅傳記及有關資料」下有「7.魯迅畫傳與圖片」一項細目，其中收錄了十四本以畫像和照片為主的專書，這對檢索魯迅相關圖像的資料時，無疑提供相當大的幫助。

三、結語

　　要檢索歷代人物圖像的資料，通常掌握幾本重要的歷代名人圖鑑，或者利用《中國歷代名人圖像索引》，應該可以找到歷史

上較為知名的人物圖像。至於在歷史上默默無聞的人物,就必須從其著作、年譜、家譜、方志等文獻中,利用各種文獻的相關工具書,多方面地詳加查考,相信會有所收穫的。總之,人物圖像的資料幾乎可說是無所不在的,除了掌握大方向之外,如果能本著「上窮碧落下黃泉,動手動腳找資料」的精神,相信收穫將是更加可觀的。

　　附帶一提的是,圖像資料是研究人物傳記時的形象材料,它除了帶給讀者外型的觀感外,再結合文字記載的資料,將可以更深入了解圖像主人,是人物傳記史料不可或缺的一環。然而,由於種種因素,除了以照相技術製成的圖像較能避免失真的缺點之外,或限於繪畫、版刻技術不能忠實呈獻人物的真實面貌,或為討好、溢美圖像主人而美化其外型,所以在利用圖像資料時應進一步加以分析鑑別才是。

類書資料的檢索與利用

鄭誼慧

東吳大學中國文學系碩士生

一、前言

　　類書是我國傳統工具書的一種，是將各種資料分門別類編排而成的工具書。內容包羅萬象，蒐羅豐富，具有提供資料與查索知識的功能，故被稱為是中國的百科全書，然而其性質又與現今的百科全書不同。百科全書是收集所有的資料後重新編寫。類書卻只是將資料直接錄入而不加以更動，與現今的資料彙編比較接近。總而言之，類書兼具有百科全書與資料彙編的特點，而以「分類」為其特色。

　　類書對於學術研究者而言提供了不少的幫助。類書所收的內容除了經史子集四部之外，還包括了其他史籍所不載錄的史事傳說等資料，具有考證的功能。再者它直接採錄原典的資料而不加以改動，故有輯佚及校勘的功能。此外，由於它是以「類」為主，在類之下收集了許多同樣主題不同類型的資料，故可以讓使用者在最短的時間內取得大量的相關資料，節省許多時間與精力，以有更進一步的發展。

二、綜合性類書與專門性類書

類書的起源甚早，三國時代的《皇覽》是我國最早的一部類書，之後的歷朝各代也都有類書的出現。根據統計，目前尚存有二百多種的類書。而這些類書依據所收的內容不同，可分為綜合性及專門性兩種。

㈠綜合性

· 北堂書鈔　（唐）虞世南編，（清）孔慶陶校注　北京　中國書店　1989年3月

一百六十卷，是收集摘抄古籍中可供詩文使用的典故、詞語及詩文摘句，分門別類編輯而成。全書共分為十九部，八百五十一類。每部之中，先摘錄字句以大字排列，再用小字雙行作註，包括每個文句的出處、上下文及有關的解釋；偶有虞世南的按語。

《北堂書鈔》所引用的書籍大部分都是隋朝之前的舊籍，除集部外另有八百多種書目。其中十之八九都是現在已經亡佚的書籍，是一部具有重要輯佚功能的類書。對於我們要查找六朝以前的詞句典故及各類文獻資料，都有相當大的助益。

山田英雄所編的《北堂書鈔引書索引》（臺北：文海出版社，1975年6月），依筆畫順序排列，檢索時尚稱便利。

· 藝文類聚　（唐）歐陽詢等編著　上海　上海古籍出版社　1999年5月

一百卷，是現存最早也最完整的類書。共分為四十六部，七百二十七小類。每一類下都是故事在前，詩文在後，並註明出處，依時代順序排列而成。其中，依不同的文體而有「詩」、「賦」、「贊」等標明。

　　在之前的類書體例中，「事」與「文」是分開的。「事」自為類書，專檢索典故和事物起源；「文」自為總集，專查尋詩文作品。《藝文類聚》將「事」與「文」合為一體，採取了「事在前，文在後」的新體例。對於使用類書的人來說增加了不少便利。並也從此奠定了類書以後的新體例。

　　《藝文類聚》採用「事」與「文」合併的新體例，保存了大量唐以前的文獻資料。據學者統計，《藝文類聚》引用了唐以前的古籍一千四百餘種；其中現存者不到十分之一，大多是現今所不存的，故備受學者的重視，歷代以來都有學者利用此書來從事校勘、輯佚等工作。對於目前的學術工作也具有相當大的利用價值。

　　檢索本書，可以利用李劍雄、劉德權合編的《藝文類聚人名篇名索引》（臺北：大化書局，1980年12月）。

　　·初學記　（唐）張說、徐堅等編著　臺北　鼎文書局　1976年

　　三十卷，是唐玄宗為方便他的兒子學習作文時可以引用典故、檢索事類、辭藻而做的類書；故以「知識」見長。共分二十三部，三百一十三個子目。每個子目內先為「敘事」，次為「事對」，再則為詩文。然而卻有一個最大特色是在此書的「敘事」部分中，將資料的內容串連起來，使之成為一篇文章。在材料的選擇及編排上，都經過一番安排。故《四庫提要》稱此書：「去其謹嚴，多可應用。在唐人類書中，博不及《藝文類聚》，而精則勝之。」所收的書除了隋之前的古籍外，還兼收有一些唐初的詩文及其他的著述，如典章制度等，可供考證之用。

　　檢索本書，可以利用許逸民編《初學記索引》（北京：中華書局，1980年）、（日）中津濱涉編《初學記引書引得》（京都：彙文堂書店，1973年）。

　　·太平御覽　（宋）李昉等編著　石家莊　河北教育出版社　1994年

一千卷。此書以引證廣博見稱,所徵引的書籍超過一千五百種,是保存五代以前古籍文獻最多的一部類書。全書共分五十五部,每部之下再分類,共有五千四百二十六類。排列方式是依時代先後排列,先列書名,次錄原文;先列事類,後列詩文。由於《太平御覽》的引書並不像其他的類書只錄文句或是割裂文義;大多是全篇整段的收錄,並註明出處。許多今已亡佚的古籍藉此保存下來,其貢獻尤大,故清代以來的校勘、輯佚等學者都非常重視《太平御覽》,視之為「輯佚的寶山」。

檢索本書,可以利用錢亞新編《太平御覽索引》(上海:商務印書館,1934年)。

· 永樂大典 (明)解縉、姚廣孝等編 北京 中華書局
  1986年6月

二萬二千八百七十七卷,分裝一萬零九十五冊,今只存約八百卷。全書依《洪武正韻》二十二部韻目而分,按韻分列單字,單字下先「解字」,即解釋字的音韻訓釋;次再詳列此字的各種字體;另再分類彙集與此字相關的天文地理、人事名物甚至是詩詞典故雜藝等各項記載,單字註解中的書名及作者名則用紅字標出。由於字下所收錄的材料都是整部、整篇、整段的收錄,一字不改,所以也成了輯佚古書的淵海。一直到清朝修《四庫全書》時還從中輯出了佚書五百多種,可知其保存文獻的價值極高。

《永樂大典》是我國類書史上最大的一部類書,也是十五世紀時最大的一部書。所蒐羅引用的書籍上自先秦下至明初多達七、八千種。其中還包括了農業、手工業、科技、醫學、釋藏道經、平話戲劇等相關的資料,具有珍貴的文獻價值。而在類書編纂史上,《永樂大典》也是第一部將類書轉變為百科全書的形式。在之前的類書中,或者是內容涵蓋不全,或是檢索不易。但《永樂大典》「用韻以統字,用字以繫事」,在檢索上達到便利。並在內容上拓展到以往類書所不涵蓋的部分,包羅各種事物,具備了百科全書的性質。

　　檢索本書，可以利用（日）衣川強編《永樂大典索引》（東京：白帝社，2001年）、欒貴明編《永樂大典索引》（北京：作家出版社，1997年10月）。

・**古今圖書集成　　（清）陳夢雷編　成都　巴蜀書社　1985年10月**

　　檢索本書，可以利用楊家駱編《古今圖書集成各部列傳綜合索引》（臺北：鼎文書局，1988年7月）；廣西大學古今圖書集成索引編寫組編《古今圖書集成索引》（成都：巴蜀書社，1985年10月）；香港明代傳記編纂委員會編《古今圖書集成中明人傳記索引》（香港：香港明代傳記編纂委員會，1963年）。另有林仲湘主編《武英殿古今圖書集成電子版》（桂林：廣西師範大學出版社，2000年），可資利用。

　　一萬卷，是僅次於《永樂大典》的類書，然而至今並無缺漏，故是現存最大的類書。全書共分成歷象、方輿、明倫、博物、理學、經濟等六大彙編，彙編下再分成三十二典，每一典下再分為若干部，共六千一百零九部。部下則分有「彙考」紀大事、「總論」錄經史子集的議論、「圖表」列圖表、「列傳」敘述人物生平、「藝文」採擇詩文、「選句」多摘麗詞偶句、「紀事」則錄事小不錄於「彙考」內的瑣細之事、「雜錄」則收錄不入「彙考」、「總論」、「藝文」的資料、「外編」則收入荒唐無稽之言。體例完善，層次分明。

　　除了體例完善外，《古今圖書集成》的內容也蒐羅弘富，包羅萬象。在清朝以前的書籍大都可以在此中找到，用途極大。而且在輯錄資料時，也往往把原書原篇整段一字不易的錄入，同樣也具有考證校勘的功能。而且《古今圖書集成》距離我們的時代較近，又未經損毀，利用價值極高，檢索時可以得到相當有系統的材料。

(二)專門性

　　專門性的類書是指所收的資料是專以某個範圍的資料為主而言，或是編輯的目的原本就是特定的，故標分門類與綜合性的類書不同。這種專門性的類書由於範圍較小，所收的資料較綜合性的類書多且專，在學術研究上通常能得到較大的便利。而依其內容性質的不同，大致可以分為下列幾類：

1. 查找歷史資料

　　這一類的類書是專門以各朝史實或政事為主，相當於史料彙編。

　　．冊府元龜　　（宋）王欽若、楊億奉詔編修　北京　中華書局
　　1982年11月（附有類目索引）

　　收錄上古至五代中的君臣事蹟、治國方略，以正史為主，兼及經子。依事類和人物分別編排。所收的以正史為主，並兼收實錄詔令奏議，且大多完整抄錄，保留不少唐五代的史實。若要查找一個史實、檢索一個門類，則歷朝各代同類的史實都可以得知。

　　．玉海　　（南宋）王應麟編　京都　中文出版社　1986年10月

　　是專為應舉而編的，故所收以典章制度及吉祥的善舉為主，並略做考證。對於宋代一朝的掌故史實大多從實錄、會要中取得，故特為詳盡，是研究宋史不可或缺的重要工具書。由於《玉海》還兼收有辭藻文字等資料，保存不少文史方面的知識，被後人稱之為「天下奇書」，其重要性可由此得知。

　　這一方面的類書還有（宋）章如愚的《山堂考索》，詳於宋朝時政；（明）馮琦的《經濟類編》，其體例近似於《冊府元龜》；（明）陳耀文的《天中記》，其體例亦近似於《冊府元龜》。

2. 查找事物

這一部分的類書包括了查找事物起源及其他的資料。

⑴事物起源

・事物紀原 （宋）高承編 北京 中華書局 1989年

是時代較早的考證事物起源及沿革的類書。而且事物不分大小，都詳細考索其起源及命名的由來。尤其是對生活器物及食品等收錄較多，對於研究古代生活及科技的研究者而言，用處極大。

・格致鏡原 （清）陳元龍編 臺北 臺灣商務印書館 1983年（《四庫全書》第1031-1032冊）

亦為記載事物起源及性質的類書，並且著重在日常器物及動植物的部份。由於所引用的資料大多出於原書，並註明出處，故頗受到時人的重視。而對於有心研究古代文化史及科技史的研究者而言，可多加利用。

這一部分的類書還有（明）王圻的《三才圖會》（上海：上海古籍出版社，1997年，《續修四庫全書》第1232-1236冊）及（明）章潢的《圖書編》（臺北：成文出版社，1971年），用圖畫和文字兩方面來說明事物的源流，也頗具有價值。

⑵查找植物

・全芳備祖 （宋）陳景沂編 北京 線裝書局 2001年

是最早一部有關於植物的類書。全書分前後二集，前集為「花」集二十七卷，後集為「果、卉、草、木、農桑、蔬、藥」三十一卷。每一部下先分品種，再分「事實祖」及「詠賦祖」二類，包括了植物的科學知識和相關的詩詞。

⑶查找婦女資料

・奩史 （清）王初桐編 北京 書目文獻出版社 1988年（《北京圖書館古籍真本叢刊》第72冊）

是我國第一部有關於女性資料的類書。所蒐羅的資料上自遠古下至清

初，另還兼收了外國婦女及少數民族婦女的資料。從典章制度到一名一物，凡是只要能反映婦女生活的資料皆盡錄之，是我國婦女資料的集大成者。

3. 查找典故

在所有的類書中，以這一部分的類書數量最多。對於研究古典文學、古漢語及修辭者，具有參考研究的價值。

⑴成篇

· 事類賦　（宋）吳淑編　揚州　江蘇廣陵古籍出版社 1989年

共三十卷，分為十四部，子目一百篇。一事一目，一目一賦。賦中每一句都註明出處，並加以訓釋，頗為精賅。此書頗受古人重視，歷代都有人為此書作續編或是仿其體例而另編。如（清）華希閔所編四十卷的《廣事類賦》（上海：上海古籍出版社，1997年）、（清）黃葆真所編九十三卷的《增補事類賦統編》（臺北：新文豐出版公司，1976年），是集前面的《事類賦》之大成。（清）鄧志謨的十六卷《古事苑》（臺南縣：莊嚴文化事業公司，1997年，《四庫存目叢書》第231冊），（清）姚之駟的《類林新詠》三十六卷，也都是仿《事類賦》的體例而編成的重要類書。

⑵字詞

· 佩文韻府　（清）張玉書奉敕編　上海　上海古籍出版社 1983年

《佩文韻府》收有單字一萬九千餘個，辭彙一百四十多萬條。全書依平水韻一〇六韻編排，韻下列單字，單字之下再列尾字與此字相同的詞語典故，依二字、三字、四字順序排列。除了詞語典故外還列有對仗詞及摘句，如「衣」字下的「地衣」便列有對語「天幕」；以及「苔色上春衣」、「一燈秋老木綿衣」等摘句。

另有王雲五主編之《索引本佩文韻府》（臺北：臺灣商務印書館，1989

年），採四角號碼檢字，可供讀者檢索時使用。

・駢字類編　（清）張廷玉奉敕編　北京　中國書店　1988年
　12月

　　是可以和《佩文韻府》功能相輔的類書。《佩文韻府》以韻為主，故
查的是「尾字」，而《駢字類編》查的是「首字」，所以可以和《佩文韻府》
相輔相行。「駢字」即是雙音詞或是雙音詞組，故所收都以二字的詞語為
主。全書共分十三門，依天地時令山水等門類排序。門下標單字，字下列
單詞，詞下註出處。以「劍」字為例，字下列有「劍山」、「劍井」等單
詞，詞下再註明出處。

　　檢索本書，可以利用何冠義等編《駢字類編索引》（北京：中國書店，
1988年12月）；程千帆、陶芸編《駢字類編音序索引》（武漢：武漢出版
社，1995年）；張利等編《駢字類編詞目索引》（呼和浩特：內蒙古大學出
版社，1999年10月）。

　　這一部分常用的類書還有選自經書的（清）周世樟編《五經
類編》二十八卷、（清）戴兆春纂《四書五經類典集成》三十四
卷；選自子史書的清聖祖敕纂《子史精華》（北京：北京古籍出
版社，1991年）一百六十二卷；四部及說部兼選的（清）何焯等奉
敕纂《分類字錦》（臺北：世界書局，1986年，《四庫全書薈要》
第314-317冊）六十四卷，都可以作為查找詞語及典故之用。

三、類書的檢索

　　類書在中國的發展歷史悠久，有許多不同用途種類的類書出
現。若要得知現存類書的性質，可以先檢索下列的工具書：

・中國類書目錄初稿　鄧嗣禹編　臺北　古亭書屋　1970年11
　月

原名為《燕京大學圖書館目錄初稿：類書之部》（北京：燕京大學圖書館，1935 年 4 月）。收錄有類書三百一十六種，皆是當時燕京圖書館所藏的。將所有的類書分為「類事門」、「典故門」、「博物門」、「典制門」、「姓名類」、「稗編門」、「同異門」、「鑑戒門」、「蒙求門」、「常識門」十類，類下再分系屬，如「姓名類」下又分有「同姓名之屬」、「小名別號之屬」等。在每一部類書之下並編寫提要，說明書名、卷數、作者版本及內容性質，對於要使用類書檢索的人來說，是一本可供參考的類書書目。

· 中國類書總目初稿書名作者索引篇　莊芳榮編　臺北　臺灣學生書局　1983 年 10 月

此書是在《中國類書目錄初稿》的基礎上再擴充而成，共收有類書七百六十六種，堪稱是最完備的類書書目。本書的編排方式以書名筆畫的多寡為主，故不設有門類。條目之下錄有書名、卷數、編著者及在臺灣的影印版本，可供檢索者利用。

由於類書是以分類的方式羅列資料，故在檢索上，也都以先查詢門類為主要的方法。綜合性的類書由於蒐羅的資料涵蓋了全部的範圍，故在編排上大多是以「天地」、「人事」、「博物」為主。「天地」包括了天文、地理、氣象、曆算等內容，「人事」則以政治經濟文化教育相關的事物為主，「博物」則羅列了食衣住行及動、植物等相關資料。如此一來，則所有的事物都包含在內了。以《古今圖書集成》為例，《古今圖書集成》分為曆象、方輿、明倫、博物、理學、經濟六大彙編，其中曆象與方輿彙編屬於「天地」，明倫、理學、經濟彙編屬於「人事」，博物彙編屬於「博物」。在查索時只要知道要查找的事物性質屬於哪一個門類，再按門類檢索，大多可以找到所要的資料。

專門性的類書由於所蒐羅的資料有一定的範圍與限制，故門類的標分與綜合性類書不同。以《玉海》為例，《玉海》是專為

科舉所編的，所以其部類與綜合性類書不同，分為天文、律曆、地理、帝學、聖文、藝文、詔令、禮儀、車服、器用、郊祀、音樂、學校、選舉、官制、兵制、朝貢、宮室、食貨、兵捷、祥瑞等二十一部門。在查找時也必須先知道所要查找的事物性質屬於哪一個門類，再按門類查找即可。

另外一種類書的編排方式是按「韻」或按「字」為主。《永樂大典》及《佩文韻府》即是用韻編成的類書，《駢字類編》即是以字編排的。《永樂大典》是依洪武正韻二十二部目所編，《佩文韻府》則依平水韻一○六韻而編。所以在查找時，必須先從字查起。對於不熟悉韻部的使用者而言，《佩文韻府》有「筆畫索引」及「四角號碼索引」可供利用。這種以字為主的編排方式，在檢索時有起了「關鍵詞」的作用。

一般而言，類書的門類編排有些並不適用於現今的學科分類。故在檢索時，可能會碰到檢索不到的困處，這時可以利用前人所編的索引，以達到事半功倍的效果。

四、結語

類書相當於現在的資料彙編，是一種依據資料的內容分門別類所作的。由於彙集了許多相關的資料，故可使研究者能在最短的時間內，取得最多最完整的資料。而且類書保留了許多古代資料，有些是現今已亡佚的，故類書的文獻價值很高。除了可以查找資料、查找事物源流外，還可以校勘考證及輯錄古書；所以也是保存古代佚籍的淵藪，對於學術研究者而言，具有很大的研究價值。

類書也可以說是現代資料庫中的一種，比較晚出的類書由於

收錄了前代的資料，並且加以排列；再加上分類的特性，所以也呈現了事物發展演變的紀錄，對於相關研究者而言，具有很高的利用價值。另外類書的資料包羅萬象，也可以視作古人生活的紀錄，在作學術研究時，可以多加利用，以取得更多的研究進展。

古籍叢書的檢索與利用

何淑蘋

東吳大學中國文學系碩士生

一、前言

　　古人著述浩繁，雖歷經天災、戰火等摧殘，留存下來的古籍數量仍舊十分龐大，其中不少是以叢書形式流傳下來的。因此，如欲查找現存古籍，其途徑之一，即善用叢書。所謂叢書，指彙集兩種以上書籍合為一編，另取一總名而成。「叢書」一詞，始於唐代陸龜蒙《笠澤叢書》，但此書僅具叢書之名，實際上是個人作品集，尚未具備叢書體制。我國叢書之編輯，肇始於南宋俞鼎孫、俞經所編《儒學警悟》；其後七十年，又有左圭輯百餘種書籍編成《百川學海》，印行於世。由於《儒學警悟》在南宋編成後，一直以抄本的形式流傳，傳布既不廣遠，知見者亦不多，因而直至清末才被繆荃孫發現，在此之前，學界普遍視《百川學海》為叢書之祖；又《儒學警悟》雖早出於《百川學海》，但收書僅六種、四十一卷，遠不如《百川學海》之規模，故今日一般仍並列兩書為中國叢書之始。

　　叢書在明代蓬勃發展起來，種類、數量都逾於前人；及至清代，數量日益增多，卷帙也更為巨大，其中最著名者，首推清高宗乾隆年間敕編的《四庫全書》。清代叢書除雕工精細外，再加

上經過名家校勘，其質、量皆超越前代，所以出現不少具代表性的叢書，例如黃丕烈《士禮居叢書》、鮑廷博《知不足齋叢書》、盧文弨《抱經堂叢書》等，皆為學界所重。民國以後，專門彙集古籍之大型叢書，例如《四部叢刊》、《四部備要》、《叢書集成初編》等陸續出版，這些近現代新編叢書，規模龐大、收書眾多，又精選善本影印，兼具保存、整理古代文獻之功，成為今人翻檢古籍時常需利用的重要版本來源，提供研究者相當的便利。

古籍叢書種類繁多，大抵可分為綜合性和專科性兩大類。綜合性叢書是將性質不同的多種書籍彙為一編，專科性叢書則是將某一學科的多種著述彙為一編。至於詳細的分類，可以參考劉尚恒《古籍叢書概說》（上海：上海古籍出版社，1989年12月）和李春光《古籍叢書述論》（瀋陽：遼瀋書社，1991年10月），兩書除說明叢書起源、種類、發展外，兼述歷代重要叢書編輯梗概，是目前較好的古籍叢書學概論專著。

二、檢索古籍叢書的工具書

叢書由於所收書籍的數量眾多，如果想要知道某一本古籍收進了哪部叢書之中，或想了解某部叢書收入了哪些典籍，都必須要借助叢書目錄，才能夠有效率地尋獲所需資料。

叢書目錄之編輯，始於清代嘉慶四年（1799）顧修編纂之《彙刻書目》，收書兩百六十一種，依經史子集四部分類，著錄則在每部叢書之下，列出子目書名、卷數、作者，從此確立叢書書目之編排體制；其後多位學者以顧修之書為底本，進行資料的增補。例如：日本松澤老泉《彙刻書目外集》、傅雲龍《續彙刻書目》、朱學勤《彙刻書目增訂本》、羅振玉《續彙刻書目》等等。

在增訂《彙刻書目》這一系列之外，另有楊守敬編、李之鼎增補的《叢書舉要》，原編六十卷，增訂至八十卷。其後，陸續又有沈乾一《叢書書目彙編》（1928年）、杜聯喆和房兆楹合編《叢書書目續編初集》（1931）、劉聲木《續補彙刻書目》（1929）及《再續補彙刻書目》（1934）、孫殿起《叢書目錄拾遺》（1934）等等。綜上所述，可知清末民初間，已有不少叢書書目陸續刊行。

上述所列皆為清末民初編刊之叢書書目，大抵有收書缺漏過多、體例不盡完善等缺點，都稱不上是實用的目錄。直到《中國叢書綜錄》編成後，集前人書目之大成，收錄較為完備，體例亦較完善，已然完全取代早期編成的舊目錄。如今若想查找現存古籍的下落，只需要善加利用《中國叢書綜錄》及近人新編的叢書目錄即可，不必再費事地翻檢早期書目了。

茲將近人新編叢書書目略加說明：

㈠叢書目錄

‧中國叢書綜錄　上海圖書館編　上海　上海中華書局　3冊　1959、1961、1962年；上海　上海古籍出版社　3冊　1986年2月

本書原由上海中華書局於一九五九、一九六一、一九六二年陸續出版；後由上海古籍出版社於重印。其內容收錄大陸地區包括北京圖書館等四十一所主要圖書館館藏之歷代叢書，計二千七百九十七種，古籍三萬八千八百九十一種，是自有叢書目錄編纂之後，規模最為龐大，體例最為完備，收錄範圍亦最廣泛的一部古籍叢書目錄。

全書分三冊。第一冊為《總目分類目錄》，將二七九七種叢書分為「彙編」、「類編」兩部分。彙編下分成雜纂、輯佚、郡邑、氏族、獨撰五類；類編下分成經、史、子、集四類。每類之下又再細分小類。每部叢書之條

目，除列其編者、刊印時代、版本外，並羅列該叢書全書之子目。

第二冊為《子目分類目錄》，將二七九七種叢書所包含的三八八九一種子目，依照四部分類著錄，四部之下再分五十四類，類之下再分屬。每條子目，列出書名、卷數、作者及其所屬叢書名。

第三冊為《索引》，因第二冊子目分類後篇幅很多，查檢不便，所以進一步編製索引，專為檢索第二冊之用。包括〈子目書名索引〉、〈子目著者索引〉兩部分，依四角號碼檢字法排列。

本書作為第一部規模龐大的古籍叢書目錄，兼之體例較完善，故實用價值極高，出版後受到學界重視。但以古籍數量之浩繁，難以蒐羅殆盡，遺漏在所不免，所以後來有不少學者加以指瑕、補正。例如陳社潮在《文史參考工具書指南》（臺北：明文書局，1995年2月）頁188，指出有失收《中央民族學院圖書館藏叢書目錄初稿》所記一百三十多種叢書的問題；另外，還有補正之專著，如陽海清所編著之《中國叢書綜錄補正》，以及李銳清編《中國叢書綜錄未收日藏書目稿》（京都：京都大學人文科學研究所附屬東洋學文獻，1995年），諸如此類論述或專著，皆可留意參考。

‧叢書大辭典　楊家駱編　南京　南京辭典館　1936年7月初
　版；臺北　中國學典館復館籌備處　1967年6月再版

楊家駱先生費時十一年編成《叢書大辭典》，原由南京辭典館於一九三六年七月初版；其後楊先生隨國民黨遷臺，改由中國學典館復館籌備處於一九六七年重新發行。

本書係就《四庫全書》以外之其它叢書書目編輯而成，所收叢書約六千餘種，子目十七萬條。書首有序例，論述叢書發展、目錄史及本書編刊經過暨凡例。內容則依「叢書名稱」、「叢書編校刊刻者姓名」、「叢書子目書名」、「叢書子目撰注者姓名」四類混合編排。檢索方式依四角號碼排列首字，另互注其間關係。

書末所附《叢書總目類編》，實際上是影印自上海圖書館編《中國叢書

綜錄》而來。《中國叢書綜錄》第二、三冊經楊家駱先生分別改名為《叢
書總目類編》、《叢書子目類編》後，前者附於《叢書大辭典》書末，後者
則獨立成書重新發行。《叢書總目類編》作為《叢書大辭典》的附錄，篇
幅多達千餘頁，而編排方式與《叢書大辭典》正文不同、頁碼亦不連貫，
未免有編輯粗疏之失。

　　本書因受限於個人編輯精力，所收書目多經輾轉抄襲而來，未逐一覆
核，故常見重複收錄、存佚不分、有目無書等缺失，使用此書時須多加留
意。

　　・叢書子目類編　臺北　中國學典館復館籌備處　2冊　1967
　　年10月；臺北　文史哲出版社　1986年6月

　　楊家駱先生將上海圖書館所編《中國叢書綜錄》一書重印，將原書第
一冊更名為《叢書總目類編》，附在楊氏所編《叢書大辭典》書末；將原書
第二、第三冊易名為《叢書子目類編》。故《叢書子目類編》即《中國叢書
綜錄》第二冊子目分類目錄、第三冊子目書名索引與子目著者索引之合刊
本。

　　本書為《叢書總目類編》所收叢書子目之分類目錄。其分類依四部，
下又分類、屬，並依時代先後為序。每書著錄其卷數、著者及其所屬叢書
名稱。其檢索方式有四角號碼檢字法、索引字頭筆畫檢字、子目書名索
引、子目著者索引等，依四角號碼排列。

　　・叢書總目續編　莊芳榮編　臺北　德浩書局　1974年

　　本書收入自由中國地區自民國三十八年（1949）至六十三年（1974），
二十五年間重新編印的古籍叢書六百八十三種，其中新編者兩百四十六
種，重印者四百二十三種，民國六十三年已印或擬印者十四種。體例仿
《叢書總目類編》，分為彙編、類編兩部分。彙編下分雜纂、輯佚、郡邑、
氏族、獨撰五類，其中輯佚、郡邑從缺；類編下分經、史、子、集四類。
各類下又再分小類，並依子目之書籍性質略作分類調整。

本書雖名為《叢書總目續編》，旨在續補《叢書總目類編》，但因後者實為《中國叢書綜錄》之一部分，故此書實際上可視為《中國叢書綜錄》第一冊「總目分類目錄」的續編之作。利用此書，可以查檢臺灣地區一九七四年以前叢書編印出版及收藏概況。

　　·臺灣各圖書館現存叢書子目索引　王寶先編　美國舊金山
　　中文資料中心　3冊　1975年

本書共三冊，第一、二冊為書名檢索，第三冊為著者檢索。此書針對臺灣地區藏書而編，將十所較重要的圖書館館藏叢書一千五百餘種，約四萬餘筆子目，編成索引。索引分成書名、作者兩部分，按筆畫排列，若相同筆畫再依部首先後排列。

　　·中國叢書綜錄補正　陽海清編撰，蔣孝達校訂　揚州　江蘇
　　廣陵古籍刻印社　1984年8月

上海圖書館編的《中國叢書綜錄》於一九五九至一九六二年出版後，以其蒐羅範圍較廣、體例較完備等特點，深受學界重視。但其中也有不少問題存在，所以其後陸續有學者或加指瑕，或予以補正，其中最重要的補正之作，即陽海清所編的《中國叢書綜錄補正》一書。

陽海清在〈前言〉中指出了《綜錄》存有「版本著錄不全」、「異名反映欠詳」、「子目時有遺漏」、「引用人名、書名、時代偶有誤字」等問題，《補正》除針對上述諸缺失加以匡誤補闕外，亦增錄一九五八年以後重印、複印、影印、校點排版的叢書。《補正》在編排體例上一仍《綜錄》之舊，而對《綜錄》內容有較全面的訂正和增補，故讀者在使用《綜錄》的同時，也應取《補正》相參正。

　　·中國叢書廣錄　陽海清編撰　武漢　湖北人民出版社　2冊
　　1999年4月

上冊為《總目》，下冊為《索引》。全書共分七部分，上冊為「叢書分類簡目」、「叢書分類詳目」、「叢書書名索引」、「叢書編撰、校注、刊刻

者索引」四部分；下冊為「子目分類索引」、「子目書名索引」、「子目著
者索引」三部分。上冊末附〈索引字頭四角號碼與筆畫對照表〉，下冊前附
〈四角號碼檢字法〉，以利讀者查閱。

　　內容編排方式，分彙編叢書（下分雜纂、地方、家族、自著四類）與
類編叢書（下分經史子集四類），共計收錄叢書三二七九種，含子目五〇七
八〇種，扣去重複，計有四〇二二七種。除大陸地區圖書外，亦儘量收入
臺灣地區藏書。本書是繼《中國叢書綜錄》後，蒐羅叢書資料最完備之目
錄。其最大特色，是作者在大部分的條目下撰寫「按注」，按語內容包括館
藏處的註明、著錄所據之版本、校書者姓名、版刻情形等，有別於傳統登
錄式書目，具有考鏡源流之價值。

　　‧中國近代現代叢書目錄　上海圖書館編　上海　上海圖書館
　　1979年；香港　商務印書館　1980年2月

　　此書依上海圖書館藏一九〇二至一九四九年間出版的中國近現代叢書
計五五四九種，其中包含了不少古籍重印本。

　　以上所列舉數種目錄，讀者只要善加利用，即能按圖索驥，
尋得所欲翻檢的古籍究竟收入哪一部或那些叢書之內。此外，叢
書書目大抵有後出轉精之特色，尤其是針對前書的補正之作，故
讀者在檢索時，應多加留意。

㈡叢書子目提要、索引

　　只要熟悉前面所列舉的幾種叢書目錄，應可解決查找現存古
籍的問題。除了上述專門的叢書目錄外，部分大型叢書，尤其是
民國以來新編印者，卷帙宏富，版本良善，甚受學界重視，且多
編有其專屬索引，可供讀者檢索其子目之用。民國以來新編的專
科性叢書方面，如史籍有《百衲本二十四史》、《二十五史補編》
等，子部有《諸子集成》，筆記小說有《清代筆記叢刊》、《筆記

小說大觀》等，詞曲方面有《彊村叢書》、《散曲叢刊》等，種類繁多、規模亦巨。這些專科性叢書都是在檢索各學科資料時也要留意到的重要參考，本《學術資料的檢索與利用》其它篇章皆已略述，故不再贅言，僅列舉數種較著名的綜合性叢書目錄於下：

· 四庫全書總目　（清）紀昀等著　臺北縣　藝文印書館　8
冊　1969年

此書已有新校標點本可供利用。一為四庫全書研究所整理《欽定四庫全書總目》（北京：中華書局，1997年1月，2冊）；一為《四庫全書總目提要》（石家莊：河北人民出版社，2000年，4冊）。

· 續修四庫全書提要　王雲五主持　臺北　臺灣商務印書館
13冊　1972年

此《提要》十二冊，附索引一冊。另外，中國科學院圖書館出版的《續修四庫全書總目提要·經部》（北京：中華書局，1993年7月，2冊），將經部部分重新整理出版。

· 四庫全書存目叢書·目錄索引　四庫全書存目叢書編纂委員
會編　臺南縣　莊嚴文化事業公司　1997年

· 四庫禁燬書叢刊索引　四庫禁燬書叢刊編纂委員會編　北京
北京出版社　2000年

· 四部叢刊書錄　孫毓修編　上海　商務印書館　1922年

《四部叢刊》是在張元濟主持下，由商務印書館印行之大型古籍叢書。分初編、續編、三編。初編三百五十種，續編八十一種，三編七十三種，共計收書五百零四種。所收諸書多為宋元舊刻，以及明清之精刻本、精鈔本、精校本、手稿本等，極具保存古本之文獻價值，是民國以來編印的重要古籍善本叢書。《書錄》乃「初編」之子目提要，依經史子集四部排列，每一書下列卷數、著者、行款、板式，並述其流傳概況和文獻價值。

．四部備要書目提要　中華書局編　上海　中華書局　1936
年；臺北　臺灣中華書局　1980年

《四部備要》是一部側重實用的叢書。分五集，收書三百三十六種。版
本方面多選清代學者整理之本，並用仿宋鉛字排印。《提要》乃《四部備
要》之子目提要，依經史子集四部排列，每一書下先列「著者小傳」，次錄
「四庫提要」，若該書本無提要者，則另編「本書述略」，說明該書內容、特
點、源流、價值等；末載卷目，列出各卷細目。

．叢書集成初編目錄　商務印書館編　上海　商務印書館
1935年；北京　中華書局　1983年8月

《叢書集成初編》是在商務印書館張元濟、王雲五的主持下，揀擇宋、
元、明、清時期具有代表性叢書一百部，彙成一套規模達四千冊之大型叢
書。惜因戰亂未能完成全帙，僅出至三千四百六十七冊。後由北京中華書
局補齊原缺未印的五百三十三冊後，於一九八五年重新影印。《叢書集成
初編目錄》即專供檢索此套叢書之用，原為上海商務印書館編，後上海古
籍書店據以重編，北京中華書局於一九八三年重印出版。該《目錄》將
《叢書集叢成初編》所收諸書（包括未出版者）加以分類編排，註明撰者、
卷數、冊數和原屬叢書名；除目錄外，並附張元濟所撰之「叢書百部提
要」，簡介編者生平、內容、特點等；書末附有「書名索引」、「未出書名
索引」，皆按照書名四角號碼排列。

．百部叢書集成分類目錄　藝文印書館編　臺北縣　藝文印書
館　2冊　1971年
．百部叢書集成書名索引、百部叢書集成人名索引　藝文印書
館編　臺北縣　藝文印書館　1971年（合刊）

《百部叢書集成》一名《叢書集成正編》，是藝文印書館在嚴一萍先生
主持下，於一九六五年至一九七〇年間，仿《叢書集成初編》之體例，依
原刻樣式影印陸續出版。以上三種即專供檢索《百部叢書集成》之用。

· 叢書集成續編目錄索引　藝文印書館編　臺北縣　藝文印書
館　1971年
· 叢書集成三編目錄索引　藝文印書館編　臺北縣　藝文印書
館　1973年

　　嚴一萍先生於《百部叢書集成》出版後，又陸續於一九七〇至一九七二年間編印《叢書集成續編》(一名《四部分類叢書集成續編》)、《叢書集成三編》(一名《四部分類叢書集成三編》)。以上兩種即專供檢索《叢書集成續編》、《三編》之用。

· 叢書集成新編總目·書名索引·作者索引　新文豐出版公司
編輯部編　臺北　新文豐出版公司　1986年1月
· 叢書集成續編總目·書名索引·作者索引　新文豐出版公司
編輯部編　臺北　新文豐出版公司　1991年7月
· 叢書集成三編·提要·總目·書名索引·作者索引　新文豐
出版公司編輯部編　臺北　新文豐出版公司　1999年2月

　　新文豐出版公司於一九八五年依《叢書集成初編》之選書標準，重新編印其中的一百部，另定名為《叢書集成新編》；並於此基礎上，又再刊印《叢書集成續編》、《叢書集成三編》。以上三種即專供檢索三套叢書之用。

· 書目叢編敘錄、書目續編敘錄、書目三編敘錄、書目四編敘
錄、書目五編敘錄　喬衍琯編　臺北　廣文書局　1967-
1972年

(三)其它

　　以上所舉諸書是在檢索大型綜合性叢書時可資利用的。另外，還有幾種叢書目錄也可稍加介紹。首先是針對叢書中的某一主題或類別所編成的索引，這類工具書並不多見，可供專門研究

者參考：

- 叢書索引宋文子目引　麥克奈（Brian E. Mcknight）編　美國舊金山　中文資料中心　1977年
- 叢書中關於詞學書目錄索引　陳德芸編　圖書館季刊　第1卷第3-4期　1934年6-9月

　　其次，還有針對某機構或某地區藏書所編製的叢書目錄，這類目錄因較特殊，且有資料取得的限制。姑列舉於下，讀者略知其書即可：

- 叢書子目備檢：著者之部　曹祖彬編　南京　金陵大學圖書館　1935年1月

　　本書以金陵大學圖書館館藏為主，收有叢書三百六十一種，子目六千餘條，編成著者索引。檢索方式則依姓名首字筆畫排列。書前並附有〈本索引所收叢書一覽表〉、〈叢書書名簡稱表〉、〈著者首字檢查表〉等。

- 叢書子目索引　金步瀛編　上海　開明書店　1935年9月（增訂本）

　　此書原於一九三〇年由杭州浙江省立圖書館出版，增訂本則改由上海開明書店於一九三五年出版。本書係編者以浙江省立圖書館館藏為主，收有叢書四百六十九種，子目一萬二千餘條。檢索方式依筆畫順序排列。

- 叢書目錄索引　施廷鏞編　北平　清華大學圖書館　1936年3月

　　此書係以清華大學圖書館一九三六年一月前之館藏為主，收有叢書一千兩百七十五種，子目四萬餘條。檢索方式依書名筆畫排列。後由臺北文海出版社於一九七一年更名為《叢書子目書名索引》影印出版。

- 東洋文庫漢籍叢書分類目錄　（日）東洋文庫編　東京　東洋文庫　1945年（昭和20年）；1965年（昭和40年）增補再版

· 東洋文庫漢籍叢書分類目錄增補之部　（日）東洋文庫編
　東京　東洋文庫　1966年
· 日本見藏中國叢書目初編　李銳清編著　杭州　杭州大學出
　版社　1999年

三、結語

　　中國古籍雖飽經天災戰火等浩劫，致使流傳至今者不過十
一，卻已經相當豐富，形成寶貴的文化資產。在古籍流傳的過程
中，除一般的單行本外，古人亦將多種典籍彙為一編，形成一部
包羅宏富的叢書，既利於文獻保存，也便於求書研讀；而部分經
過編者細心校勘整理之叢書，又更兼具學術價值。劉兆祐先生在
《中國目錄學》（臺北：五南圖書出版公司，1998年7月）和《治
學方法》（臺北：三民書局，1999年9月）兩書中，以目錄學之觀
點，歸納出叢書資料有「彙聚圖書，保存文獻」、「分類輯刊，
方便求書」、「多收錄未單刻流傳之古籍」、「所收之書多異本」
等四項價值；以治學之觀點，提出叢書有「方便檢索資料」、
「篇帙小的圖書得以流傳」、「圖書都經過整理校勘」、「叢書所
收多為實用性高的圖書」等四點價值與功用，顯示出古籍叢書宛
如一座寶庫，若能確實掌握與利用，研究時就能達到事半功倍之
效。

　　古籍叢書雖有多項價值，但使用時也有一些應稍加留意的事
項。首先，要辨明來源。因為古籍叢書中有部分是系出同源，在
利用時應先辨其源流。例如錢熙祚得張海鵬《墨海金壺》殘版
後，加以校刊、重編，成《守山閣叢書》；又例如張海鵬得毛晉
《津逮秘書》版片，增補彙編，成《學津討原》。故須明辨各叢書

間是否有前後相承之關係。其次，要慎選版本。叢書因為體制龐
大，所以並非每部叢書都經過編者的細心整理才出版，尤其部分
叢書偏於市場取向，甚至有書商為牟利隨便拼湊書而成，過程倉
促而粗疏，使用這類叢書時尤須特別注意。因此，要儘量選用經
過校勘整理過的叢書，其版本內容、文字較可採信。總之，讀者
在利用叢書資料之餘，也應對該叢書有基本認識，略讀叢書學概
論或其它參考工具書指引、治學方法類的導讀之書，才不會誤用
劣本，使研究徒勞無功，甚至被誤導，造成遺憾。

經學資料的檢索與利用

許維萍

銘傳大學應用中國文學系副教授

一、前言

中國古籍浩如湮海,「經書」則佔據了其中非常重要的一部分。要了解中國文化的內涵,如果完全不觸及經書,所得到的理解不但片面,也有一定程度的失真。因此,經學研究是了解中國文化非常重要的一環,也是深入中國文化的重要管道。

然而,自從民國初年的白話文運動成功之後,一般社會大眾不太讀古書,卻是一個不爭的事實。除了國文課堂上偶而出現的幾篇「經典」之作外,又有多少人會在閒暇時「風簷展『古書』讀」呢?不限範圍、不論題材的古書尚且不論,詰屈聱牙、主題嚴正的經書就更不必說了。現代人視讀經為畏途,除了「時空差異」造成的疏離感外,議題過於嚴肅,難以引起一般人的共鳴,以及文字本身所帶來的閱讀障礙,恐怕也是很大的因素。

一般社會大眾在書籍的閱讀上捨難就易、捨古就近,是可以理解的。不論從社會變遷的角度來看,或者是從人性來分析,都不是令人意外的結果。我們既不能期待人人都是國學專家,也不能指望個個都能出口成章,引經據典,因此本文主要訴求的對象,並不在一般鮮少讀經的社會大眾。近年來臺灣的大學在數量

上呈現高幅度的成長，不少新成立的大學紛紛設立了中文系、所。這顯示在臺灣以中國文學做為專業的人口在高等學府裏有越來越多的趨勢。在這群佔有相當比例的「中文人」當中，除了長期浸淫在國學領域，對中國傳統經典有深入研究的學界同好及前輩外，有更多的學子對「經學」這個學門仍然處在初步接觸的階段。如前文所述，中文系學生既是以中國文學為專業，並且以中國文化做為研究的對象，對「經學」就不能一無所知。因此本文的撰寫，是以剛入門的中文系學生為對象，目的在協助初學者能更方便的檢索經學資料，讓經學研究在大學院校裏更為普及。

對於有心從事經學研究的初學者來說，最常面臨的問題往往是不知從何處入手。有哪些經學的議題值得探究？前人的研究成果怎麼蒐集？經書中難解的辭彙，可以查什麼樣的工具書快速解決？經文的出處如何查尋？……以下將針對這些問題，試著提出解答。

二、提供今人研究成果訊息的目錄書

要了解現代人在某一個領域的議題上已有那些研究成果，查核目錄書是最快速而有效的方法。相對於其他領域而言，從事經學研究是比較幸運的，因為目前已經出版了若干針對經學研究成果編輯的專科目錄，透過這些目錄，學者可以在最短的時間內掌握今人研究經學的動態。茲將較受矚目的幾種目錄簡介如下：

㈠呈現經學研究「面」的目錄

1.林慶彰主編的《經學研究論著目錄》系列
· 經學研究論著目錄（1912—1987）　林慶彰主編　臺北　漢

學研究中心　2冊　1989年12月
・經學研究論著目錄（1988—1992）　林慶彰主編　臺北　漢
學研究中心　2冊　1999年6月
・經學研究論著目錄（1993—1997）　林慶彰、陳恆嵩主編
臺北　漢學研究中心　3冊　2002年4月

　　這三套由中央研究院中國文哲所研究員林慶彰先生主編的目
錄，可說是經學目錄的「系列產品」，總計涵蓋了從一九一二年
到一九九七年臺灣、中國大陸、香港及新加坡等地研究歷朝歷代
經學發展的成果。在資料的蒐集上，則包括了專書（收於叢書中
者亦收入）、期刊論文、報紙論文、論文集論文、博碩士論文及
學術會議論文等範圍；學者如欲了解今人研究經學的概況，查核
此三書應可掌握泰半。不過一九九八年以後的研究成果由於尚未
編輯成書，學者仍需另行蒐集，以免忽略了晚近五年的研究成
果。

2.國立編譯館主編的《十三經論著目錄》

　　除了林慶彰先生主編的一系列《經學研究論著目錄》外，二
000年六月臺灣國立編譯館也編了一套八大冊的《十三經論著目
錄》，由臺北洪葉文化事業公司印行。收錄自先秦到一九九四年
間所有關於《十三經》的著述及單篇論文，蒐集的地區涵蓋臺
灣、中國大陸及鄰邦。該目錄對於每一論著的著錄，皆依：⑴書
名（篇名）、卷數、作者；⑵著錄；⑶存佚情形；⑷傳本；⑸考
證五項進行。

　　例如要查《爾雅》現今還存有那些版本，可查閱《爾雅論著
目錄》，翻至「專書之部」的「一、正文類底下」，即可查得五項
著錄：

　001 爾雅三卷　不著撰人　存

　　著錄：《漢書‧藝文志》

　　傳本：十三經注疏本

002 爾雅　存

　著錄：景刊唐開成石經

　傳本：民國十五年，張氏百忍堂刊本

003 爾雅　殘存

　著錄：《敦煌古籍敍錄》

　考證：殘卷伯3719存84字

004 爾雅佚文　（清）王仁俊輯　存

　著錄：《叢書子目類編》

　傳本：玉函山房輯佚書續編

005 爾雅一卷　（清）蔣衡手抄　存

　著錄：《臺灣公藏普通本線裝書目及索引》

　傳本：清乾隆五年，蔣衡手寫本今藏國立故宮博物院圖書館

　每經在各冊的分配及詳細資料如下：

十三經論著目錄（一）：周易論著目錄

　編輯小組召集人：周何

　編輯者：董金裕

　臺北　洪葉文化事業公司印行　2000年6月

十三經論著目錄（二）：詩經論著目錄

　編輯小組召集人：周何

　編輯者：朱守亮

　臺北　洪葉文化事業公司印行　2000年6月

十三經論著目錄（三）：尚書、禮記論著目錄

　編輯小組召集人：周何

　編輯者：許錟輝、黃俊郎

　　臺北　洪葉文化事業公司印行　2000年6月

十三經論著目錄（四）：周禮、儀禮、三禮論著目錄

　　編輯小組召集人：周何

　　編輯者：劉兆祐

　　臺北　洪葉文化事業公司印行　2000年6月

十三經論著目錄（五）：春秋總義、春秋穀梁傳、春秋公羊
傳、左傳論著目錄

　　編輯小組召集人：周何

　　編輯者：簡宗梧、周何

　　臺北　洪葉文化事業公司印行　2000年6月

十三經論著目錄（六）：論語論著目錄

　　編輯小組召集人：周何

　　編輯者：傅武光

　　臺北　洪葉文化事業公司印行　2000年6月

十三經論著目錄（七）：孝經、四書總義、孟子論著目錄

　　編輯小組召集人：周何

　　編輯者：傅武光

　　臺北　洪葉文化事業公司印行　2000年6月

十三經論著目錄（八）：群經總義、爾雅論著目錄

　　編輯小組召集人：周何

　　編輯者：汪中文、黃尚信、李啟原、鄭卜五

　　臺北　洪葉文化事業公司印行　2000年6月

3. 大陸出版的綜合性經學目錄

　　以上是由臺灣所出版的經學論著目錄。至於在大陸方面，一
九八七年也出版了一部與經學有關的綜合性目錄，但並不是以
「經學研究」命名，而是用「孔子研究」做為標題：

・孔子研究論文著作目錄（1949—1986） 中國社會科學院哲學研究所資料室編 濟南 齊魯書社 1987年5月

　　這部書收錄資料的時間是從一九四九年到一九八六年，由於臺灣在一九八七年才宣布解嚴，因此雖然根據編者說，有關臺灣的資料，該書目只查過《中華民國期刊論文索引》、《中央日報》、《中國書目季刊》，在內容上難免有不少的缺失；但大陸部分的資料則有95%查過原文，因此能彌補臺灣書目的不足。

㈡呈現某特定時期經學研究成果的目錄

　　上述諸目錄呈現的是經學研究「面」的成果。以下這部目錄，則是針對特定時期所做的總整理，可以視為「點」的呈現：

・乾嘉學術研究論著目錄（1900—1993） 林慶彰主編 臺北中央研究院中國文哲研究所籌備處 1995年5月

　　清代經學的關鍵在乾嘉，評價的兩極化也在乾嘉。為此中央研究院中國文哲研究所在一九九三年曾經提出一個為期兩年的「乾嘉經學研究計畫」，這本目錄的編纂就是配合該計畫而成的。

　　本目錄收錄自一九〇〇至一九九三年間臺灣、大陸、日本、歐美等地研究「乾嘉學術」的重要專著和論文條目計三四八〇條。涵蓋的時間長達九十餘年，是研究乾嘉時期經學最重要也最方便的專科目錄。

㈢以一經做為蒐集對象的論著目錄

　　除了綜合性的目錄外，大陸地區也有以「《易經》」和「《詩經》」做為蒐集範圍的書目：

・易學書目 山東省圖書館編 濟南 齊魯書社 1993年12月
・1949年以後中國大陸出版易學書目選 畢群聖選著 《周易

研究》 1988年 第2期 1988年
・二十世紀詩經研究文獻目錄 寇淑慧編 北京 學苑出版社
2001年7月

本書收錄二十世紀（1901—2000）年中國大陸境內和香港地區正式出
版及發表的有關《詩經》研究的專著和論文五七二九條，旨在為讀者提供
一份比較完整的二十世紀《詩經》學文獻索引。

㈣反映日本人經學研究成果的論著目錄

就經學研究而言，除了中文的著作之外，日本人的研究成果
也不容忽視。這部分有二部書目可供查詢，分別是：
・日本研究經學論著目錄（1900—1992） 林慶彰主編 臺北
中央研究院中國文哲研究所籌備處 1993年10月
・日本儒學研究書目 林慶彰、連清吉、金培懿編 臺北 臺
灣學生書局 2冊 1998年7月

透過前者，讀者可以了解日本人研究經學的概況；透過後
者，讀者可以了解儒學在日本發展的近況。因此這二部書，都是
將經學研究的觸角延申到海外的輔助工具。

三、迅速解決經書中相關問題的經學辭典

從事經學研究，難免會遇上難解的習題。例如經書中偶而出
現的名詞、人物、術語、或者是各經重要的典籍著述，都可能是
初學者在面臨經書（經學）時，感到棘手的問題。這時候如果手
邊有一部與經學有關的辭典，許多問題就可以迎刃而解。目前已
經出版的與經學有關的辭典中，除了少部分是由日人編輯、在日
本出版之外，其他幾乎都是由大陸學者包辦，並且在大陸出版

的。根據筆者的調查，已經出版的有以下數種：

㈠**總類**

・經學辭典　黃開國主編　成都　四川人民出版社　1993年5月

・十三經大辭典　吳楓主編　北京　中國社會出版社、長春　吉林人民出版社　2000年

㈡**周易類**

・周易大辭典　蕭元、廖名春主編　北京　中國工人出版社　1991年7月

・周易辭典　呂紹綱主編　長春　吉林大學出版社　1992年；臺北　漢藝色研文化事業公司　2001年9月

・易學大辭典　張其成主編　北京　華夏出版社　1992年

・周易大辭典　張善文編　上海　上海古籍出版社　1992年5月

・周易大辭典　伍華編　廣州　中山大學出版社　1993年12月

㈢**詩經類**

・詩經詞典（修訂本）　向熹編　成都　四川人民出版社　1986年3月

・詩經百科辭典　瀋陽　遼寧人民出版社　3冊　1998年1月

・詩經綜合辭典　莊穆主編　呼和浩特　遠方出版社　1999年12月

・詩經鑑賞辭典　任自斌、和近健主編　北京　河海大學出版社　1989年

- 詩經鑑賞辭典　金啓華、朱一清、程自信主編　合肥　安徽文藝出版社　1990年
- 詩經楚辭鑑賞辭典　周嘯天、潘樹廣主編　南昌　江西教育出版社　1991年

㈣三禮類

- 三禮辭典　錢玄、錢興奇編　南京　江蘇古籍出版社　1993年
- 中國禮儀大辭典　周文柏主編　北京　中國人民大學出版社　1992年
- 中國古代禮俗辭典　許嘉璐主編　北京　中國友誼出版公司　1991年

㈤三傳類

- 春秋左傳詞典　楊伯峻、徐提編　北京　中華書局　1985年
- 春秋戰國篆書字典　（日）城南山人編　東京　木耳社　1988年（昭和63年）

㈥四書類

- 四書辭典　吳量愷主編　武漢　湖北人民出版社　1998年3月
- 四書五經辭典　李修生、朱安群主編　北京　中國文聯出版公司　1998年10月
- 四書五經名句鑑賞辭典　天人主編　呼和浩特　內蒙古人民出版社　1999年

以吳量愷編的《四書辭典》為例。該書分為三部分，第一部

分是「第一編《四書》與今譯」，第二部分是「第二編《四書》詞目例釋」，第三部分是「第三編《四書》要籍題解」。在讀《論語》的過程中，假設讀到一句「告朔之餼羊」，不明白是什麼意思，可以立刻查《四書辭典》，在該書的「第二編《四書》辭目例釋」底下，依「告」字的筆畫順序在第七畫第五五七頁可以看到「告朔餼羊」條目，翻閱該條目的內容，問題就能得到初步的解決。

四、可供檢索出處的索引（引得，Index）

(一)哈佛燕京學社出版的引得

在研讀經書的過程中，如果遇到某一句經文，不知道它的出處，想要查明以求進一步了解，該怎麼辦？這時候可以求助於索引。民國十九年春，洪業提議編纂中國古書索引，得到美國哈佛大學和燕京大學合組的文化研究社的經費補助。當年秋天正式展開工作，前後歷時十九年，完成《哈佛燕京學社引得》四十一種、《哈佛燕京學社特刊》二十三種（臺北成文出版社曾於1966年選擇若干加以影印）。在《哈佛燕京學社引得》的四十一種中，與經書有關的，有：

・儀禮引得〔附鄭注及賈疏引書引得〕（引得第6號）
・禮記引得（引得第27號）
・春秋經傳注疏引書引得（引得第29號）
・禮記注疏引書引得（引得第30號）
・毛詩注疏引書引得（引得第31號）
・周禮引得〔附注疏引書引得〕（引得第37號）

· 爾雅注疏引書引得（引得第38號）

至於《特刊》二十三種中，與經書有關的，則有：

· 毛詩引得〔附標校經文〕（引得〔特刊〕第9號）
· 周易引得〔附標校經文〕（引得〔特刊〕第10號）
· 春秋經傳引得〔附標校經傳全文〕（引得〔特刊〕第11號）
· 論語引得〔附標校經文〕（引得〔特刊〕第16號）
· 孟子引得〔附標校經文〕（引得〔特刊〕第17號）
· 爾雅引得〔附標校經文〕（引得〔特刊〕第18號）
· 孝經引得〔附標校經文〕（引得〔特刊〕第23號）

㈡《十三經索引》及其他

除了哈佛燕京學社編有與經書有關的引得外，還有以《十三經》為對象編纂的索引：

· 十三經索引　葉紹鈞編　上海　開明書店　1934年8月；臺北　臺灣開明書局　1955年6月；北京　中華書局　1983年2月（重訂本）
· 十三經新索引　富金壁主編，李波、李曉光編　北京　中國廣播電視出版社　1997年4月
· 十三經注疏經文索引　李迺陽、中津濱涉編　臺北　大化書局　1987年10月

這些索引以《十三經》做為編纂的對象，讀者使用起來，十分便利。然而《十三經》的卷帙畢竟十分龐大，因此有的編者就將範圍縮小在《五經》，或者是單獨一經內：

· 五經索引　（日）森本角藏編　東京　黑目書店　3冊　1935年9月
· 周易索引　北京大學圖書館索引編纂研究部編　北京　北京

大學出版社　1997年6月

　　上列索引有的可以檢索書中的重要辭彙，有的可以提供逐字索引，讀者在使用之前，應先仔細閱讀凡例，俾使各索引能發揮最大的功用。

㈡檢索人名、地名的索引

　　除了可檢索經文內容的索引外，也有針對經書中的人名及地名編輯的索引：

- 左傳人名地名索引　（日）重澤俊郎編，廣文編譯所譯　臺北　廣文書局　1962年
- 春秋公羊傳人名地名索引　（日）中村俊也編、間嶋潤一編　東京　龍溪書舍　1979年
- 春秋穀梁傳人名地名索引　（日）中村俊也、加藤智子編　東京　龍溪書舍　1980年

㈢電子工具書

- 四書全文光碟索引　孫劍秋主編　臺北　中華中醫典籍學會　1998年（光碟一片）

五、結語

　　所謂「工欲善其事，必須利其器」，學者如能充分掌握以上的工具書，並加以妥善的運用，即使是再難解的經書，也能稍稍掌握大概，若進而讀出一些心得，將能在原有的基礎上，對中國文化有更深刻的認識。

中國哲學資料的檢索與利用

楊 菁

萬能技術學院通識教育中心助理教授

一、前言

　　無論從事哪一個領域的學術研究，都必須在專業知識和理論基礎以外，熟悉相關文獻，掌握蒐集資料和查考問題的基本方法；因此，藉助於工具書，以最便捷的方式檢索到完整的資料，是每一個研究者都需具備的條件。研究中國哲學，無論是以主題或人物為主，都牽涉到學術源流的辨別、個人時代背景、思想要義的闡發等；因此，若能在進入研究之前，熟悉相關工具書的使用，亦可發揮良好的輔助效果。

　　研究中國哲學，無論是學術源流、某一時期的哲學發展記事、哲學書目、索引、作者等資料的搜尋，皆可運用相關工具書檢索到所需的資料。以下即就這些工具書作一介紹。

二、檢查中國哲學學術源流的工具書

　　研究中國哲學，若欲先了解某一時期的學術源流，可先查閱正史的藝文志、儒林傳、道學傳，例如《史記·儒林列傳》，即勾勒自先秦孔子至漢武帝時期的儒學傳授系統；《漢書·藝文志》

　　既是西漢以前群書目錄的總匯，《諸子略》中也介紹了古代諸子學的源流；《宋史‧道學傳》，亦有專門記述理學家生平事跡、學術師承、學術思想及著作介紹等。又如《四庫全書總目》中的部、類，前有大小序，說明了該類書籍的學術源流，也值得參考。此外，另有專述學術源流的著作，如：

　‧伊洛淵源錄　（南宋）朱熹著　臺北　文海出版社　1967年
　　此書是一部關於理學源流的著述。
　‧宋學淵源錄　（清）江藩著　臺北　藝文印書館　1966年
　　此書是入清以後的理學源流之作。
　‧顏李師承記　（清）徐世昌著　臺北縣　文海出版社　1991年
　　此書專門記載清代顏、李學派的師承、學說。
　‧道學淵源錄　（清）黃嗣東輯，黃慶曾補輯　臺北　明文書局　1985年
　　此書輯錄了上古迄清代儒者之傳記並略述其學說。

　　除以上所舉之書，「學案」也可以提供學術源流及個人思想之介紹，如：

　‧宋元學案　（清）黃宗羲、黃百家、全祖望等著　臺北臺灣中華書局　1970年
　　此書將宋元兩代學術思想，按不同派別加以總結，是研究宋元哲學的參考書籍。
　‧明儒學案　（清）黃宗羲著　臺北　明文書局　1991年
　　此書是根據明代學者的文集語錄，按思想學術淵源，分宗立派，是研究明代儒學的重要參考書。
　‧清儒學案　（清）徐世昌著　臺北　燕京文化事業公司　1976年

此書著錄清代各派學者的經歷、著述、學行、思想及淵源。

・清學案小識 （清）唐鑑編 臺北 廣文書局 1972年

此書是記述清代前期儒學源流的著作。

・清儒學案新編 楊向奎編 濟南 齊魯書社 1985年

此書是將清代學者加以立案重編，提供了個人的學術思想及學術淵源。

・現代新儒家學案 方克立、李錦全主編 北京 中國社會科學出版社 1995年9月

此書提供了現代新儒家的形成和發展情況。

　以上所列學案，以人物立案，介紹師承、家學、交遊、門人等，是研究一人、一時期或一學派的學術思想及學術源流的重要參考書。然在參閱這些著作時，宜注意編纂者的學術立場，勿為門戶之見所限。

三、檢查中國哲學年表與年鑑的工具書

　如欲有次第地了解一時期中國哲學的重要記事，可以參考以編年方式介紹中國哲學的書目，其中如：

・漢晉學術編年 劉汝霖編 臺北 長安出版社 1979年10月
・東晉南北朝學術編年 劉汝霖編 北京 中華書局 1987年

以上二書是將漢至東晉南北朝的學術記事，作編年記錄。

　此外，以編年記事介紹哲學研究狀況的工具書尚有年表與年鑑，如：

・歷代名人生卒年表 梁廷燦編 臺北 臺灣商務印書館 1979年
・先秦諸子繫年考辨 錢穆著 上海 上海書店 1991年12月

此書記載先秦諸子生卒年月及其他事實。

· 宋元明清儒學年表 （日）今關壽麿編 東京 著者出版 1919年（大正8年）9月

· 中國哲學年鑑 中國社會科學院哲學研究所編 上海 中國 大百科全書出版社

此書共計有1982至1990年的哲學研究狀況。

· 當代中國哲學記事（1949—1988年） 張永謙主編 北京 中共中央黨校出版社 1989年6月

· 評孔紀年（1911—1949年） 韓達編 濟南 山東教育出版 社 1985年

· 明清儒學家著述生卒年表 麥仲貴著 臺北 臺灣學生書局 1977年9月

參看年表與年鑑，便能依著一定的順序與脈絡，了解某一時期思想家們的生平、重要事跡，有助於學術概觀的了解，亦能得到較新的研究資訊及助於研究問題的發現。

四、檢查中國哲學書目及論著的工具書

在尚未決定研究的對象或主題前，如欲對中國哲學史的內容有所了解，可先由介紹哲學史史料的書籍查起，如：

· 中國哲學史史料學初稿 馮友蘭編著 上海 上海人民出版 社 1962年

此書介紹商代至近代哲學史著作，按史料產生的歷史時期為序編排，反映中國哲學史史料的梗概，便於初學哲學史的讀者參考。

· 中國哲學史史料學 張岱年著 北京 三聯書店 1982年

本書講述先秦至近代哲學史史料，書後附〈有關中國佛教的思想文獻

簡明目錄〉、〈歷代書目舉要〉、〈有關哲學史的叢書舉要〉與〈歷代思想家傳記資料要目〉。

如果已經決定研究的對象，便須查尋與此哲學家有關的著述，此時，書目是檢查相關資料最方便途徑；其中，如要查總錄性質的書目，可參考：

・中國古代哲學史用書要目　朱謙之編　上海　合眾圖書公司 1926年9月

此書目列中國古代哲學史用書凡數十種。

・周秦諸子書目　（清）胡韞玉編　臺北　成文出版社　1978 年

・周秦漢魏諸子知見書目　嚴靈峰主編　臺北　正中書局 1975-1978年

此書收錄一九五七至一九七三年間研究《老子》、《列子》、《莊子》、《墨子》、《管子》、《晏子》等諸子書目；此書並附有：1.重要諸子版本目錄；2.歷代重要藏書志讀書志目錄；3.有關諸子札記隨筆目錄；4.重要子彙叢書版本目錄；5.著錄各種叢書所收諸子目錄；6.散落海外周秦漢魏諸子知見書目錄。

・諸子概說與書目提要　蕭天石主編　臺北　中國子學名著集成編印基金會　1978年

此書有中國子學名著集成的書目及提要。

・秦漢思想研究文獻目錄　（日）坂出祥伸編　臺北　木鐸出版社　1978年

・研究明代道家思想中日文書舉要　柳存仁編　崇基學報　第5卷第3、4期；第6卷第2期　1966-1967年

・宋學研究文獻目錄　（日）廣罕人世編　東京　東京大學文學部中國哲學研究室　1963年

- 宋學研究文獻目錄　（日）今井宇三郎、山井湧編　東京　東京教育大學漢文學研究室　1959年
- 中國思想、宗教、文化關係論文目錄　中國思想宗教史研究會編　臺北　明文書局　1981年3月
- 經學研究論著目錄（1912—1987）　林慶彰主編　臺北　漢學研究中心　1989年12月
- 經學研究論著目錄（1988—1992）　林慶彰主編　臺北　漢學研究中心　1995年6月初版，1997年5月二刷
- 經學研究論著目錄（1993—1997）　林慶彰、陳恆嵩主編　臺北　漢學研究中心　2002年4月
- 日本研究經學論著目錄（1900—1992）　林慶彰主編　臺北　中央研究院中國文哲研究所　1993年11月

　　此外，也有專門搜集一哲學家的書目及論文的工具書，例如欲檢查與「孔子」相關的研究書目，可查中國社會科學院哲學研究所資料室所編的《孔子研究論文著作目錄（1949—1986）》（濟南：齊魯書社，1987年5月）及瀨尾邦雄所編《孔子、孟子に關する文獻目錄》（東京：白帝社，1992年〔平成4年〕）。其他類的書目舉要如下：

- 荀子書錄　阮廷焯編　師大國文研究所集刊　第5集　頁405-437　1961年

此文附有民國以來荀子論文要目。

- 莊子書錄　馬森編　師大國文研究所集刊　第3集　頁243-327　1958年
- 淮南子傳本知見錄　鄭良樹編　國立中央圖書館館刊　新1卷1期　頁27-39　1967年7月
- 韓非子知見書目　鄭良樹編　臺北　臺灣商務印書館　1993

年

・朱子學研究書目（1900—1991）　林慶彰主編　臺北 文津
出版社　1992年

　找尋到所欲研究者的相關書目及論著，才能進行下一步的閱
讀、整理及分析。另外，要找相關的哲學論文，也可以查：

・中國哲學史論文索引　方克立、楊守義、蕭文德編　北京
中華書局　1986年—

・中國近二十年文史哲論文分類索引　國立中央圖書館編　臺
北　正中書局　1970年

此書收錄1948至1968年中文期刊、論文集所發表的哲學論文。

・中文期刊人文暨社會科學論文分類索引　國立政治大學社會
科學資料中心編　臺北　編者印行　1966-1968年

　若要查尋大陸學術界所撰寫的哲學論文，則可利用《全國主
要報刊哲學資料索引》（山東大學哲學系資料室1981年編印），此
索引收錄一九四九年至一九七六年報刊上發表的哲學論文資料一
萬三千餘篇；同時可參考《解放前全國主要報刊有關哲學類論文
索引選輯》（四川大學哲學系資料室1977年編印），皆可循線找到
所需要的文獻資料。

五、檢查哲學家傳記資料的工具書

　研究中國哲學，欲了解相關人物的生平事跡及生卒年月，可
查正史的紀傳體，如二十五史刊行委員會所編《二十五史人名索
引》（上海：開明書店，1935年；臺北：臺灣開明書店，1977年）
及張忱石、吳樹平編《二十四史紀傳人名索引》（北京：中華書
局，1980年；臺北：宏業書局，1981年），二書對於檢索正史中

人物紀傳資料出處，提供了極大的方便。又姜亮夫編《歷代名人年里碑傳總表》（臺北：臺灣商務印書館，1975年），也提供了人物籍貫及生卒年等資料。

此外，也有一些以朝代為主的人物傳記工具書，如《四十七種宋代傳記綜合引得》（北京：中華書局，1987年）、《遼金元傳記三十種綜合引得》（同上）、《八十九種明代傳記綜合引得》（同上，1959年）、《三十三種清代傳記綜合引得》（同上，1966年），這四部引得，取材正史列傳、史表、傳記、筆記、日記、詩話及學術史著述近二百種古籍，記載了由宋代至清代將近一千年間共八萬餘人傳記資料的出處。又如要檢查明清時的人物，可利用的工具書尚有：

- 明人傳記資料索引　國立中央圖書館編　臺北　該館　1965年1月
- 明遺民傳記資料索引　謝正光編　臺北　新文豐出版公司　1990年12月
- 明代傳記叢刊索引　周駿富編　臺北　明文書局　1991年
- 明清進士題名碑錄索引　文史哲出版社編輯部編　臺北　文史哲出版社　1982年
- 清代碑傳文通檢　陳乃乾編　北京　中華書局　1959年
- 清代傳記叢刊索引　周駿富編　臺北　明文書局　1986年

此外，鄭元鼎、王默君編《宋元學案人名索引》（上海：商務印書館，1936年），有助於快速地查到宋元學案中的人物資料。除以上所述，查檢人物傳記尚可利用哲學人物傳記集，如：

- 歷代名儒傳　（清）李清植纂　北京　中國書店　1991年3月
- 中國歷代思想家　王壽南總編，洪安全等編著　臺北　臺灣

商務印書館　1978年

· 古代思想家傳記（合訂本）　喻松青等著　北京　中華書局
1987年9月
· 中國一百個哲學家　張岱年等主編　南昌　江西人民出版社
1988年5月
· 十大思想家　蔡德貴等著　上海　上海古籍出版社　2001年
· 中國歷代思想家傳記彙詮　王蘧常主編　上海　復旦大學出
版社　3冊　1988-1989年初版，2冊　1993年8月新一版
· 中國十大名儒　舒大剛主編　延吉　延邊大學出版社　1991
年5月
· 中國現代哲學人物評傳　李振霞、傅雲龍主編　北京　中共
中央黨校出版社　1991年12月
· 中國七大哲人傳　陳陟編　成都　經緯書局　1945年
· 中國古代著名哲學家評傳　方立天等編　濟南　齊魯書社
1980-1981年
· 中國古代著名哲學家評傳（續編）　方立天等編　濟南　齊
魯書社　1982年
· 中國古代思想家列傳編注（上卷）　曹伯言、張哲永編注
上海　華東師範大學出版社　1985年7月
· 中國近代著名哲學家評傳　張立文等編　濟南　齊魯書社
2冊　1982年8月、1983年4月
· 中國哲學人物辭典　谷方著　太原　書海出版社　1991年11
月

　　此外，年譜也是了解一人物的生平及學術概況的重要參考工
具，查找年譜可先使用年譜總錄，如：
· 中國歷代名人年譜總目　王德毅編　臺北　華世出版社

1979年

・中國歷代人物年譜考錄　謝巍編　北京　中華書局　1992年
11月

・近三百年人物年譜知見錄　來新夏著　上海　上海人民出版
社　1983年

・中國歷代名人年譜彙編第一集　廣文書局編輯部編　臺北
廣文書局　1971年

・中國歷代年譜總錄　楊殿珣編　北京　書目文獻出版社
1980年

　　透過年譜總錄，進而找到個人年譜，便可進一步了解個人的
生平及學術思想變遷，是極實用的工具書。

六、檢查中國哲學的辭典

　　對於哲學人物、詞句、內涵等有不了解的地方，辭典是最便
利的查尋工具了，目前有關中國哲學的辭典，有：

・諸子百家大辭典　劉冠才、林飛、廖化、徐建華主編
臺北　建宏出版社　2000年

此書是一部全面闡釋諸子百家學說的大型工具書。

・哲學辭海　夏征農主編　上海　上海辭書出版社　臺北　東
華書局合作出版　1993年7月

・哲學大辭書　哲學大辭書編審委員會編　臺北　輔仁大學出
版社　1993年9月

・中國哲學辭典　韋政通著　臺北　大林出版社　1980年3月
三版

・中國思想辭典　（日）原利國編　東京　研文出版社　1984

年4月

- 中華思想大辭典　張岱年主編　長春　吉林人民出版社
1991年2月
- 中華儒學通典　吳楓、宋一夫主編　海口　南海出版社
1992年8月
- 簡明中國古籍辭典　吳楓主編　長春　吉林文史出版社
1987年5月
- 中華思想寶庫　吳楓主編　長春　吉林人民出版社　1990年
9月
- 中國思想寶庫　中國思想寶庫編委會編　北京　中國廣播電
視出版社　1990年9月
- 東方思想寶庫　東方思想寶庫編委會編　北京　中國廣播電
視出版社　1990年

　　以上這些都是屬於通論性質的辭典；另外有專科的辭典，如
有關孔子研究的辭典有：《孔子文化大典》（孔範今、桑思奮、
孔祥林主編，北京：新華書店，1994年8月）、《孔子大辭典》
（張岱年主編，上海：上海辭書出版社，1993年12月）；有關理
學研究的辭典有：《中國理學大辭典》（董玉正主編，廣州：暨
南大學出版社，1996年10月）；有關道家思想研究的辭典有：
《道學辭典》（戴源長編，臺北：真善美出版社，1971年5月）、
《老莊辭典》（王世舜、韓慕君編著，濟南：山東教育出版社，
1993年9月）等。

七、檢查中國哲學的百科全書

　　百科全書是總匯性的工具書，要了解一學科的全面性概述，

百科全書能提供多方面的資料，關於中國哲學的百科全書有：

- 中國儒學百科全書　中國孔子基金會編　北京　中國大百科全書出版社　1997年
- 易經應用大百科（上、下）　張其成主編　南京　東南大學出版社　1994年5月；臺北　地景企業股份有限公司　1996年
- 哲學百科全書　中國大百科全書出版社編輯部編　北京　中國大百科全書出版社　1995年12月

八、有關中國哲學作品的索引

在研究中國哲學的過程中，若要查詢古籍中所記載的資料，收集有關字、詞，或了解詞語、文句的出處，最迅速有效的方法是利用古籍詞語引得（索引、通檢）。其中有為群書作索引的如：《十三經索引》（葉紹鈞編，臺北：臺灣開明書店，1955年重印出版）；另外，過去編印的中國哲學的引得中，以哈佛燕京學社引得編纂處編輯印行，及中法漢學研究所編印最多，如《論語》、《孟子》、《莊子》、《荀子》、《墨子》等書的引得及美國莊為斯編有《韓非子引得》等皆是。此外，如：

- 老子想爾注索引　（日）麥各邦夫編　京都　朋友書店　1981年2月
- 文子逐字索引　劉殿爵、陳方正主編　臺北　臺灣商務印書館　1992年
- 老子索引（原名老子道德經珠串）　葉廷幹著　臺北　文史哲出版社　1979年10月
- 孔子家語逐字索引　劉殿爵編　香港　商務印書館　1993年

10月初版2刷

· 韓詩外傳逐字索引　劉殿爵、陳方正主編　臺北　臺灣商務印書館　1992年

· 說苑逐字索引　劉殿爵、陳方正主編　臺北　臺灣商務印書館　1992年

· 淮南子逐字索引　劉殿爵、陳方正主編　臺北　臺灣商務印書館　1992年

· 二程全書索引　九州大學中國哲學研究室編　京都　中文出版社　1985年

· 朱子文集固有名詞索引　（日）山井湧編　東京　東豐書店　1980年

　　以上是屬於專書的引得。關於字詞出處的檢索，除了圖書索引的利用，現今電子資料庫的建立，提供了更便利且快速的搜尋方式，如中央研究院漢籍電子文獻之「瀚典全文檢索系統」，收有「經書與子書」的全文檢索；故宮博物院「寒泉古典文獻全文檢索資料庫」，也提供了「十三經」、「先秦諸子」、「宋元學案」、「明儒學案」、「朱子語類」、「白沙全集」等哲學類的全文檢索資料庫，都是研究中國哲學者不可不知的「利器」。

　　中國哲學自先秦以來即已百家爭鳴，發展至後世，更有不同的流別、學派。如想要探究其中堂奧，無論是了解一人、一時、一學派的思想，都必須有循序漸進的步驟。上述所列檢索中國哲學資料的工具書，皆為入門鎖鑰，有意從事哲學研究者可以藉此登堂入室，更全面而深入地掌握中國哲學的精妙。

佛學文獻的檢索與利用

范佳玲

臺灣師範大學國文學系博士生

一、前言

　　佛教在漢末傳入後，便與中國文化相聲息，形成密不可分的關係。因此，佛學研究不論是在文史哲各領域中，都是相當重要的研究主題。而佛學相關資料的收集，乃是從事佛學研究的基本工作，故本文嘗試提出幾個搜尋佛學資料的方法，希望對初入佛學研究殿堂的讀者能有所幫助。

　　然而，佛教在中國不僅是宗教，更是人民生活的一部分，其所牽涉的範圍相當廣泛，含攝了宗教、哲學、文學、藝術，甚至建築、經濟、心理學、醫學等各層面。故所謂的「佛學資料」，不僅不限於文字記錄，同時也包括了壁畫、佛像、寺院、舞蹈、音樂等多種不同的型態。由於「佛學資料」的範圍相當廣泛，受限於篇幅，本文的佛學資料檢索，將以中文文字資料為範圍，作一簡要的敘述。至於其他非書資料的檢尋，則必須再透過其他的搜尋方法獲得。

二、檢索的途徑

檢索佛學資料的方法,約可透過下列幾個途徑:

㈠傳統經錄

傳統經錄是檢索佛教書目最基礎的方法。中國歷代佛教經錄為數甚多,比較重要者約有下列幾種:

· 出三藏記集　(梁)僧祐著　收入《大正藏》第55冊

凡十五卷,集錄後漢至南朝梁間,譯經的緣由、目錄及翻譯之同異、序跋等相關資料,並附譯經者之傳記。

· 歷代三寶紀　(隋)費長房著　收入《大正藏》第49冊

凡十五卷,記載北朝至隋的譯經與著作目錄,並附有譯者及著者的傳記資料。此書史料採集豐富,編審精詳。

· 眾經目錄　(隋)彥琮等奉詔纂輯　收入《大正藏》第55冊

凡五卷,蒐羅隋代存錄而成,並列記卷數及譯者名,另附載缺本目錄。此錄記載詳實,為現存經錄中品質極佳者。

· 大唐開元釋教錄　(唐)智昇著　收入《大正藏》第55冊

凡二十卷,共分前後兩部分,前半部稱「總括群經錄」,列舉東漢至唐初的大小乘經律論;此錄關於譯經資料的蒐集相當仔細,可看出一經的翻譯歷程、存佚情形。後半部稱「別分乘藏錄」,其目錄之分類整理,相當於標準入藏目錄與現藏入藏目錄,總計入藏經典一千零七十六部。本書記載完備詳實,故後世經錄皆取為範本。

透過經錄可以瞭解當時經書的翻譯、流傳,以及存佚情形,是研究佛教藏經流傳的重要資料。

㈡大藏目錄

民國以來，出版界陸續印行了許多大部頭的藏經，並編有目錄索引，為研究者提供了莫大的方便。學界較常使用的藏經目錄有：

- 大藏經第五十五冊：目錄部　大藏經刊行委員會編輯　臺北　新文豐出版公司
- 大正新修法寶總目錄　大藏經刊行會編　臺北　新文豐出版公司　3冊　1983年
- 宋版磧砂明版嘉興大藏經分冊目錄・分類目錄・總索引　新文豐編輯部編　臺北　新文豐出版公司　1988年
- 卍正藏經總目錄　藏經書院編纂　臺北　新文豐出版公司
- 新編卍續藏經總目錄目錄索引　新文豐編審部編　臺北　新文豐出版公司　1983年再版
- 敦煌大藏經第六十四冊：總目錄　中國星星出版公司敦煌大藏經編輯委員會編輯　臺北　前景出版社
- 中華大藏經第零輯：目錄　修訂中華大藏經會編輯　臺北　修訂中華大藏經會
- 大藏經補編總目索引　藍吉富主編　臺北　華宇出版社　1986年

由於各經藏編修及收錄的內容不同，因此讀者在閱讀使用時，常會發現，重要的經典幾乎在各藏中皆會出現；同時又有在眾多經藏目錄中，檢索一經所在的困擾。關於這些問題，可以參考蔡運辰著的《二十五種藏經目錄對照考釋》及《中華大藏經三十一種藏經目錄對照表解初稿》二書。此外，香光尼眾佛學圖書館建置了「經藏目錄整合查詢系統」，該系統收錄了十一種版本

的藏經目錄。使用者可以透過各版本藏經目錄整合查詢，以掌握
一經在各版本藏經的收錄情況。

(三)經藏提要

除了經藏目錄之外，經藏提要也是檢索佛教書目的極佳工
具。研究者同時可藉由這些提要，對該經藏獲得初步的瞭解。目
前學界較常使用的提要有：

· 閱藏知津　（明）智旭著　北京　線裝書局　2001年

收入《佛教大藏經》第一百一十三冊、《嘉興藏》第三十一至三十二
冊。凡四十八卷，將《大藏經》中所收錄的經典歸納分類，並對每部經典
作扼要的解說。作者學識淵博，提要內容精確，為學界常用之參考書籍。

· 中國佛教史籍概論　陳垣著　臺北　文史哲出版社　1981年

全書計五卷，收入三十五部經典。是書雖然卷數不多，但作者考察詳
實，相當具有參考價值。

· 大藏會閱　會性著　臺北　天華出版事業公司　4冊　1978
年

收集東漢至民國間之佛典著述，作分類及提要簡介。此錄目前為收書
最多、最豐富的經藏解題之作。

除了這些以書籍型態呈現的書目提要外，香光尼眾佛學圖書
館亦建構了「佛書解題資料庫檢索系統」，提供佛書解題的線上
檢索，亦是極佳的應用工具。

(四)僧傳資料

中國歷代皆有僧傳的編纂，學者可以透過這些記錄，獲得相
關的訊息。中國歷代的僧錄、燈錄數量相當多，較重要的有：

· 高僧傳　（梁）慧皎著　收入《大正藏》第50冊

凡十四卷，全書收錄東漢至梁間高僧的傳記，加上旁出附見者，共收有五百人。本書所採用的資料相當豐富，為我國初期佛教史最可信賴之史料。

· 續高僧傳　（唐）道宣著　收入《大正藏》第50冊

凡三十卷，為銜接梁《高僧傳》之作，止於唐貞觀十九年，計本傳四百一十四人，附傳二百零一人。是書編纂於南北朝統一後，對北朝佛教之狀況多有補錄，為研究北方佛教的重要資料。

· 宋高僧傳　（宋）贊寧著　收入《大正藏》第50冊

凡三十卷，繼《續高僧傳》之作，輯錄唐貞觀至宋太宗元年間的僧侶資料，原書實收正傳五百三十一人，附見一百二十五人。本書最大的特色在於收錄了不少碑銘與野史之類的史料。

· 大明高僧傳　（明）如惺著　收入《大正藏》第50冊

凡八卷，收錄南宋初至明萬曆年間之高僧事蹟，共計收正傳一百三十八人，附傳七十一人。

· 新續高僧傳四集　喻謙等編著　臺北　華宇出版社　1986年

凡六十五卷，係續《宋高僧傳》而作，輯錄北宋至民國初年間之僧侶事蹟，共計收七百八十八傳。本書之編纂，雖不免有蕪雜與缺漏之嫌，但其資料蒐羅廣泛，仍相當具有參考價值。

· 景德傳燈錄　（宋）道原著　收入《大正藏》第51冊

凡三十卷，本書集錄過去七佛，及歷代禪宗諸祖，共一千七百零一人之傳燈法系，內容包括行狀、機緣等，為研究我國禪宗史之根本史料。

　關於中國的僧傳資料，日僧堯恕編有《僧傳排韻》一百零八卷，為《高僧傳》等四十八種僧傳之索引，是檢索僧傳資料非常方便的工具書。此外，在《景德傳燈錄》之後，禪宗為了確保其法脈傳承的純正性，編輯了相當數量的燈錄，如《五燈會元》、《五燈嚴統》、《續傳燈錄》、《黔南會燈錄》等。這些燈錄大多

收於《嘉興藏》與《卍續藏》中，研究者可以依需要參考使用。再者，關於佛教人物的傳記，並不僅限於僧傳與燈錄，其他存在於各種史料中的相關傳記，也是研究者不可疏忽的參考資料。

(五)佛寺志

在歷代所修撰的佛寺志中，不僅有寺院發展的紀錄，同時也有相關僧侶資料的記載，是佛學研究不可忽視的珍貴史料。然而佛寺志的資料多散見各處，收集實屬不易。所幸近來有彙編資料的出現，為研究者提供了極大的方便。學者常用的佛寺志有：

- 中國佛寺志彙刊（第一輯）　不著編輯者　臺北　明文書局　50 冊　1980 年
- 中國佛寺志彙刊（第二輯）　杜潔祥主編　臺北　明文書局　30 冊　1980 年
- 中國佛寺志彙刊（第三輯）　杜潔祥主編　臺北　丹青出版社　30 冊　1985 年
- 中國佛寺志叢刊　白化文等主編　揚州　江蘇廣陵古籍刻印社　120 冊　1996 年

大抵而言，目前能見的佛寺志資料，多已收入《彙刊》與《叢刊》之中，《彙刊》與《叢刊》分別由臺灣與大陸出版，資料有重複也有相異者，可相互參考使用。除了佛寺志之外，在各地的方志中也有相關於寺院資料的記載，研究者亦可多加利用。

(六)史籍目錄

對於史籍資料的運用，除了人物傳記與方志資料外，研究者還可以利用史書中的《經籍志・佛經》、《藝文志・釋家類》查詢佛典的收入情形。較綜合性、且常為學界所使用的目錄有：

- 藝文志二十種綜合引得　哈佛燕京學術社引得處纂編　臺北　成文書局　1965年
- 中國歷代藝文總志　國立中央圖書館特藏組　國立中央圖書館　1984—1986年
- 中國古籍善本書目　中國古籍善本書目編輯委員彙編　上海　上海古籍出版社　1986年
- 古今圖書集成　（清）陳夢雷等編　臺北　鼎文書局　1985年

　　《古今圖書集成》，其中有一子項〈釋教部〉，是專門針對佛家書籍的考證，佛學研究者可以特別的留意。

　　此外，在《卍續藏》第一百三十三冊中，亦獨立收有《古今圖書集成・釋教部彙考》。除了綜合目錄外，學者也可以依需要檢索當代的史籍資料，以及相關的私人藏書目錄。此外，中央研究院網站的漢籍電子文獻中掛有二十五史全文資料庫，可供線上閱讀與檢索。

(七)學位論文

　　收集完整的相關文獻是碩博士論文寫作的基礎，因此學位論文前言部分的「文獻探討」或是附錄中的「參考書目」，都具有相當的參考價值。利用碩博士論文完整的書目資訊，進行再蒐集與更新，不僅能收集到很完整的資料，同時也能節省許多摸索找尋的時間。

　　目前國內的學術論文電子資料庫，有「中華博碩士論文摘要」（1956—1998）、「博士論文全文資料庫」（1995—1998）、「博碩士論文資訊網」（1984—）等，這些資料庫都可由各大學或國家圖書館連上。此外，針對佛學學位論文的檢索系統，則有香光尼

眾佛學院的「佛教相關博碩士論文提要檢索系統」。此系統收錄
臺灣、香港地區（1963—2000）各大學以佛教相關研究為主題的
博碩士論文。讀者除了可以透過香光資訊網連結外，亦可透過該
圖書館所出版的「佛教相關博碩士論文提要彙編（1963—2000）」
一書進行檢索。

此外，近來出版的學術論著也多附有參考書目，亦不失為檢
索相關主題書目的好方法。

㈧期刊論文

關於佛學期刊論文的檢索，現在的學者多透過網路系統進行
搜尋。然而網路資料庫的收集，乃是針對近年的期刊論文而建
立，例如：國家圖書館的期刊檢索系統，即僅收入民國八十年以
後之論文。因此對於較早期資料的收集，還是必須透過一般目錄
的檢索，方能獲得相關的資訊。以下列舉主要佛學研究的期刊論
文索引目錄，提供使用者作為參考：

・中華民國六十年來佛教論文目錄　中國佛教會文獻委員會編
　輯部編輯　臺北　該會印行　1975年

本目錄收錄民國初年至六十年之論文，共一萬五千七百多篇，期刊種
類將近四百種。

・二十年來佛教經書論文索引　佛教文化研究所主編　臺北
　中華學術院佛教文化研究所　1972年

是書收錄民國四十年至六十年間之相關資料，除了論文之外，尚有佛
教相關經典、圖書等。

此外，如國立中央圖書館於民國五十九年所編的《中國近二
十年文史哲論文分類索引》之類的綜合性期刊索引，也是很重要
的檢索工具書。

(九)辭典與百科全書

　　對於初入門的研究者而言，辭典與百科全書，乃是極方便的
工具。研究者可以透過百科全書或辭典的查詢，得到最初步的資
料，減少摸索的時間。以下提供目前學界較常使用的辭典與百科
全書書目：

・佛光大辭典　釋慈怡主編　高雄縣　佛光出版社　1988年

　　本書共計四冊，範圍涉及佛教各層面。本辭典解說詳盡，各條目引用
經典皆有註明出處，並有參照條目的舉例；部分詞條之解說，並附有相關
圖文，以補充文字說明之不足。

・佛教思想大辭典　吳汝鈞編著　臺北　臺灣商務印書館
　1992年

　　本書針對佛教思想性、哲學性的條目有特別詳盡的解說，至於其他則
較簡略。

・中華佛教百科全書　藍吉富主編　臺南縣　中華佛教百科文
　獻基金會　10冊　1994年

　　本書共計有十大巨冊，內容涵蓋佛教各個領域，並附有索引及附錄，
為近年來最大、最完整的佛教百科全書。

　　透過辭典與百科全書所查得的資訊，雖非一手資料，但研究
者可透過此門徑再作進一步的檢索與研究。對於初學者或不熟悉
相關主題的研究而言，辭典與百科全書提供了最快速、便捷的入
門途徑。

(十)媒體資訊

　　近年來由於網路科技的發達，以及緇白衣諸眾的發心，許多
佛學網站紛紛設立。除了前文中所提到香光尼眾佛學圖書館的

「佛教相關博碩士論文提要檢索系統」(http://www.gaya.org.tw/library/thesis/index.asp)、「經藏目錄整合查詢系統」(http://www.gaya.org.tw/library/aspdata/search/search.htm),以及「佛書解題資料庫檢索系統」(http://www.gaya.org.tw/library/title/index.asp)外,以下再分類介紹幾個較常為學界所使用的佛學網站與媒體:

1.電子化佛典——提供佛經的線上閱讀、下載、搜尋,可節省大量翻閱佛典的時間。

(1)佛學數位圖書館暨博物館

http://ccbs.ntu.edu.tw/DBLM/index.htm

(2)臺灣大學佛學研究中心佛教經典系列

http://hghten.virtualave.net/cgi-bin/mnpds2/mnpds2.cgi

(3)佛經藏經閣

http://hghten.virtualave.net/cgi-bin/mnpds2/mnpds.cgi

此外,尚有些提供巴利文、藏文、蒙文、日文等其他語文的電子佛典網站,研究者可依需求,利用入口網站進行相關的連結。

2.佛學論文索引——提供佛學研究論著期刊、書目的檢索

(1)臺大佛學研究中心佛學資料庫

http://ccbs.ntu.edu.tw/search/srch.htm

針對佛學期刊、書目的檢索系統。

(2)香光尼眾佛學圖書館佛教圖書館館藏聯合目錄

http://www.gaya.org.tw/library/lib_join/index.asp

為臺灣八個佛教圖書館的館藏聯合目錄。

(3)香光尼眾佛學圖書館臺灣地區佛教圖書館現藏佛學相關期刊聯合目錄查詢系統

http://www.gaya.org.tw/library/database/lib_journal.htm

提供臺灣地區佛學研究期刊論文的檢索。

除了透過佛學期刊論文的專門網站外，研究者當然也不能忽略「國家圖書館遠距圖書服務系統」（http://readopac.ncl.edu.tw/），這個提供綜合性的全國書目、期刊、碩博士論文檢索網站。

3.其他佛學資源──包括學術運用相關網站，以及光碟資料

(1)財團法人印順文教基金會

http://www.yinshun.org.tw/firstpage.htm

除了提供教界相關消息外，線上並有印順法師著作全文的電子資料庫，可供研究者作線上的閱讀、查詢。

(2)臺大佛學中心佛學工具

http://ccbs.ntu.edu.tw/RESOURCE/Reference.htm#Chinese

提供佛學研究工具的下載，如丁福保編《佛學大辭典》、陳易孝編《佛學常見詞彙》、普潤法雲編《翻譯名義集》，以及《佛教用語漢英辭典》、《藏傳佛教名相字典》等辭典的下載使用。

(3)香光尼眾佛學圖書館佛教經典主題詞全文檢索資料

http://www.gaya.org.tw/library/thesaurus1/index.htm

提供線上經典主題詞查詢，並可直接閱讀相關的經文。

(4)佛光大辭典光碟版，為目前學術界第一片中文佛學辭典之光碟片，由佛光山文化事業有限公司出版。除了提供多種方式的名相檢索之外，還具備文書編輯的功能，使用上相當的方便。

(5)ZenBase CD1日本京都花園大學國際禪學研究所製作，為有關禪學原典、文獻書目、註釋、翻譯等相關資料的檢索。此光碟之索取，可上網參考索取說明，網址為：

http://www.iijnet.or.jp/iriz/irizhtml/irizhome.htm。

三、結語

　　以上提供佛學資料檢索的幾個基礎方法，希望對於有志從事佛學研究者能有所助益。由於佛學與中國文化關係密切，因此研究者除了就佛學領域收集資料外，其他相關領域資料的檢尋，也不能忽略的。

　　再者，佛教是世界性的宗教，佛學的研究亦是國際性的。因此佛學的研究，除了中文外，尚有藏文、巴利文、梵文、日文、韓文、英文、德文等其他語言的經典與研究論作。故研究者若要對相關主體有較深廣的瞭解，對於國外的經典與研究成果，也應該要有一定程度的掌握才是。

歷史紀年的檢索與利用

陳蕙文
中興大學中國文學系碩士生

　　查找歷史紀年的方法，主要使用年表，而年表著作又可分為兩類，一是「年表」，二為「大事年表」。年表是用來查找歷史年代和紀元，或是用以確認歷史上各種曆法相對應的年表，如中西曆對照、中外年表對照等。大事年表則是將歷史重要事件的發生和發展過程，依照年代先後擇要地記載下來，以便研究者檢查史實的年表。一部適用的對照年表或大事年表，應該具備以簡馭繁的特點，年代精確、史實扼要，讓研究者能在最短時間內解惑除難。

　　由於古今曆法不同，中外曆日不一，除了各種曆法的對照之外，有時還需月日的對照，始能換算曆法曆日，此時就需要像曆表之類的工具書。本文就以「年表」、「大事年表」和「曆表」為類，簡介數種常用的工具書。

一、年表

・東方年表　藤島達朗、野上俊靜編　京都　平樂寺書店 1955年1月
　　為求使用者攜帶方便，本冊特以掌中小書形式發行。年表序以西元紀年、干支、中國帝王年號、朝鮮年號、日本天皇年號和日本紀年，表格起

自西元前六六〇年日本神武天皇元年，至西元二〇〇〇年。書後附有〈帝王歷代一覽〉、〈年號索引〉和〈干支表〉。

‧中國歷史紀年表　萬國鼎編，萬斯年、陳夢家補訂　北京　中華書局　1978年11月

原名是《中西對照歷史紀年圖表》，一九五六年經萬斯年、陳夢家修訂，更名為《中國歷史紀年表》，重新出版。全書分上下兩編，上編為〈歷史年代總表〉插頁和〈公元甲子紀年表〉，時間斷限為公元前八四一年至公元一九四九年，記載公曆與中曆對照、干支紀年、朝代國號、帝王年號等；下編先將〈夏、商、周年代簡表〉至〈十國年表〉另列分述，〈中日對照年表〉並列日本紀年與中國歷史紀年。最後的〈公元甲子檢查表〉是公元與干支紀年的推算表，分成甲乙二表，各自掌管公元前與公元後的甲子檢查。

‧中國歷史紀年表　華世出版社編訂　臺北　華世出版社　1978年1月

全書共分為〈夏世系表〉、〈商世系表〉和〈周世系表〉（共和以前），而西周共和以後的中國歷史紀年表則分成十四個，從十二諸侯至清紀年表，其中的〈戰國紀年表〉附有〈周代諸侯興亡表〉、〈晉及十六國紀年表〉附有〈十六國興亡表〉、〈五代十國紀年表〉附有〈五代十國興亡表〉。

‧中國歷史紀年表　方詩銘編　上海　上海辭書出版社　1980年5月

本表首欄先列公曆紀年、次為干支紀年，最後一欄是王朝，王朝之下會列有歷史上重要的分裂割據的年號、少數民族或農民起義的政權年號。依時代先後，分成十五個紀年表，最後附錄有〈三代世系表〉、〈辛亥革命期間所用黃帝紀年對照表〉和〈韻目代日表〉。

‧五千年中國歷代世系表　臺灣學生書局編輯部編　臺北　臺灣學生書局　1983年3月

世系表分正表和附表兩類：正表起自神農元年，終於民國八十九年，共五千二百十八年，附表十四種如下：〈周秦之際七國表〉、〈楚漢之際表〉、〈兩漢之際諸國表〉、〈漢末三國表〉、〈晉宋十六國南北朝表一〉、〈晉宋十六國南北朝表二〉、〈隋唐之際諸國表一〉、〈隋唐之際諸國表二〉、〈五代十國表一〉、〈五代十國表二〉、〈五代兩宋遼夏金元表〉、〈元明之際諸國表〉、〈明清之際表〉和〈太平天國表〉。

・**中國歷史年代簡表**　文物出版社編輯部編　香港　三聯書店
　2002年

　全書內容分成「年代簡表」和「年號通檢」，年代簡表是以世界通用的公元紀年對照中國歷史紀年，按朝代先後列出帝王稱號、姓名、干支和年號，從距今一百七十萬年前的舊石器時代，到一九一一年的清朝覆滅。年號通檢則將歷代年號按筆畫編成索引，便於讀者利用，最後附有「夏商周年表」。

・**中日朝三國歷史紀年表**　徐紅嵐編　瀋陽　遼寧教育出版社
　1998年4月

　中國年表起於公元前八四一年西周共和元年，日本起於公元前六六〇年神武天皇元年，而朝鮮起於公元前二〇六年箕准王元年。分為帝王紀年、民國紀年、特殊紀年三部，特殊紀年有黃帝紀年、太歲紀年和孔子紀年。附錄有〈韻目代日表〉、〈四季別稱對照表〉、〈陰曆月份別稱對照表〉、〈特殊記日〉和年號索引。

・**中日韓對照年表**　藤島達朗、野上俊靜編　臺北　文史哲出
　版社　1983年11月
・**琉球・中國・日本・朝鮮年代對照表**　沖繩縣文化振興會公
　文書館管理部編集發行　1997年3月

二、大事年表

　　透過清晰的大事年表，有助於了解歷史事件的發展過程和相互關係，並從中尋得歷史線索與規律。大事年表又可細分為一般性和專科性，一般性中以通代和斷代歷史大事年表為主；專科性則是分門別類，具備專門性質或某一學科的年表，如文化、文學、哲學、美術、建築、宗教或個人年表等等。

㈠一般性

・中國歷史大事年表　華世出版社編　臺北　華世出版社
　1986年

　　起自遠古時代的黃帝，終於清朝滅亡。書中年代以西元為序，再列各朝帝王年號，事件的記載上偏重於生產技術的改進、經濟政治的改革、科學技術的發明和民變。內容大致參照翦伯贊、齊思和所編的《中外歷史年表》的中國史部分，配合各家年表，最後查考《古今圖書集成》、歷代通鑑和正史等史料，所以每條大事後都會標明文獻出處。

・中國歷史年表　郭衣洞（柏楊）編　臺北　星光出版社
　1984年1月五版

　　以世紀為單元，將歷代王朝、國號、干支、年號列於西元紀年之下。全書分上下二篇，上篇為「紀元前年表」，內容有神話時代、傳說時代、半信史時代和信史時代；下篇為「紀年後年表」，從西元一世紀的西漢開始直至二十世紀的中華民國。每個公元年代著錄的條目中，包含干支、國號王朝、紀元和國內外大事等。

・中國歷代各族紀年表　陸峻嶺、林幹編　臺北　木鐸出版社
　1982年12月

　　一般年表多輯錄中央王朝，本書特別囊括先秦列國、少數邊疆民族等地方性政權，如匈奴、鮮卑、突厥、柔然、回鶻等等，只要首領世系分明、年代可考，便可輯錄。自夏商周起至民國三十八年，以公元和干支並列，並扼要說明其紀年中各族主要之政權活動。

　　‧中國歷史大事編年　張習孔、田珏主編　北京　北京出版社
　　1987年3月

　　全書敘述時間起於原始社會的元謀人，直到中華民國七年（1918）為止，共分五卷：遠古至東漢、隋唐、五代十國宋遼夏金、元明、清至民國。以編年體為主，兼採紀事本末，如遇重大的歷史事件，則自立標題以敘其要，便於歷史本身脈絡的清晰。

　　‧中國歷史大事年表（古代史卷）　沈起煒編　上海　上海辭
　　書出版社　1983年
　　‧中國歷史大事年表（近代卷）　沈渭濱編　上海　上海辭書
　　出版社　1999年
　　‧中國歷史大事年表（現代卷）　唐培吉編　上海　上海辭書
　　出版社　1997年

　　本年表共分古代、近代、現代三卷，古代史卷敘遠古至清道光十九年（1839），近代卷是晚清至民國初期部分，現代卷則從一九一九的五四運動到一九九四年。兼採編年體和紀事本末體之長，全書按年、月、日作歷史編年，一年之中則採紀事本末，史事自為起迄。附有人名索引。

　　‧清史年表　何布超編　臺北　華聯出版社　1966年2月

　　年表起自嘉靖己未之清太祖誕生，迄於宣統辛亥之民國成立，共三百五十三年。書中載錄大事多半取材自蔣良驥《東華錄》、王先謙《東華錄》和趙爾巽《清史稿》等史料，以《清史列傳》或眾家相關史籍年譜補正，按年月日來鋪排史事。

　　‧中國近代大事年表　近代中國出版社編輯出版　1982年6月

再版

本書記錄一八六六年至一九八一年的中國近代大事,民國以前沿用陰曆加註陽曆,民國以後便一律採用陽曆,表格中以明確的月日排列,上列國內發生之大事,下附當時國際大事。

‧中日歷史大事年表　凌鳳桐編　哈爾濱　黑龍江教育出版社
　1988年12月

為求中日歷史對照,以公元為首,排序並列中國干支、王朝、帝王年號、中國大事、日本紀元、日本天皇年號和日本大事。中國史上起原始社會的元謀人文化,日本史則始於神武天皇之年,二者皆止於公元一八四〇年。

‧中國大事年表　陳慶麟編　臺北　臺灣商務印書館　1963年
‧中國歷代大事年表　楊遠鳴編著　臺北　集文書局　1982年
‧中國歷史大事年表　馮君實主編　瀋陽　遼寧人民出版社
　1985年

(二)專科性

‧中國文化史年表　虞云國等編著　上海　上海辭書出版社
　1990年11月

上起遠古,下迄一九四九年,以公元紀年為綱,後附朝代年號紀年,若遇分裂時期,則並列鼎立政權的年號紀年。在編年紀事上,對於重要的文化事項和關鍵人物,都繫以相關年月並詳述之。

‧中國文學編年錄　劉德重著　上海　知識出版社　1989年3
　月

上起西元前二十一世紀的先秦時代,下迄西元一九八六年,編錄中國歷代主要文學作家的生平著作,記錄文學發展史上關鍵的文學現象、文學史實、各類文體和文壇活動等等。在作家作品的取捨方面,則主要是以漢

民族文學和作家文學為主，現代文學部分則以大陸作家文學為重，書後附有主要參考書目及索引。

- 中國文學史大事年表　吳文治著　合肥　黃山書社　1987年
12月

從春秋戰國（公元前770年）開始，截至民初的五四運動（1919年），將文學史上的重要活動，以年月日編製，按歷史朝代共分十八章、上下兩冊出版。內容分成「時事紀要」和「文學史事」二欄，前者略述當時的社會環境和政治背景，後者則提供個別文學家生平著作，以及文壇重要活動、文學交流或軼事。

- 中外文學年表　劉孝嚴、張立國主編　長春　吉林教育出版
社　1994年12月

本書特色為「以時間為線索，以史事為背景，以文化為陪襯，以文學為中心」，彙集表、傳、史為一體，以求古今中外、兼容並蓄。正文敘述以年表為主，紀元以公元為準，條目以「先中國後外國」編排。中國部分標示歷代帝號紀年，外國則按洲列國，次序為亞洲、歐洲、澳洲、非洲、美洲。

- 中古文學繫年　陸侃如著　北京　人民文學出版社　1998年
7月

本書是作者耗費十年心血而成，收錄自公元前五三年揚雄出生，至公元三五一年盧諶去世，共一百五十二位文學家。以篤實的樸學精神，考定中古文人生平行事和著述，以年為綱，以人為目，援引書籍加以徵驗，是一部資料豐富、參考價值極高的工具書。

- 中國學術界大事記（1919-1985）　王亞夫、章恒忠主編
上海　上海社會科學院出版社　1988年
- 中國近代文學史編年　鄭方澤編　長春　吉林人民出版社
1983年

- 中國古代文學家年表　姚奠中編　太原　山西人民出版社
  1979年
- 中國目錄學年表　姚名達著　臺北　臺灣商務印書館　1967
  年
- 漢晉學術編年　劉汝霖著　臺北　長安出版社　1979年
- 東晉南北朝學術編年　劉汝霖著　臺北　長安出版社　1979
  年
- 建安文學編年史　劉知漸編著　重慶　重慶出版社　1985年
- 天寶文學編年史　熊篤編著　長春　吉林人民出版社　1987
  年
- 明清江蘇文人年表　張慧劍編著　上海　上海古籍出版社
  1986年
- 日本漢學年表　斯文會編　東京　大修館書店　1977年
- 日本儒學年表　斯文會編　東京　飯塚書房　1976年
- 臺灣文學年表（1662—1945）　廖漢臣編　臺灣文獻　第15
  卷第1期　頁245-290　1964年3月
- 臺灣文學史年表　林瑞明編　葉石濤《臺灣文學史綱》附錄
  高雄　春暉出版社　1993年

三、曆表

- 二十史朔閏表　陳垣著　北京　中華書局　1999年7月

　　本書是查考中曆、西曆和回曆換算的重要工具書，也是陳垣《中西回史日曆》的簡編。不同的是，本書以中曆為主，以西曆和回曆為輔。二十史的朝代時間起於漢高祖元年，漢平帝元始元年加入西曆，唐高祖武德元年時回曆並行，年表本止於一九四〇年，但一九六二年時編者又擴編至公

元兩千年。

• 中國近代史曆表　榮孟源編　北京　三聯書店　1953年10月

　　為提供中國近代史之研究，以一八三〇年鴉片戰爭的歷史淵源為始，直至一九四九年九月三十日。一表一年，標示公曆、中曆年次和干支紀年，節氣附於干支之下。最後附錄有〈太平天國曆簡表〉、〈五千年間星期檢查表〉和〈韻目代日表〉。

• 中國年曆簡譜　董作賓著　臺北　藝文印書館　1974年2月

　　本書是根據作者於一九六〇年香港大學出版社所出版之《中國年曆總譜》改編而成。內容分成「年世譜」和「年曆譜」兩類，年世譜記載上起黃帝至盤庚共一二九〇年，有年世而無曆。年曆譜則從盤庚遷殷至民國八十九年共三三八四年，年、世、曆都有。

• 簡明活用萬年曆　劉長魁著　臺北　藝文印書館　1979年10月

　　書名為活用萬年曆，適用範圍由古至今，歷久不變。分成三部：現行日曆、中西史日對照、中西曆日對照。將中國舊曆之陰曆月日、干支，聯合西曆之陽曆月日，化為史日合一對照，以除古今中西之隔閡。

• 兩千年中西曆對照表　薛仲三、歐陽頤編　臺北　華世出版社　1977年

　　本書可從已知的陰曆日期推算其陽曆日期，也可從已知的陽曆日期來推算其陰曆日期，或依引言中的方法按圖索驥，便可檢查出某月某日的星期和干支。全書共四百頁，包括陰曆兩千整年。附錄有歷朝朔閏表，陳垣、黃伯祿二書異點考校表，歷代帝系表，歷代年號筆畫索引，二十四節氣在陽曆上的約期表及六十花甲敘數表。

• 近世中西史日對照表　鄭鶴聲編　臺北　臺灣商務印書館　1978年5月臺四版

　　本書作者以西元一五一六年葡萄牙人揚船來華，為中國近世史之發

端，終於民國三十年，共四百二十六年。此對照表採一年二頁，一頁六格，分列陽曆、陰曆、星期和干支四種分述，並附節氣於干支中說明。最後附錄有〈中外年號紀元對照表〉和〈太平新曆與陰陽曆史日對照表〉，便於查考。

· 中國史曆日和中西曆日對照表　方詩銘、方小芬編　上海　上海辭書出版社　1987年12月

　　上下編以公元為分界，上編起於西周共和元年，至西漢哀帝元壽二年；下編起於西漢平帝元始元年，至中華民國三十八年。附編列有《1949—2000年曆日表》，最後附有「年號索引」。

· 公元干支推算表　湯有恩編　北京　文物出版社　1961年

　　查找歷史紀年，可從以上的年表、大事年表和曆表入手，但若遇到年號繁瑣的困擾，可先查對汪宏聲所編的《中國歷代年號索引》（臺北：文海出版社，1972年9月），書中含括中國自漢武帝建元以迄清末宣統、他族列國，凡是立有年號者都蒐羅殆盡，檢索方式以由年號入查君主年代、或朝代君主入查年號皆可。另外，中央研究院為解決中西曆轉換所造成的不便，特別研發一套「兩千年中西曆轉換工具」（http://www.sinica.edu.tw/~tdbproj/sinocal/luso.html），置於中央研究院圖書館服務的網站上，使用者進入「院內特藏資源」的網頁即可發現，點選其中選項後便顯示所需曆表。

人物傳記資料的檢索與利用

蕭開元

東吳大學中國文學系碩士

一、前言

　　人物傳記，指的是一個人一生的紀錄，也就是說，一個人活在這個世界上所有的活動情形，經過一番整理，並透過文字的記載及敘述之後，呈現在讀者的面前。人物傳記是研究資料中重要的一環，通過人物傳記，不但可以幫助研究者瞭解人物本身的性格、活動情形之外，甚至作更深入的研究時，也可以幫助我們釐清某些歷史的真相，因為歷史的記載並非面面俱到，人物傳記中的內容有時可以補充史料不足的地方。因此檢索人物傳記，在功用上不僅單純地記敘人物本身的活動，有時也有可能成為其他學科研究的資料。所以我們在運用人物傳記當作研究資料的時候，應該要有更深一層的體認，這樣我們才可以在研究的觸角上多所延伸。

二、為何要編纂人物傳記工具書

　　想要從事研究工作的人，通常都會面臨到一個問題，就是典籍浩繁，難以在有效的時間內掌握到所想要的資料。所以有時在

這樣困難的情形下，一個人一生也難以有幾部著作可以流傳後世。因此，如果有人願意編輯各類型適合研究者使用的工具書，這樣不但可以使研究者在極短的時間內獲得想要的資料，同時也可以提昇某學科的研究風氣。編纂人物傳記，也是基於這樣的因素而產生。因為歷史上的人物為數不少，如果我們可以分門別類、依其性質，將若干的人物傳記合為一冊，這樣不但方便了自己的研究，也提供了其他相關研究者的便利性，如此一來，人物傳記的編纂，也就發揮了研究資料上的功效。另外，在事實上，人物傳記最直接可靠的資料，就是人物自己所撰寫的日記或回憶錄，其次是後人所編撰的年譜、年表，但無論是日記、回憶錄、年譜或年表，除非是人物本身短壽，否則翻閱起來，也需要花費一番功夫，才可以瞭解其人。因此，如果不是要對人物作深入研究的話，將若干人物一生重要的紀錄彙整起來，再依其性質或研究需要合編為一冊，這樣也可以讓我們大概瞭解其人其事。所以，編纂人物傳記，在研究資料的運用上，的確有它的意義和功用存在。

三、編纂人物傳記工具書的方式及形式

我們通常在使用工具書的時候，多是根據「書名」來給我們資訊，如果這本工具書找不到我們想要找的資料，就會再找另外一本書名相似或相近的工具書，如此反覆地尋找下去。但是，如果我們可以先掌握工具書編纂的方式，也許就可以省去許多不必要的時間，直接找到想要找的資料。所以，當我們在使用工具書的時候，書前的「編輯說明」或「編輯凡例」，就是這本工具書的編輯方式。以人物傳記而言，內容通常在說明編輯的體例、收

錄的時代或範圍、收錄或選錄人物的標準等。以形式而言，以
「索引」、「辭典」為最多，其次則是「合傳」、「年譜」、「年表」
的形式。「索引」通常匯集人名條目，使我們可以翻檢原典上出
現的人名，或是提供人物傳記的原典出處，使我們直接閱讀原典
的相關記載；「辭典」可以直接查閱人名，並提供概略式的傳
記；「合傳」的人物傳記內容則較「辭典」詳盡，但收錄的人物
數量不如「辭典」多，而收錄的人物限制也比較嚴格；「年
譜」、「年表」則多是提供人物生卒年的資訊，或是考證人物活
動的時間及紀錄。明瞭了人物傳記工具書的編纂方式及形式之
後，對於我們在檢索人物傳記的資料上，的確有相當大的助益。

四、可利用的人物傳記工具書

下面，筆者根據上述人物傳記工具書編纂的方式及形式，以
朝代作區分，將可利用的人物傳記工具書列舉如下：

(一)通代

1. 索引

・廿四史專目引得　梁啓雄編　上海　中華書局　1936年；臺
　北　臺灣中華書局　1980年
・二十四史紀傳人名索引　張忱石、吳樹平編　北京　中華書
　局　1980年；臺北　宏業書局　1981年
・二十五史人名索引　二十五史編纂執行委員會編　上海　開
　明書店　1935年；臺北　臺灣開明書店　1961年
・二十五史紀傳人名索引　上海古籍出版社、上海書店編　上
　海　上海古籍出版社、上海書店　1990年

· 藏書紀事詩引得　蔡金重編　北平　哈佛燕京學社引得編纂
處　1937年

2. **辭典**

· 中國人名大辭典　臧勵龢編　上海　商務印書館　1921年；
臺北　臺灣商務印書館　1977年

· 中國歷代名人辭典　南京大學歷史系中國歷代名人辭典編寫
組編　南昌　江西人民出版社　1982年

· 中國歷史人物辭典　吳海林、李延沛編　哈爾濱　黑龍江人
民出版社　1983年

· 中國文學家大辭典　譚正璧編　上海　光明書局　1934年；
上海　上海書店　1981年

· 中國文學家辭典　北京語言學院中國文學家辭典編委會編
成都　四川人民出版社

古代第一分冊（先秦－隋）　1980年

古代第二分冊（唐代）　1983年

現代第一分冊　1979年

現代第二分冊　1982年

· 中國音樂舞蹈戲曲人名辭典　曹惆生編　上海　商務印書館
1959年

· 中國美術家人名辭典　俞劍華編　上海　上海人民美術出版
社　1981年

· 中國語文學家辭典　陳高春編　鄭州　河南人民出版社
1986年

· *A Biographical & Bibliographical Dictionary of Chinese Authors*
（《中國著作家辭典》）　Charles K.H. Chen（陳澄之）編　東
方學會出版　未著出版項

· 中國哲學人物辭典　谷芳著　太原　書海出版社　1990年
· 中國藏書家辭典　李玉安、陳傳藝編　武漢　湖北教育出版社　1989年

3. 合傳

· 中國藏書家考略　楊立誠、金步瀛合編　杭州　浙江省立圖書館　1929年
· 中國目錄學家傳略　申暢著　鄭州　中州古籍出版社　1987年
· 中國著名目錄學家傳略　李萬健著　北京　書目文獻出版社　1993年

4. 生卒年表、年譜總目

· 歷代名人生卒年表　梁廷燦編　上海　商務印書館　1930年
· 歷代名人年里碑傳綜表　姜亮夫編　臺北　臺灣商務印書館　1965年；臺北　文史哲出版社　1985年2月再版
· 中國歷史人物生卒年表　吳海林、李延沛編　哈爾濱　黑龍江人民出版社　1981年
· 中國歷代名人年譜總目　王德毅編　臺北　華世出版社　1979年
· 中國歷代人物年譜考錄　謝巍編　北京　中華書局　1992年11月
· 中國歷代年譜總錄　楊殿珣編　北京　書目文獻出版社　1980年

5. 別號、筆名

· 古今人物別名索引　陳德芸編　臺北　藝文印書館　1965年；臺北　新文豐出版公司　1978年
· 中國歷代書畫篆刻家字號索引　商承祚、黃華編　北京　人

民美術出版社　1960年；臺北　文史哲出版社　1974年

· 室名別號索引　陳乃乾編　丁寧、何文廣、雷夢水補編　北京　中華書局　1982年

(二)先秦兩漢

1. 索引

· 中國上古人名辭彙及索引　潘英編　臺北　明文書局　1993年9月

· 史記人名索引　鍾華編　北京　中華書局　1977年；臺北　洪氏出版社　1978年

· 漢書人名索引　魏連科編　北京　中華書局　1979年

· 後漢書人名索引　李裕民編　北京　中華書局　1979年

2. 辭典

· 史記人物辭典　張克、黃康白、黃方東編　南寧　廣西人民出版社　1991年5月

· 史記辭典　倉修良主編　濟南　山東教育出版社　1991年6月

(三)魏晉南北朝

1. 索引

· 三國志人名錄　王祖彝編　北京　商務印書館　1956年

· 三國志人名索引　高秀芳、楊濟安編　北京　中華書局　1980年

· 晉書人名索引　張忱石編　北京　中華書局　1977年；臺北　學海出版社　1978年

· 南朝五史人名索引　張忱石編　北京　中華書局　1985年11

月

- 北朝四史人名索引　陳仲安、譚兩宜、趙小鳴編　北京　中華書局　2冊　1988年
- 漢魏叢書人名索引　（日）滕田忠編　京都　中文出版社　1978年
- 華陽國志人名索引　（日）谷口芳男編　東京　國書刊行會　1981年

2. 辭典

- 三國志辭典　張舜徽主編　濟南　山東教育出版社　1992年4月

(四)隋唐五代

1. 索引

- 隋書人名索引　鄧經元編　北京　中華書局　1979年
- 新舊五代史人名索引　張萬起編　上海　上海古籍出版社　1980年
- 唐五代人物傳記資料綜合引得　傅璇琮、張忱石、許逸民編　北京　中華書局　1982年；臺北　文史哲出版社　1993年12月
- 唐五代五十二種筆記小說人名索引　方積六、吳冬秀編　北京　中華書局　1992年

2. 合傳

- 登科記考　（清）徐松著，趙守儼校　北京　中華書局　1984年8月

㈤宋遼金元代

1. 索引

·遼金元傳記三十種綜合引得　哈佛燕京學社編　臺北　成文出版社　1966年

·遼金元人傳記索引　梅原郁、衣川強合編　日本　京都大學人文科學研究所　1972年

·宋史人名索引　俞如雲編　上海　上海古籍出版社　4冊 1992年10月

·四十七種宋代傳記綜合引得　哈佛燕京學社編　臺北　成文出版社　1966年

·宋人傳記資料索引　昌彼得等編　臺北　鼎文書局　6冊 1974-1976年

·宋人傳記資料索引補編　李國玲編　成都　四川大學出版社 3冊　1994年8月

·宋會要輯稿人名索引　王德毅編　臺北　新文豐出版公司 1978年

·宋元方志傳記索引　朱士嘉編　上海　上海古籍出版社 1986年

·遼史人名索引　曾貽芬、崔文印編　北京　中華書局　1982年

·金史人名索引　崔文印編　北京　中華書局　1980年1月

·元史人名索引　姚景安編　北京　中華書局　1982年2月

·元人傳記資料索引　王德毅、李榮村、潘柏澄合編　臺北 新文豐出版公司　1980-1983年

·元朝人名錄（*Repertory of Proper Names in Yuan Literary Sources*）

Igor de Rachewiltz（羅依果）編　臺北　南天書局　1988年7月

2. 辭典

· 宋代名人傳（*Sung Biographies*）　Herbert Franke 主編　臺北　南天書局　1978年

㈥明代

1. 索引

· 明史人名索引　李裕民編　北京　中華書局　1985年5月
· 八十九種明代傳記綜合引得　田繼琮等編　北平　哈佛燕京學社　1935年
· 明人傳記資料索引　國立中央圖書館編　臺北　國立中央圖書館　1965年1月
· 明遺民傳記資料索引　謝正光編　臺北　新文豐出版公司　1990年12月
· 明代傳記叢刊索引　周駿富編　臺北　明文書局　1992年
· 明清進士題名碑錄索引　朱保炯、謝沛霖編　上海　上海古籍出版社　1980年；臺北　文史哲出版社　1982年
· 明代地方志傳記索引（中日現藏三百種）　（日）山根幸夫著　臺北　大化書局　1986年

2. 辭典

· *Dictionary of Ming Biography*（1368-1644）（《明代名人傳》）Luther Carrington Goodrich、房兆楹編　紐約　哥倫比亞大學出版部　1976年

3. 生卒年表

· 明清儒學家著述生卒年表　麥仲貴編　臺北　臺灣學生書局

1977年

㈦清代

1. 索引

· 三十三種清代傳記綜合引得　杜聯喆、房兆楹編　北平　哈佛燕京學社　1932年；臺北　成文出版社　1966年；臺北鼎文書局　1973年

· 清代碑傳文通檢　陳乃乾編　北京　中華書局　1959年

· 清代傳記叢刊索引　周駿富編　臺北　明文書局　1990年

· 明清進士題名碑錄索引　朱保炯、謝沛霖編　上海　上海古籍出版社　1980年；臺北　文史哲出版社　1982年

2. 辭典

· *Eminent Chinese of the Ch'ing Period* (1644-1912)（《清代名人傳略》）　Arthur W. Hummel編　臺北　成文出版社　1956年

· 清代名人傳　恒慕義主編　中國人民大學清史研究所譯　西寧　青海人民出版社　3冊　1990年2月

本書為前書之翻譯本，收錄一八四○年前後至清王朝滅亡的人物。

3. 合傳

· 國朝耆獻類徵初編　李桓編　臺北　文友書店　1966年

· 清代人物傳稿　清史委員會編　上編　北京　中華書局1984年；下編　瀋陽　遼寧人民出版社　1984年9月

本書收錄一八四○年以前的清代人物。

4. 生卒年表、年譜總目

· 明清儒學家著述生卒年表　麥仲貴編　臺北　臺灣學生書局1977年

· 近三百年人物年譜知見錄　來新夏著　上海　上海人民出版

社　1983年4月

5. 別名、筆名

- 清人別名字號索引　王德毅編　臺北　編者自印本　1985年3月
- 清人室名別稱字號索引　楊廷福、楊同甫編　上海　上海古籍出版社　1988年11月

(八)民國

1. 索引

- 中國近代人物傳記資料索引　國立中央圖書館編　臺北　中華叢書編審委員會　1973年
- 辛亥以來人物傳記資料索引　王明根主編　上海　上海辭書出版社　1990年12月
- 民國以來人名字號別名索引　（日）東京大學東洋文化研究所附屬東洋學文獻中心編　東京　編者印行　1977年
- 中國現代文學作家本名筆名索引　周錦編　臺北　成文出版社　1980年

2. 辭典

- *Biographical Dictionary of Republican China*（《民國名人傳記辭典》）　Howard L. Boorman（包華德）主編　紐約　哥倫比亞大學出版社　1967-1979年
- 現代中國人名辭典　（日）霞山會編　外務省亞洲局監修　東京　該會　1982年
- 中國現代史辭典（人物部分）　中國現代史辭典編輯委員會編　臺北　中央文物供應社　1985年6月
- 中國近現代人名大辭典　李盛平主編　北京　中國國際廣播

出版社　1989年4月

· 當代中國社會科學學者大辭典　陳榮富、洪永珊主編　杭州　浙江大學出版社　1990年3月

· 民國人物大辭典　徐友春主編　石家莊　河北人民出版社　1991年5月

· 中國人名大辭典（當代人物卷）　中國人名大辭典編輯部編　上海　上海辭書出版社　1992年12月

· 中國當代文化藝術人名大辭典　劉波主編　北京　國際文化出版社　1993年

· 臺灣文學辭典　徐迺翔主編　成都　四川人民出版社　1989年10月

· 臺灣文學家辭典　王晉民主編　南寧　廣西教育出版社　1991年7月

· 當代臺灣人物辭典　崔之清主編　鄭州　河南人民出版社　1994年

3. 合傳

· 民國百人傳　吳相湘著　臺北　傳記文學出版社　1971年

· 民國人物小傳　劉紹唐主編　臺北　傳記文學出版社　1975-1982年

· 中國當代社會科學家（1-10輯）　北京圖書館文獻叢刊編輯部、吉林省圖書館學會會刊編輯部編　北京　書目文獻出版社　1983-1986年

· 中國現代社會科學家傳略（1-10輯）　晉陽學刊編輯部編　太原　山西人民出版社　1982-1983年

· 中國現代語言學家　中國語言學家編寫組編　石家莊　河北人民出版社　4冊　1981-1985年

- 中國現代六百作家小傳　李立明著　香港　波文書局　1977年
- 日據時代臺灣文學作家小傳　黃武忠編　臺北　時報文化公司　1980年8月
- 臺灣近代名人錄　張炎憲、李筱峰、莊永明編　臺北　自立晚報社　5冊　1987-1990年
- 中華民國當代名人錄　中華民國當代名人錄編輯委員會編　臺北　臺灣中華書局　1979年
- 中華民國現代名人錄　中國名人傳記中心編輯委員會編　臺北　編者印行　1982-1991年

4. 別號、筆名

- 中國近現代人物名號大辭典　陳玉堂編　杭州　浙江古籍出版社　1993年5月
- 二十世紀中國作家筆名錄（增訂版）　朱寶樑編　臺北　漢學研究中心　1989年6月

五、結語

　　編纂人物傳記工具書，是一件時間極長又極辛苦的工作，費神又勞心，而主編者、編纂者或作者，通常都是在這領域研究多年且有成的學者。前輩們願意花精神編工具書，提供研究者許多方便，我們在使用之餘，也要感恩他們所付出的辛勞。然而並不是每一本書都是完美的，也許會出現小部分的疏漏或錯誤，大家在使用的過程中，也要積極求是，多方考證，這樣可以使人物的傳記內容更接近事實的真相，也可以讓人物的傳記資料更為完整。

方志中人物傳記資料的檢索與利用

陳恆嵩

東吳大學中國文學系副教授

一、前言

　　從事學術研究工作者，往往需要新資料以佐證其論述的觀點及見解，尋檢資料來源便成為他們研究時的首要工作。文史學者日常研究所需的資料雖多，但有三種圖書典籍蘊藏最為豐富的資料，為學者平時需要特別掌握注意與經常檢索者，即是：「類書」、「叢書」與「方志」。類書將古籍圖書資料，依照類別予以纂輯，兼收四部典籍，不僅資料內容豐富，編排有條理，讓詩文創作者易於尋檢蒐採，省時省力。叢書則匯聚群籍，蒐殘存佚，刊刻行世，以保存古籍文獻為最大功用。類書與叢書兩種文史資料的重要性，由於受到《古今圖書集成》、《永樂大典》、《四庫全書》等大型套書盛名的影響，加上專家學者的鼓吹提倡，很早就受到學術界的重視與利用。相較之下，方志則很少受到注意與重視。

　　方志就是記載一個地方的建置沿革、地理環境、風俗民情等古今發展情況的文獻資料彙編。其起源雖早至春秋戰國，然而到宋代以前，基本上方志內容所記錄者大都仍是單一事項的事蹟，編纂體例並不完全。體例完備的將當地的地理、歷史、人物、藝

文等文獻資料結合彙為一編，要遲至宋代。宋代以後編纂之方志，內容涵蓋面甚廣，與當地有關的「舉凡輿圖、疆域、山川、名勝、建置、職官、賦稅、物產、鄉里、風俗、人物、方技、金石、藝文、災異，無不彙於一編」。（張國淦《中國古方志考·敘例》）瞿宣穎也在《方志考稿·序》談論方志文獻價值時說：「社會制度之委屈隱微不見於正史者，往往於方志中得見其梗概，一也；前代人物不能登名於正史者，往往於方志中存其姓氏，二也；遺文佚事散在集部者，賴方志然後能以地為綱有所統攝，三也；方志多詳物產、稅額、物價等類事實，可以窺見經濟狀態之變遷，四也；方志多詳建置興廢，可以窺見文化升降之跡，五也；方志多詳族姓之分合、門第之隆衰，往往可與其他史事互證，五也。」此段話具體說出方志蘊蓄史料之豐富，及其在文獻資料方面所具有的特殊價值與功用。由此可知凡是與當地有關的一切文獻資料，均為方志載錄範圍，其材料豐富而翔實，可說是學術研究者重要而豐富的寶藏。

孟子說：「頌其詩，讀其書，不知其人，可乎？是以論其世也。」（《孟子·萬章下》）受孟子說法的影響，學者研究文學家或歷史人物時，一般習慣從其生平經歷討論起。而要蒐集人物的傳記資料，首先想起的資料來源，往往是利用正史中的列傳材料，如要檢查宋代人物就查《宋史》、《宋人傳記資料索引》，元代人物就查《元史》、《元人傳記資料索引》，明代人物就查《明史》、《明代傳記叢刊》（臺北：明文書局，1992年），或者檢索墓誌銘、碑傳集之類的書籍。但正史中記載的人物，常常是一些知名人士，或對社會著有貢獻者。而對於那些屬於地方性的人物，是「不能登名於正史」之中者，檢查正史類文獻很難找到資料。要檢索這些地方性的人物，唯有求助於方志，才有可能會獲

得所需的相關資料。

　　近年來，學術界迭有重視與利用方志文獻資料呼籲。民國七十四年召開《方志學國際研討會》，會中文史學者極力要求學界重視方志中的史料與文學資料。方志中蘊含的資料極為豐富，上自天文，下至地理，兼及社會各層面，無所不包。而載錄人物傳記資料的地方更多，諸如：職官志、宦蹟、牧守、題名、選舉、列傳等等，皆載錄有人物事蹟，學者從事研究工作，如何充分利用方志的人物傳記資料，以期能對學術研究作進一步的貢獻，有必要對其深入了解。

二、檢索方志之目錄

　　想要檢索方志中的傳記資料，首先需要了解可資利用的方志有哪些，及收藏方志的目錄與地點何在，若欲檢索此類工具書，主要約有下列幾種可供翻檢：

・中國地方志綜錄（增訂本）　朱士嘉編　北京　商務印書館　1958年；臺北　新文豐出版公司　1975年11月

　　本目錄著錄大陸四十一個圖書館現存方志七四三一種，全書使用表格形式，每一種皆著錄書名、卷數、纂修人、版本、藏書地等項。

・中國地方志聯合目錄　中國科學院北京天文臺主編　北京　中華書局　1985年11月

　　本目錄收錄大陸圖書館現存方志八二六四種，包括通志、府志、州志、廳志、縣志、鄉土志、里鎮志、衛志、所志、關志、島嶼志等，著錄體例與《中國地方志聯合目錄》相同。

・中國古方志考　張國淦編　北京　中華書局　1962年；臺北　鼎文書局　1974年10月

本目錄收錄自秦漢至元代的地方志，不分存佚，一律收錄。每一種方志均考述其纂修者生平經歷、存佚與纂修經過。

· 中國地方志綜覽（1949—1987）　來新夏主編　合肥　黃山書社　1988年10月

本書主要論述中國大陸編纂方志之大事、成果、理論研究與舊志整理情況，兼述臺灣方志整理及研究動態等。

· 稀見地方志提要　陳光貽編　濟南　齊魯書社　1987年8月

本目錄收錄地方志一一二〇種，大都為稀見的版本，每種方志詳細著錄書名、版本、收藏地，並敘述纂修者的簡要經歷、方志記載的內容和編輯體例等。其中有十幾種臺灣方志。書末附有《古今圖書集成地方志輯目》，輯錄自東漢至清康熙間的地方志約一四三〇種。

· 中華民國臺灣地區公藏方志目錄　王德毅主編，劉靜貞協編　臺北　漢學研究資料及服務中心　1985年3月

本目錄係依照一九五七年編印的《臺灣地區公藏方志聯合目錄》為基礎增編而成。收錄臺灣地區典藏方志四千六百多種，較舊目增加近千種。

· 美國國會圖書館藏中國方志目錄　朱士嘉編　北京　中華書局　1989年9月

本目錄收錄美國國會圖書館收藏的現存中國方志二九三九種。

· 日本見藏稀見中國地方志目錄　崔建英編　北京　書目文獻出版社　1986年9月

本書主要採自日本尊經閣文庫、國會圖書館、內閣文庫、宮內省圖書寮、東洋文庫、日本東方文化學院等單位所收藏的中國方志共一百四十種。

· 中國社會科學院圖書館新方志總目　趙嘉朱主編　長春　吉林文史出版社　2002年3月

本書收錄中國社會科學院圖書館所藏一九四九年十月至二〇〇〇年十

二月出版的新編方志一萬一千餘種。

三、方志中傳記資料之檢索與利用

　　吾人欲檢索方志中的傳記資料，筆者以為主要可利用下列三種方法：

㈠利用工具書檢索

　　現有檢索方志傳記資料的工具書，其編輯體例有按時代編輯的，也有按地區編輯的，茲分別敘述如下：

1. 按時代編輯者

・宋元方志傳記索引　朱士嘉編　上海　上海古籍出版社 1986年11月；臺北　古亭書屋　1957年

　　本書係依據三十三種宋、元方志人物傳記編輯而成，合計收錄的人物有三千九百四十九人。「人物」以外，如職官、選舉、雜錄、拾遺諸門所附傳記一併收錄。

・中國地方志宋代人物資料索引　沈治宏、王蓉貴編　成都 四川辭書出版社　4冊　1997年8月

　　本書根據《宋元方志叢刊》、《天一閣藏明代方志選刊》、《天一閣藏明代方志選刊續編》、《日本藏中國罕見地方志叢刊》等四種方志叢書，共三○二種地方志，收錄宋代人物資料十萬四千條。除有小傳的「人物」類外，其他職官、選舉、流寓、仙釋、雜錄等類中的宋代人物資料也一併收錄。

・日本現存明代地方志傳記索引稿　山根幸夫主編　東京　明代史研究室　1964年

　　本索引收日本現存明代地方志二九九種，除收「人物志」、「列傳」中

之資料條目外，「選舉志」、「職官志」中之條目也全部收錄。人物順序按韋氏（wade）音標排列。

- 中日現藏三百種明代地方志傳記索引　山根幸夫編，王德毅校訂　臺北　大化書局　1986年4月

日人山根幸夫所編《日本現存明代地方志傳記索引稿》，原書依照姓氏的威妥瑪氏漢字羅馬拼音順序排列，本書則將其書改編成依人物姓名筆畫多寡重新排列，並加註方志在臺灣的收藏處所，以方便讀者查閱。

- 天一閣藏明代方志選刊人物資料人名索引　華東師範大學圖書館古籍部編　上海　上海書店　1997年

《天一閣藏明代方志選刊》收錄明代方志一百零七種。本書將天一閣所收藏的明代方志中的人物傳記資料，按照人物姓名筆畫多寡編排，以方便讀者檢閱。

- 方志著錄元明清曲家傳略　趙景深、張增元編　北京　中華書局　1987年
- 宋人傳記資料索引（增訂本）　昌彼得、王德毅、程元敏主編　臺北　鼎文書局　1984年4月；北京　中華書局　1988年3月

本索引主要採用宋元人文集及史傳典籍的資料，此外亦收錄二十八種宋、元方志中的人物傳記，可供檢索宋人傳記資料。

- 宋人傳記資料索引補編　李國玲編纂　成都　四川大學出版社　1984年4月

本書雖係《宋人傳記資料索引》一編的補充，採錄一千多種典籍，收錄範圍涵蓋墓誌、博物館拓片、史書、方志、年譜、題名、書序等，補入一萬四千餘人，但遍觀所補資料來源，泰半係出自方志中的人物傳記資料，可視為方志傳記索引工具書使用。

- 元人傳記資料索引　王德毅、李榮村、潘柏澄編　臺北　新

文豐出版公司　1982年12月；北京　中華書局　1987年9月

本書收錄元人傳記資料，其編纂體例和《宋人傳記資料索引》相同。

2. 按地域編輯者

‧北京天津地方志人物傳記索引　高秀芳等編　北京　北京大
學出版社　1987年

本書按北京、天津兩市現屬各縣，歷代所修不同版本的七十三種方志
編輯而成。全書依地區分編，收錄人物起自上古，下迄清末，除有小傳的
「人物」類外，選舉、雜記、學派、遺聞、金石、藝文等類中人物資料也一
併收錄。

‧廣東地方志傳記索引　潘銘燊編　香港　中文大學出版社
1989年

本書根據廣東省志二種、府志九種，共十一種方志編輯而成，共收人
物一〇二二二人，傳記條目二萬餘篇。

‧東北方志人物傳記資料索引（遼寧卷）　遼寧省圖書館編
瀋陽　遼寧人民出版社　1990年

本書收東北方志中屬於遼寧部分之方志九十三種。除有專傳者外，在
職官、選舉、氏族、藝文、金石、教育、孝子、列女等類有涉及生平、功
績記載資料的條目也一併收錄。每條資料包括：人物姓名、時代、民族、
氏族、別名、字號、封謚、籍貫、生卒、年齡、出處等項，人名則按四角
號碼順序排列。

‧東北方志人物傳記資料索引（吉林卷）　吉林省圖書館主編
長春　吉林文史出版社　1989年

本書收現在東北地區方志中屬於吉林部分之方志二百餘種。體例和
《遼寧卷》相同。

‧東北方志人物傳記資料索引（黑龍江卷）　黑龍江省圖書館
編　哈爾濱　黑龍江人民出版社　1989年

本書收東北方志中屬於黑龍江部分之方志六十三種。體例和《遼寧卷》相同。

· 湖北省志人物志稿　湖北省地方志編纂委員會編　馮天瑜主編　北京　光明日報出版社　1989年

本書收錄一八四○年至一九八五年間逝世的人物，包括在各領域有重大影響的湖北省籍人物，及在湖北省長期居留而有影響的外省和外國人士，約三千七百餘人。全書共分四卷，每卷依照政治、軍事、經濟、科教、文化等領域分類，再以生年為序排列。書末附錄依筆畫編排的「人物索引」。

㈡利用人物之籍貫查閱

方志因係收錄地方的文獻，一般依照其著錄的地區範圍與內容而標題分類，內容編排大都也按行政地名劃分。然古今地名，分合廢置，變動紛歧，後人頗難明瞭。要檢索傳主資料，需先清楚傳記人物的籍貫，再查閱《中國地名大辭典》或日人青山定雄編纂之《讀史方輿紀要索引：中國歷代地名要覽》（臺北：洪氏出版社，1984年1月），查出傳主籍貫所在的古地名，現在屬於那一省、府、州、縣行政區，然後根據目前行政區去查閱漢學研究資料及服務中心編印之《中華民國臺灣地區公藏方志目錄》，即可找到所需要的方志及其收藏地點。為明所言，以下茲舉兩例作說明：

1.明成祖永樂年間編纂《五經、四書、性理大全》作為全國士子科舉考試的範本，當時任職翰林院檢討從仕郎的陳用曾徵召參與編修，事後書前纂修名單雖列名，但陳氏在《明史》中並無傳記資料，想要了解陳用生平經歷，只有從方志中去檢索。我們首先需要知道陳用的籍貫在何處，由於陳用係進士出身，查閱朱

保炯、謝沛霖編纂的《明清進士題名碑錄索引》（上海：上海古籍出版社，1979年10月），知道陳氏是福建莆田人，然後根據籍貫查閱《福建通志》，可見到《福建通志》卷二百十三〈文苑傳〉有：「陳用，字待顯。父觀，字宗仁，幼穎敏，事父母盡孝。母沒，哀毀致疾，歲時祭祀，輒號泣終日，父亦哀其志，不復娶。用，永樂癸未（元年，西元1403）舉鄉試第一，辛卯（九年，西元1411）成進士，選庶吉士。預修《五經、四書、性理大全》諸書，書成，授檢討。宣德間，進修撰，正統初，遷侍講，掌院事二十餘年。父憂歸，卒，無子，時同縣與修書者，用與陳道潛、黃約仲、黃壽生，凡四人。用為人質實醇厚，言動不妄，鄉人後進以義祀於社。」從這段記載，約略清楚陳氏的生平事蹟，可據以補史傳的不足。

　　2.《四庫全書總目》在《易》類存目中著錄《周易訂疑》十五卷一書，《四庫》館臣由於不清楚作者董養性是屬於哪一個朝代的人物，剛好知道元代有個與他同姓名的董養性，遂張冠李代，認為「考元末有董養性，字邁公，樂陵人。至正中，嘗官昭化令，攝劍州事，入明不仕，終於家，所著有《高閒雲集》，或即其人歟？」（卷7，頁9上）因此懷疑董氏是元朝人，就將其暫定為元代人。但《周易訂疑》在書前作者題名卻為「樂陵董養性邁公輯」，根據董氏的籍貫「樂陵」去查閱《中國歷代地名要覽》，得知「樂陵」屬於現今山東省濟南府樂陵縣。根據所得資料進一步去翻閱清代王謙益修、鄭正中纂輯的《乾隆樂陵縣志》，就可在卷六找到〈董養性傳〉，及卷八清人張璥撰寫的〈毓初董養性傳〉、施閏章撰〈寧國府通判董公墓誌銘〉等三篇有關董養性的傳記。據資料內容記載，知道董養性字邁公，號毓初，拔貢生，曾擔任寧國府通判，攝南陵、太平兩縣，於康熙十一年

去世，得年五十八歲。董氏於五經皆有「訂疑」，《周易訂疑》一書確實為清人董養性而非元人董養性。根據籍貫去檢索方志中的人物傳記資料，即可訂正《四庫全書總目》編者誤認《周易訂疑》作者的重大錯誤。

㈢利用人物之仕履查閱

　　方志書上所記載的人物，雖然主要都是在當地出生的人士，但對於寄居流寓或是遷調到當地為官者，也都會加以收錄記載其生平資料。學者如能明白方志載記人物的這種特徵，善用人物仕履資料去尋檢，即可獲得重要的傳記資料。因此，當我們對所欲查閱的傳主籍貫不清楚時，就可利用傳主的仕履資料進行查閱，將對所需資料的檢索有莫大助益。為清楚所言，以下舉兩例作說明：

　　1.明代濟陽縣儒學教諭杜觀，曾參與纂修《五經、四書、性理大全》，因其僅係地方上的儒學教官，杜觀生平事蹟，《明史》亦未見記載。但因其曾擔任濟陽縣儒學教諭，遂檢查《隆慶臨江府志》，得見其卷十二〈人物志〉記載說：「杜觀，字公儼，清江人。嘗痛其父早世，作『思嚴堂』，以示不忘。盧陵曾棨、同郡金善俱有文記之。永樂元年，以《春秋》領鄉薦，任太平府儒學教授，與修《五經、四書、性理大全》。」

　　2.常州府儒學訓導彭子斐，亦曾參與纂修《五經、四書、性理大全》，但史傳都不見彭子斐的事蹟資料，今檢《光緒吉安府志》，見其卷三十二〈人物志・文苑上〉記載說：「彭子斐，吉水人。深於經學，弱冠與金幼孜師事清江聶鉉，閉門誦說，晝夜不輟。永樂間，以明經舉，授常州府儒學訓導，與修《五經、四書、性理大全》諸書。」

四、結語

　　從上述的例子，說明只要善於運用方志的資料，不但遇到的困難可以得到解決，更可以藉此補正史傳資料記載的不足。方志收錄的傳記資料極為豐富，正史編纂者認為微不足道的地區性人物，方志反而載錄豐富且翔實，學術界如能充分蒐集、運用蘊藏其中之傳記資料，則不僅能補充正史之缺略，訂正史籍之訛誤，對學術研究也將有相當大的貢獻。

人物別名的檢索與利用

王清信
東吳大學中國文學系博士生

一、前言

　　古人的名號相當繁複，除了姓名之外，一般人又有字、號、別名、別號、室名等稱號，書畫家署名通常不用本名；再者帝王有廟號，名人有諡號，唐代又喜以排行稱呼，近代以來，作家更有各式各樣的筆名，而且往往以字號或筆名聞名於世，而其本名反而不為人所知。因此，在種類繁多的文獻中，往往隨著作者主觀的取捨，署名的情況相對地複雜許多，也對閱讀文獻時帶來許多的不便。為了介紹方便，本文所謂的別名，乃採廣義的定義，即包含字、號、別名、別號、室名、諡號、行第、筆名等。要檢索人物別名的方法，可分為兩種狀況：一是只知本名而欲查尋別名；一是只知別名而欲查尋本名。第一種狀況可以從人物的原始資料中去查尋，當然查尋原始傳記資料也要利用到相關的工具書。除此之外，尚可利用一般的人物傳記資料工具書，而一般工具書以人物姓名為主，下附字、號等別名，且由於並非專門為檢索別名所編輯，所以收錄並不全面。第二種狀況就需要有以別名為主，反過來查尋人物本名的專門工具書不可了，這是一般人最常碰到的情況，也是本文要介紹的重點。茲分別說明如下：

二、檢索歷代人物別名的幾個方向

㈠從人物的原始傳記資料中去查尋

通常只知本名，而為了更深入瞭解人物的其他別名。這時可從人物的原始傳記資料中去查尋，茲列舉重要的工具書如下：

- 二十五史人名索引　二十五史刊行委員會編　上海　開明書店　1935年
- 二十五史紀傳人名索引　上海古籍出版社、上海書店編　上海　編者　1990年12月
- 二十四史人名索引　中華書局編輯部編　北京　中華書局　1998年1月
- 四庫全書傳記資料索引　中華文化復興運動推行委員會四庫全書索引編纂小組主編　臺北　臺灣商務印書館　1991年6月
- 中國上古人名辭彙及索引　潘英編　臺北　明文書局　1993年9月
- 唐五代人物傳記資料綜合索引　傅璇琮等編　北京　中華書局　1982年4月
- 宋人傳記資料索引　昌彼得等編　臺北　鼎文書局　1974-1976年
- 宋人傳記資料索引補編　李國玲編　成都　四川大學出版社　1994年8月
- 元人傳記資料索引　王德毅等編　臺北　新文豐出版公司　1980-1983年

- 明人傳記資料索引　國立中央圖書館編　臺北　該館　1965年1月
- 明遺民傳記資料索引　謝正光編　臺北　新文豐出版公司　1990年12月
- 明代傳記叢刊索引　周駿富編　臺北　明文書局　1991年10月
- 清代傳記叢刊索引　周駿富編　臺北　明文書局　1986年1月
- 辛亥以來人物傳記資料索引　王明根主編　上海　上海辭書出版社　1990年12月

　　此外，有些文獻的人物傳記資料於前述的工具書中，並未收入或所收並不全面。例如文集、方志、家譜、年譜等，此時可以利用相關的工具書從原始材料中查尋人物的別名。各類的相關工具書頗多，茲不贅述。

　　這裏要特別說明的是，大部分專門檢索人物別名的工具書，除了從別名檢索本名外，也可以從本名檢索別名。這裏特別標舉從原始材料中檢索人物別名，主要的原因在於：檢索人物別名的工具書，往往所查到的是前面所說的廣義的別名，如果想要進一步確認是字、號、室名、謚號、筆名等實際情形，從原始材料去查證，所得到的結果，當然是比較可信的。

㈡從一般的人物傳記工具書中去查尋

　　這類工具書將原始材料中的人物傳記資料輯錄出來，對於僅想對該人物的生平有一概略了解的人，有一定的作用。這與查尋原始傳記資料時所利用的工具書不同，這類工具書從原始資料中略做整理，以附有人物簡傳為主，內容主要有：生卒年、別名、

里籍、生平概況等。較著名的有：

> ·中國人名大辭典　臧勵龢等編　上海　商務印書館　1921年
> 6月；臺北　臺灣商務印書館　1977年10月

　　本書以經書和二十四史中出現的人名為基礎，再從其他各種文獻中增補各種歷史人物，上自遠古神話傳說中的人物，下至清末的名人，不論歷史作用的好壞，只要起過一個方面的作用，皆予收錄，因當時《清史稿》和有關地方志尚未出版，故清代人物遺漏較多。全書共收人名的條目四萬餘條。在人名之下，先標以朝代、字號、籍貫，然後簡要介紹其生平，主要記載歷任官職、著述，一般不註生卒年。書後附有「姓氏考略」和「異名表」。「異名表」即將古代一些重要人物常用的字、號和諡法等列出來，對上原名，亦可用來檢索人物別名，共有五千多條。

> ·中國歷代人名大辭典　張撝之等編　上海　上海古籍出版社
> 1999年12月

　　本書收錄原始社會至辛亥革命間的人物，以二十五史紀傳人名為基本依據，再參閱群書，廣搜博採，鉤稽增益。尤其是唐、宋以後的人物，從各種碑誌、傳記、文集、筆記、學術史、方志等古籍中增補頗多，共收錄約五萬四千五百人。所收人物一般以本名立目，本名不著者，以別名立目，本名則為參見條。對於所收錄的人物，若見於二十五史中者，由於已有《二十五史紀傳人名索引》一書可以檢索，故一律用「◎」表示。其他出處，則標明書名、篇名、卷數；出處繁多者，則選標最主要的兩三種，對讀者而言，提供了進一步查閱原始資料的線索，也提高了該書的品質。

> ·歷代人物年里碑傳綜表　姜亮夫纂定，陶秋英校　北京　中
> 華書局　1959年9月；臺北　文史哲出版社　1985年2月

　　本書原名《歷代名人年里碑傳總表》，出版於一九三七年，校訂後改為現名。（臺北）世界書局重印後則改為《歷代人物年里通譜》。該書廣泛參考古今人著述，為同類書中蒐羅最為完備者。唐以前的人物，凡生卒年可

考者一概收錄，宋以後稍加選擇，明、清以後則甄選從嚴，清末以後則更
為嚴格，收錄下限至一九一九年。所收人物自孔丘至一九一九年卒者約一
萬兩千人。本書的表列是：每人占一行，依次列出姓名、字號、籍貫、享
年、生年和卒年，各包括歷朝帝王年號、年數、甲子、公元紀年等項，末
欄為備考。備考欄中註明人物的別名，並列舉傳記資料及有關生卒年不同
說法的考訂。書末附有「人名筆畫索引」，按姓氏筆畫多寡排列，索引註明
人物的生年或卒年（不知生年者）。本書雖有一些錯誤，但仍為查考歷代人
物生卒年時最常用的工具書。

　　‧辛亥以來人物年里錄　邵延淼編　南京　江蘇教育出版社
　　1994年6月

　　本書收錄之人物，起自辛亥革命，迄於當今，共收各界人物一萬五千
餘人。所收人物除了概括今人之外，於生卒年外，更及於月、日，既側重
人物年里，又著錄其主要職務；既有故世者，又有健在者，為介於年里表
和傳記資料之間的工具書。就收錄時限而言，與《歷代人物年里碑傳綜表》
一書可以連貫與互補。

(三)從專門的工具書中去查尋

　　一般的人物傳記工具書多數以姓名為主，下附字號等別名，
這對閱讀文獻時往往僅知別名的讀者而言，將難以直接查尋。因
此，必須有以別名為主，反過來查尋人物本名的專門工具書。這
方面的工具書，較早編輯的有宋人徐光溥的《自號錄》一卷，以
收錄宋人別號為主，間有唐人別號；清人葛萬里的《別號錄》九
卷，收錄宋、金、元、明等朝代，共計三千人的別號。民國以
來，相關工具書的編輯，更有蓬勃的發展，茲分述如下：

1. 查尋通代人物
　　‧室名別號索引　陳乃乾編　北京　中華書局　1957年；臺北

世界書局　1962年10月（改名為《歷代人物別署居處名通檢》）；香港　太平書局　1964年6月（改名為《歷代人物室名別號通檢》）；臺北　老古出版社　1979年9月（改名為《中國歷朝室名索引別號索引彙編》）

本書為陳氏的《室名索引》（上海：開明書店，1934年6月，增訂本）及《別號索引》（上海：開明書店，1936年）合併而成。中華書局編輯部古代史編輯室又將丁寧、何文廣、雷夢水對該書的補編稿合成為「室名別號索引補編」附錄於後。書中所收室名和別號自先秦至現代，共計一萬餘條。體例為在室名或別號之後註明人物的時代、籍貫和姓名。書前有「筆畫檢字」，書後附有「四角號碼檢字」。但本書的別號部分，只收三個字以上，需要特別注意。

・古今人物別名索引　陳德芸編　廣州　嶺南大學圖書館　1937年；臺北　藝文印書館　1965年；臺北　新文豐出版公司　1978年

本書為編者參考五十餘種書刊，輯錄古今人物的字、號、原名、諡號、齋舍名、疑誤名、尊稱名號、帝王廟號、書畫家題識、文學家筆名等，共計收錄古今人物四萬餘人（今人收至1936年），別名七萬餘條，在條目後註明本名和時代；如為同名同時代者，則註明里邑。全書按《德芸字典》橫、直、點、撇、曲、捺、趨等七種筆順排列，此法查檢頗為不便，但書後附有以別名筆畫多少為序的「檢目」，可以彌補其不便之處。

這類工具書，還有：

・四庫全書傳記資料索引附字號索引　中華文化復興運動推行委員會四庫全書索引編纂小組主編　臺北　臺灣商務印書館　1990年5月

・歷代名人室名別號辭典　池秀雲編　太原　山西古籍出版社　1993年8月

本書從三十多種不同類型的工具書中，蒐集歷代名人的室名、別號七九三一條，人名六三七〇條。

* **古代名人字號辭典　白曉朗、馬建農編　北京　中國書店　1996年12月**

本書以《中國人名大辭典》為收錄基礎，再參照其他有關辭書中的人物條目編輯而成，限於古人（主要活動在1911年以前者），今人不收。

* **歷代人物諡號封爵索引　楊震方、水賚佑編　上海　上海古籍出版社　1996年5月**

本書收錄上自周代，下迄清末，充分吸收前人的成果編輯而成，在同類工具書中，蒐羅最為豐富。分為上下編，上編可由諡號查時代、姓名、封爵；下編可由姓名查時代、諡號、封爵。

2. 查尋斷代人物

* **唐人行第錄　岑仲勉編　北京　中華書局　1962年；臺北　九思出版社　1978年2月**

唐人常以行第相互稱呼，這種在當時相當通行的習慣，卻給後人帶來閱讀上的困擾。本書為編者長期研究唐代文獻的成果，是解決此類問題最重要的工具書。全書體例以姓氏筆畫次序排列，書後又有「綜合索引」，將行第及名字採用四角號碼檢字法編製而成。

* **宋人行第考錄　鄧子勉編　北京　中華書局　2001年5月**

本書以姓氏為綱，依筆畫多寡為序。每綱中又據行第數由小至大排列，每條資料先列行第，次列姓名、字、號，最後註明出處。書末據所收錄者的行第、名、字、號編有「人名索引」，以利查尋。

* **明人別名字號索引　王德毅編　臺北　編者　2000年3月**

本書為編者多年來從事編輯人物傳記資料的基礎上編輯而成，全書體例同於《清人別名字號索引》。

* **明人室名別稱字號索引　楊廷福、楊同甫編　上海　上海古**

籍出版社　2002年12月

　　本書收錄一三六八年至一六四四年左右各方面的人物，共收二萬三千餘人，五萬餘條。分為上下冊、甲乙編，體例與《清人室名別稱字號索引》相同。

・清人別名字號索引　王德毅編　臺北　編者　1985年3月

　　本書為編者鑑於《三十三種清代傳記綜合引得》中的傳主，僅列姓氏名諱，不注別名、字號，為便於學者研究清代學術，故有此編。全書體例以表字、別名、別號、諡號和尊稱為條目，其下各繫使用此字號者的原名，字號條目以筆畫多寡為序，同筆畫者再依《康熙字典》之部首順序為序，首為兩個字者，次三個字，再四個字及以上者。

・清人室名別稱字號索引（增補本）　楊廷福、楊同甫編　上海　上海古籍出版社　2001年12月

　　本書收錄自一六四四至一九一一年左右各方面的人物，共收三萬六千多人，十三萬三千餘條。分為上下冊、甲乙編：甲編只列字、號、別號、室名或別稱，指出其姓名；乙編較詳盡的記載姓名、籍貫、字、號、室名、筆名或別稱。甲乙兩編皆以筆畫為序，可按目查閱，並另附「筆畫」及「四角號碼字頭檢字表」。

　　查尋近現代人物的別名，可以利用：

・中國近現代人物名號大辭典　陳玉堂編　杭州　浙江古籍出版社　1993年5月

・中國近現代人物名號大辭典（續編）　陳玉堂編　杭州　浙江古籍出版社　2001年12月

・民國人物別名索引　蔡鴻源主編　長春　吉林人民出版社　2001年9月

　　3.查尋特定人物

・清代書畫家字號引得　蔡金重編　北平　哈佛燕京學社

1934年

本書收錄五七八七人，為研究清代書畫家的重要工具書。全書分「人名引得」和「字號引得」兩部分，為便於檢索，在「人名引得」部分還註明字號出處，書前附「筆畫檢字」、「拼音檢字」。

‧中國歷代書畫篆刻家字號索引　商承祚、黃華編　北京　人民美術出版社　1960年；臺北　文史哲出版社　1974年

本書係以《中國畫家人名大辭典》為基礎補充資料編輯而成。收錄秦、漢至民國間的書畫篆刻家約一萬六千餘人，分上下兩卷。上卷從字號查本名、籍貫、生卒年、擅長技藝、師友淵源、仕履，所有古地名均註明現行省、縣名；下卷從姓名查字號，下注上卷頁碼。全書分別按字號和姓名的首字筆畫次序編排，但未收錄室名。

‧中國古代文學家字號室名別稱詞典　張福慶編　北京　華文出版社　2002年1月

本書收錄時限上起西周，下至清代（鴉片戰爭前出生）的文學家一千一百餘人，字、號、別稱、室名等別名近六千條。

‧現代中國作家筆名錄　袁涌進編　北平　中華圖書館學會　1936年3月

本書收錄五百四十餘人，分為「本表」及「索引」兩編。「本表」以作家原姓名為主，以姓氏首字筆畫多少為序，而以字、號、筆名附註於下；「索引」以筆名首字筆畫順序排列，其下註明「本表」所見頁碼，可從筆名來檢索本名。

‧二十世紀中國作家筆名錄（增訂版）　朱寶樑編　臺北　漢學研究中心　1989年6月

本書收錄三十世紀的中國作家六七八四人，筆名一七九四○條。全書體例為所收作家的本名與筆名，採用韋氏拼音方法，一律按英文字母順序混合排列，書末附有「首字音節索引」、「各式拼音對照表」、「筆畫檢字

表」、「漢語拼音和韋氏拼音音節對照表」,以利檢索。

· 當代文藝作家筆名錄　薛茂松編　臺北　文史哲出版社
　1981年11月

本書收錄一九四九至一九七九年間,在臺灣發表作品的作家為限,並以作品曾結集出版者為主,共收錄作家一一一〇人,筆名計一九九〇條。

· 中國現代作家筆名索引　苗士心編　濟南　山東大學出版社
　1986年10月

本書收錄作家二千餘人,筆名九千餘條。全書分為「筆名索引」和「筆名錄」兩部分,「筆名索引」是從筆名去查找原名,「筆名錄」是從原名去查找筆名。

如果要全面查尋某一作家的筆名,還有為專人所編輯的筆名錄,例如:

· 魯迅名號筆名年里錄　上海師範學院圖書館資料組編　上海
　上海師範學院圖書館　1979年

本書共分名號、筆名、通信署名、室名、印章名、稱名、「魯迅」的外文譯名等七類,均按使用的時間先後順序排列,同時註明首次和末次署此別名寫作和所發表文章的篇名、時間,並探究該別名的含義,為研究魯迅時不可或缺的工具書。

三、結語

由於古今人物使用別名的情形相當頻繁,造成閱讀、研究時的困擾,因此為了解決相關問題,相關的工具書也持續地編輯出版中。基本上,檢索歷代人物別名時,相關的工具書可說是已經相當完備了。檢索時要有一個基本觀念,即是沒有任何一本工具書是十全十美的。因此,通常收錄時限為斷代的工具書較通代的

詳盡，亦即查尋時應以斷代者為優先，例如查清代人物，就應以前面所舉二書為優先檢索對象；收錄特殊人物的較收錄多種人物的豐富，亦即查尋時應特別注意人物的屬性，例如該人物如果是篆刻家，特殊人物工具書的收錄範圍，當然比收錄多種人物的工具書來得豐富詳盡。

出土文獻的檢索與利用

翁敏修

東吳大學中國文學系博士生

一、前言

　　「出土文物」是由考古行動所得，具有歷史文化價值的物件；而「出土文獻」指的是出土實物中的文字資料，王國維〈最近二三十年中中國新發見之學問〉嘗論之曰：「古來新學問起，大都由於新發見」、「中國紙上之學問賴於地下之學問」。在傳世古籍不斷因當代查禁、兵燹、傳鈔改易等理由，導致其散佚、竄亂的情況下，歷年來大量出土的竹簡、帛書，以及敦煌莫高窟所藏六朝唐人寫卷，無論在考古、思想、語言文字，乃至於風俗、法律各方面，都能增補古典學術研究不足的部分。無怪乎王氏將它們與殷墟甲骨文字、內閣大庫書籍檔冊並論，推崇為繼孔子壁中書、汲冢書之後，中國學問又一大發現。

　　那麼，對一般初學者而言，該如何善加利用這些出土文獻呢？本文從三部分切入，第一部分介紹幾部基礎書籍，明白學術概況，並列舉研究成果的檢索目錄；第二部分簡要介紹文獻內容，並說明圖版出處、釋文與延伸考證的相關著作，以便利用；第三部分以《論語》一書為例，說明出土文獻的學術價值。

二、出土文獻的檢索

首先介紹幾部基礎書籍，可對出土文獻有初步的了解：

· 新史料檢索與利用　黃曉斧著　成都　四川大學出版社
1988年4月

本書簡單說明了甲骨文、銅器銘文、簡牘、敦煌文獻資料的簡索與利用。

· 簡帛佚籍與學術史　李學勤著　臺北　時報文化出版公司
1994年12月

本書以作者曾發表的論文為基礎，討論楚帛書、秦簡、長沙馬王堆帛書等相關問題。

· 本世紀以來出土簡帛概述（資料篇、論著目錄篇）　駢宇
騫、段書安合編　臺北　萬卷樓圖書公司　1999年4月

資料篇以編年方式說明歷年出土文獻的內容、形制與學術價值，論著目錄篇則搜集相關專著與期刊論文，是目前較為完整的著作。

論文方面可參考：

· 八十年來漢簡的發現、整理與研究　張春樹著　簡帛研究
第3輯　頁481-507　北京　中國社會科學院簡帛研究中心
1998年12月

· 中國簡牘綜述　何雙全著　中國簡牘集成　第1冊　頁13-38
敦煌文藝出版社　2001年

· 近三十年大陸及港臺簡帛發現、整理與研究綜述　于振波
南都學壇2002年第1期

至於研究成果的檢索，可參考以下學者所編輯的相關論著目
錄：

- 中國出土簡牘研究文獻目錄 （日）大庭脩著 簡牘研究譯叢 第1輯 北京 中國社會科學出版社 1983年
- 秦漢簡牘與帛書研究文獻目錄（1905—1985） 邢義田編 秦漢史論稿 1987年
- 馬王堆漢墓研究論著簡目（1972—1992） 李梅麗編 馬王堆漢墓研究文集 頁335-369 長沙 湖南出版社 1994年5月
- 帛書《周易》研究論著目錄 黃琪莉 中國文哲研究通訊 第5卷第4期 頁106-117 1995年12月
- 馬王堆帛書研究論著目錄 陳松長編 湖南省博物館文集 第4輯 頁279-301 1998年4月
- 郭店楚墓竹簡研究文獻論著目錄 丁四新編 郭店楚簡國際學術研討會論文集 頁689-707 武漢 湖北人民出版社 2000年5月）
- 上海博物館藏戰國楚竹書研究論文目錄 廖名春、朱淵清編 上博館藏戰國楚竹書研究 頁465-477 上海 上海書店出版社 2002年3月
- 荊門郭店一號楚墓楚簡研究文獻要目 許學仁編 見「簡帛研究」網站
- 長沙子彈庫戰國楚帛書研究文獻要目 許學仁編 見「簡帛研究」網站
- 河南信陽長臺關楚簡研究文獻要目 許學仁編 見「簡帛研究」網站
- 百年來我國（包括港臺地區）簡帛中文著作要目（上、下） 謝桂華編 見「簡帛研究」網站

此外，尚可利用「專科目錄」來檢索，例如：

・經學研究論著目錄（1912—1987） 林慶彰主編 臺北 漢
學研究中心 1994年4月

於「儀禮」一部下，列有「漢簡儀禮」類。

・經學研究論著目錄（1988—1992） 林慶彰主編 臺北 漢
學研究中心 1999年5月

於「詩經」部下，列有「敦煌詩經卷子」類。

・經學研究論著目錄（1993—1997） 林慶彰、陳恆嵩主編
臺北 漢學研究中心 2002年4月

在「周易」一部下，列有「帛書周易」類，收有相關研究專書、論文
共一百三十餘條。

・敦煌學研究論著目錄（1908—1997） 鄭阿財、朱鳳玉合編
臺北 漢學研究中心 2000年4月

在「經子典籍」中分為經籍、子部，收錄相關論著近五百條。

　　北京「簡帛研究」網站（www.bamboosilk.org），是一個專門
討論出土簡帛、竹書的園地，分為網上首發、簡帛圖庫、作者文
庫、學苑新聞、學術爭鳴、目錄薈萃、文獻寶藏、舊文重溫、簡
帛論壇……等項目，收錄海峽兩岸學者論著與相關學術資源，內
容十分豐富。「孔子2000」網站（www.confucius2000.com），專
門討論孔子與儒家相關問題，在其孔子、周易研究、老莊研究等
網頁中，也有與出土文獻相關的論述，可供參考。

三、出土文獻的利用

　　以下分為儒家典籍與其他諸子思想兩大類，說明近年來出土
文獻的內容與研究成果，以及可供利用的資料。

　　以六藝為主的儒家典籍而言，一九七三年底出土的湖南長沙

馬王堆帛書，無論質與量都相當豐富，其中《周易》有經有傳，共約五千字。可分為經文正文、分說經文與通論經義的〈二三子問〉、〈繫辭〉、〈易之義〉、〈要〉諸篇，以及記載傳《易》經師言論的〈繆和〉、〈昭力〉，具有相當完整的體系。其特色為六十四卦排列次序與今本完全不同，亦不分上、下經。圖版、釋文與研究成果可參考：

- 馬王堆漢墓文物　傅舉有、陳松長編　長沙　湖南出版社　1992年
- 帛書周易研究　邢文著　北京　人民出版社　1997年11月
- 帛書周易校釋（增訂本）　鄧球柏著　長沙　湖南出版社　1996年8月

　　一九七七年安徽阜陽雙古堆漢墓亦整理出三百多支破碎《周易》簡片，包括今本六十四卦中的四十多卦，其中九片有卦畫、卦辭，六十多片有爻辭。相關說明見：

- 阜陽漢簡簡介　阜陽漢簡整理小組著　文物雜誌　1983年第2期　頁21-23　1983年

　　一九九四年上海博物館由香港購藏楚簡中亦有竹簡本《周易》，據稱是目前為止最古老、最原始的版本，有使用特定意義的黑色、紅色符號，資料尚待公佈。

　　《詩經》方面，阜陽雙古堆竹簡整理出一百多件破碎簡片，包括今本國風中近六十篇，以及小雅中的〈鹿鳴〉、〈伐木〉等。文字與今本有異，多為同音假借。詳參：

- 阜陽漢簡詩經研究　胡平生、韓志強著　上海　上海古籍出版社　1988年5月

　　上海博物館購藏楚簡，去年正式公佈部分內容。其中〈孔子詩論〉二十餘簡，引起許多學者注意，它是現存最早具有系統的

孔門論詩作品,其作用有如《毛詩》的《大序》,並保存許多先秦《詩經》篇名,可供比勘。圖版、釋文參:

· 上海博物館藏戰國楚竹書㈠ 馬承源主編 上海 上海古籍出版社 2001年11月

最新研究成果為:

· 上博館藏戰國楚竹書研究上海大學古代文明研究中心、清華大學思想文化研究所編 上海大學古代文明研究中心、清華大學思想文化研究所編 上海 上海書店出版社 2002年3月

收錄兩岸學者相關論文四十餘篇。

《儀禮》方面,一九五九年甘肅武威磨嘴子漢墓出土《儀禮》甲、乙、丙三本:甲本是木簡〈士相見〉、〈服傳〉、〈特牲饋食〉、〈少牢饋食〉、〈有司徹〉、〈燕禮〉、〈大射〉等七篇,惟有〈士相見〉篇保存完整,其餘皆有殘缺;乙本是木簡〈服傳〉;丙本是竹簡〈喪服〉經。殘存字數約二萬七千四百餘字,保存了漢代寫本《儀禮》原貌。相關研究見:

· 武威漢簡在學術上的貢獻 考古 1960年第8期 頁29-33 1960年

· 儀禮漢簡本考證 王關仕著 臺北 臺灣學生書局 1975年6月

《論語》方面,一九七三年河北定縣西漢中山懷王墓,出土了《論語》簡六百餘枚,為研究《論語》提供了新的材料,詳細說明見第三節。

其他儒家相關文獻方面,定州漢墓有〈儒家者言〉,內容多見於今本《孔子家語》。一九九四年湖北荊州郭店楚墓竹簡、上海博物館購藏楚簡內容均有〈緇衣〉篇,大體與今本《禮記·緇

衣》相同，惟文字、章次有出入。荆州郭店楚簡尚存有：〈魯穆公問子思〉、〈窮達以時〉、〈五行〉、〈唐虞之道〉、〈忠信之道〉、〈成之聞之〉、〈尊德義〉、〈性自命出〉、〈六德〉、〈語叢〉諸篇。圖版、釋文與注釋見：

・郭店楚墓竹簡　荆門市博物館編　北京　文物出版社　1998年5月

相關論文集有：

・郭店楚簡研究（中國哲學第20輯）　杜維明等著　瀋陽　遼寧教育出版社　2000年1月
・郭店簡與儒學研究（中國哲學第21輯）　中國哲學編輯部、國際儒聯學術委員會合編　瀋陽　遼寧教育出版社　2000年1月
・郭店楚簡國際學術研討會論文集　武漢大學中國文化研究院編　武漢　湖北人民出版社　2000年5月

　　文章付梓之際、上海古籍出版社於二〇〇二年末，續出版《上海博物館藏戰國楚竹書(二)》，公佈了〈民之父母〉、〈子羔〉、〈魯邦大旱〉、〈從政〉（甲、乙篇）、〈昔者君老〉、〈容成氏〉等六篇文獻之圖版與釋文，特附記於此。

　　出土文獻另一重要部分是諸子思想，長沙馬王堆帛書《老子》的出現，引起當時學者的震驚。帛書《老子》分為甲、乙二本，甲本存一萬三千餘字，字體在篆隸之間，不避劉邦諱，抄寫時代可能在高帝時期，卷後附抄四篇無篇題古佚書。乙本存一萬六千餘字，字體為隸書，避邦字諱而不避惠帝劉盈諱，抄寫時代可能在惠帝或呂后時期，卷前附抄〈經法〉、〈十大經〉、〈稱〉、〈道原〉四篇古佚書。帛書《老子》甲、乙本除文字與今本有異外，最特別的是帛書本〈德經〉在前、〈道經〉在後，與韓非子

〈解老〉、〈喻老〉篇引文次序相同。圖版、釋文與研究成果可參考：

- 老子　馬王堆漢墓帛書整理小組編　北京　文物出版社 1976年
- 馬王堆漢墓帛書·壹　馬王堆漢墓帛書整理小組編　北京 文物出版社　1980年
- 馬王堆帛書老子試探　嚴靈峰著　臺北　國立編譯館　1983 年

　　郭店楚簡本《老子》的出土，又為《老子》研究增添新面目。整理小組分內容為甲、乙、丙三本，共二千餘字，相當於今本的五分之二，文字、章次有出入且不分〈道經〉、〈德經〉。簡本《老子》可視為《老子》的另一傳本，時代屬戰國中晚期，當在帛書《老子》之前，除了提前其成書時代外，更能進一步了解黃老思想與《老子》的關係。簡本〈太一生水〉則是論述「太一」（道）與天地、四時、陰陽關係的佚篇。

　　一九四二年湖南長沙子彈庫發現楚帛書一幅，原件今藏美國紐約大都會博物館。文字內容分為三篇，中間兩篇書寫方向互倒，四周排列附有圖形的另十二段，李學勤擬其篇名為〈四時〉、〈天象〉、〈月忌〉，內容涉及古史傳說、宇宙論、十二神等，均與陰陽家思想有關。圖版、釋文與研究成果見：

- 長沙子彈庫戰國楚帛書研究　李零著　北京　中華書局 1983年
- 長沙子彈庫楚帛書研究　饒宗頤、曾憲通著　北京　中華書局　1993年

　　一九五七年河南信陽長臺關楚墓，出土一組已殘損難辨的竹簡，其中較清晰的二簡，可考知為記載申徒狄與周公的對話，李

學勤以《藝文類聚》、《太平御覽》所引，認為此簡即是《墨子》
佚篇，詳見：

　　·長臺關竹簡中的墨子佚篇　李學勤著　簡帛佚籍與學術史
　　　頁341-348　臺北　時報文化出版公司　1994年12月
圖版、釋文見：

　　·信陽楚墓　北京　文物出版社　1986年

　　一九七二年山東臨沂銀雀山漢墓，同時出土了《孫子兵法》
與《孫臏兵法》，以及《尉繚子》、《六韜》……等兵書，揭示了
古代兵法家的思維，也證明了司馬遷《史記》以吳孫子（孫武）
與齊孫子（孫臏）別為二人的說法是可信的。圖版、釋文見：

　　·銀雀山漢墓竹簡㈠　北京　文物出版社　1985年9月
　　·銀雀山漢墓竹簡釋文　吳九龍編　北京　文物出版社　1985
　　　年12月

　　敦煌莫高窟所藏唐五代寫卷，雖然無法與竹簡、帛書那樣早
的時代價值相比，但敦煌卷子對了解古籍自唐以後的流傳，仍有
其重要價值。在經籍方面，敦煌卷子存有部分《周易》王弼注、
隸古定《尚書》、《詩·周頌》、《爾雅》郭璞注、《文選》李善
注等，足為今本輯佚、校勘之資。小學方面，各種《切韻》殘卷
的發現，讓我們對隋代陸法言《切韻》至宋代《廣韻》、《集韻》
以下，《切韻》系韻書的流傳與二百零六韻韻部分合之跡，有了
新的理解。

四、實例說明

　　一九七三年河北定縣八角廊四十號漢墓（西漢中山懷王劉脩
墓），出土了《論語》簡六百餘枚，多為殘簡。共計七千五百餘

字，不足今本的二分之一，殘存文字最少的是〈學而〉篇；最多的是〈衛靈公〉篇，約六百九十餘字。以《經學研究論著目錄（1993—1997）》來檢索，在「孔子與論語」部下，列有「定州漢墓竹簡論語」類，收相關論著四篇。而完整釋文與注釋、校勘，可參考：

・定州漢墓竹簡論語　河北省文物研究所與定州漢墓竹簡整理小組合編　北京　文物出版社　1997年7月

竹簡本的發現，為研究《論語》版本流傳提供了新的材料，劉脩據史傳死於漢宣帝五鳳三年（西元前55年），竹簡抄寫的時代當不致晚於此。其價值以分章為例：簡本〈鄉黨〉篇不分章；又今本〈堯曰〉篇分為三章，簡本則題作「凡二章，凡三百廿二字」，分為二章，第三章以符號間隔，並用小字書寫，似為另附加的一段。至於文字異同，如〈述而〉篇：「詩、書、執禮疾，皆雅言也」，今本無「疾」字；〈衛靈公〉篇：「乘殷之路，服周之綩」，今本作「輅」，《經典釋文》云：「音路，本亦作路。」

《論語》鄭玄注唐以後已佚，僅能從何晏《集解》、孔穎達《正義》與各家輯佚書中略窺一二，今法藏伯2510、伯3783、英藏斯966等敦煌殘卷，尚存若干《論語》鄭注，彌足珍貴。以《敦煌學研究論著目錄（1908—1997）》檢索，在「經子典籍」部中有「論語」一類，收有相關論著六十餘篇，而全面性的考證、研究，可參考：

・唐寫本論語鄭氏注及其研究　王素著　北京　文物出版社　1991年
・唐寫本論語鄭氏注研究　陳金木著　臺北　文津出版社　1996年

二書也附有相關論著目錄。

　　羅振玉〈論語鄭注述而至鄉黨殘卷跋〉曰：「鄭注《論語》唐以後久佚……鄭君此注，多根據《禮經》，殆成於《禮》注既成之後晚年所寫定。《集解》採二三而遺六七，天佑斯文，俾不終閟於窮裔石室，豈非治鄭學者之至寶耶？」伯2510號《論語》殘卷卷末有抄寫年代：「龍紀二年二月」，是為唐昭宗年號（西元890年）。其價值在考訂句讀方面，今本〈子罕〉篇：「沽之哉，沽之哉」，殘卷：「注魯讀沽之哉不重，今從古也」，可知《魯論》作「沽之哉」不重，今則從《古論》。又今本〈鄉黨〉篇：「朋友死，無所歸」，《集解》引孔曰：「重朋友之恩，無所歸言無親昵」，今檢殘卷二句實為鄭玄注語，此當為《集解》誤以鄭玄注為孔安國注，可據殘卷訂正。

古文字的檢索與利用

翁敏修

東吳大學中國文學系博士生

一、前言

「古文字學」是一門研究古今漢字演變規律、並據以釋讀文獻，進而了解古代文化的專門學科。研究古器物文字的活動始於漢代，許慎在《說文解字》序中即以「古文」名之，其說曰：「郡國亦往往於山川得鼎彝，其銘即前代之古文，皆自相似。」《漢書·郊祀志》中也有李少君、張敞考釋銘文的記載。

清季甲骨文的發現，以及大批竹簡、帛書的陸續出土，使古文字學研究由傳統金石學，進一步擴大了領域。有關古文字的工具書，因其具有「出土器物」、「出土文獻」的特殊性，故除了論著目錄外，還包括了圖錄（拓文、摹文）、字形彙編、文字考釋等相關內容，以下依古文字的內容，選取幾部具代表性的工具書，擇要加以介紹。

二、甲骨文

· 五十年甲骨學論著目　胡厚宣編　北京　中華書局　1952年
本書為紀念甲骨文發現五十週年而作，輯錄一八九九至一九四九年，

各國學者有關甲骨學的專書與論文篇目共八七六篇，分為發現、著錄、考釋、研究、通說、評論、彙集、雜著等八目，目下再分為三十六小類，詳註各篇篇名、作者、出版時期與出處，後附著者、篇名、編年三種索引，以便檢索，是研究甲骨學的基本工具書。

・甲骨文合集　郭沫若主編　北京　中華書局　13冊　1983年

收錄一八九九年以來，出土於河南省安陽縣的商代甲骨文資料，前十二冊為拓本，最末冊為摹本。共收錄甲骨四一九五六片，來源有自《鐵雲藏龜》之後已著錄資料、公私各家收藏甲骨拓本、以及近年來甲骨新拓本。所收甲骨採用「五期斷代法」，分為：第一期武丁、第二期祖庚祖甲、第三期廩辛康丁、第四期武乙文丁、第五期帝乙帝辛。以下再分大類和小類，包括了階級和國家、社會生產、思想文化、其他。

・甲骨文合集釋文　胡厚宣主編　北京　中國社會科學出版社　4冊　1999年

依《甲骨文合集》片號順序作全面釋文，其特色在對卜辭語句加以標點，採用前人較為公認的說法作釋文，字形尚不能隸定者，據原形摹畫。

・甲骨文合集材料來源表　胡厚宣主編　北京　中國社會科學出版社　3冊　1999年

分為上、下二編。上編依《合集》片號順序，說明其材料來源出處，分合集號、著拓號、選定號、重見情況、拼合號、原骨拓藏、備注七項，並附著錄書與拓本及現藏單位簡稱表。下編依著錄書目出版先後次序，以書名與《合集》號作對照，附著錄書簡稱表。

・甲骨文合集補編　彭邦炯、謝濟、馬季凡主編　北京　語文出版社　7冊　1999年

屬於中國社會科學院「九五」社科重點項目「甲骨學一百年」科研成果之一。主要在搜集整理《合集》未收或漏列的材料：包括近年新發表的重要甲骨以及從未公佈的內容。共收殷墟甲骨一三四五〇片、殷墟以外遺

址出土甲骨三一六片。上編「圖版」：依《合集》體例分期、分類編排，附摹本及殷墟以外遺址出土甲骨；下編「釋文及來源表索引」：包括資料來源索引總表、著錄書表、各家綴合表、著錄書綴合表、引用參考著錄書簡稱表。

· 甲骨文編　孫海波編纂　北京　中華書局　1965年

　　本書為一九三四年初編的改訂本，分為正編、合文、附錄三部份，共收甲文四六七二字。所收各字以實物照相及拓本覆印為主，除註明出處外，亦有「某人釋某」、「某或為某」、「某用為某」等解說，以備參考，並選錄卜辭中有關考證的重要辭例，注於各字之下。末附引書簡稱表、檢字。

· 甲骨文字集釋　李孝定編述　臺北　中央研究院歷史語言研究所　16冊　1965年

　　取材以殷墟出土甲骨文字，經諸家著錄並考釋者為主，大抵據《甲骨文編》與金祥恆《續甲骨文編》所輯。依《說文》次第別為十四卷，另有卷首一卷收序言、凡例、目錄、索引、引書簡稱對照表、後記，補遺一卷補正文之未備，存疑一卷收諸家有釋而未成定論者，待考一卷收不可釋之字。所釋之字首列篆文，次舉甲骨文各種異體，次列諸家考釋、出處，後加案語定以己意。

· 甲骨文字詁林　于省吾主編　北京　中華書局　4冊　1996年

　　以李孝定《甲骨文字集釋》為基礎，加以訂正、增補。共收三六九一字，分為正文、先王先妣稱謂、父母兄子稱謂、數字干支等類，羅列諸家說法與出處，按語由姚孝遂編撰。附有著錄簡稱表、五期稱謂表、部首表、字形總表，以及部首檢索、筆畫檢索、拼音檢索。

三、金文

· 金文著錄簡目　孫稚雛編　北京　中華書局　1981年

收錄《三代吉金文存》、《商周金文錄遺》,《文物》、《考古》、《考古學報》等期刊,以及各銅器圖錄中有銘文拓本者,詳細著錄其出處。包括了金文專著的卷冊、頁碼和同頁內器物的順序號;期刊則註明出版年代、期數及圖版與頁數。本書特色在於對一器重出、偽器,以及器物出土地點、坑位關係,均有註語說明,以便利用。

· 青銅器論文索引　孫稚雛編　北京　中華書局　1986年

收錄青銅器與金文研究的相關論著,時間至一九八二年為止。分為概述、報道、文字、考釋、器物五大類,著錄體例依序為篇名、作者、出處、卷期、頁碼,部分篇目附有編者所加提要。

· 殷周金文集成　中國社會科學院考古研究所編　北京　中華書局　18冊　1984年

收錄從殷周到春秋、戰國時期各類青銅器有銘文者一萬二千餘件,注錄其拓本或摹本,年代下限至秦統一之前。依銅器形制分為:鐘鎛、鬲、鼎、簋、卣、尊、觶、爵角、罍、缶、盤、戈戟、矛、車馬器、符節等二十餘類,再依銘文字數多寡排列。

· 殷周金文集成釋文　中國社會科學院考古研究所編　香港中文大學中國文化研究所　6冊　2001年

依《集成》之器號、器名逐一作釋文,依銘文原行款書寫,不加標點,並附拓本或摹本。除直接引用《集成》說明部分,略述每器字數、時代、出土、與現藏地之外,並考訂《集成》所收重、漏、錯、訛、偽器。

· 殷周金文集成引得　張亞初編著　北京　中華書局　2001年

是作者以一己之力,花費十年時間編成。材料以《集成》為主,首先

對一萬餘器作出釋文，再將其中主要四九七二字加以編號，先附部首表，分為四百餘部，再依部序作出單字排序便覽，其後是單字引得，每字下依序注明各器之《集成》冊數、器號及文例。書後尚有《金文編》《引得》收字對照表、《引得》新收字一覽表、《集成》單字出現頻度表及筆畫檢索，以便利用。

‧青銅器銘文檢索　周何總編、季旭昇、汪中文主編　臺灣
　文史哲出版社　6冊　1995年
‧金文編　容庚編著，張振林、馬國權摹補　北京　中華書局
　1985年

本書為成書後於一九二五年、一九三九年、一九五九年陸續修訂的最新第四版，共收三九〇二器，正編共二四二〇字、附錄一三五二字、重文一一三二。全書依《說文》次序，字頭下附金文字形、出處，並兼採各家考證之說，未識之文字與待商榷者收入附錄。書後有引用書目表、引用器目表、檢字表。

‧金文詁林　周法高、張日昇、徐芷儀、林潔明編纂　香港
　中文大學　15冊　1975年

以容庚增訂三版《金文編》為據，羅列諸家說法於每字之下，以利考索。別冊附有通檢、採用彝器索引、引用書籍論文目錄、引用諸家索引、金文編札記。

‧金文詁林補　周法高編著　臺北　中央研究院歷史語言研究
　所　7冊　1981年

增補字形，以及《詁林》未收器銘七百餘通。

四、簡帛文字

‧睡虎地秦簡文字編　張世超、張玉春撰集　京都　中文出版

社　1990年

以文物出版社《睡虎地秦墓竹簡》為基礎，共收一四八一字，其中見於說文者一四五〇字。分部依《說文》次第，但簡文字與《說文》字之對應，則以詞意為綱，以符合當時用字原則。每字字頭用篆文，下附簡文字形、出處，並予以釋文。書後附秦簡文字釋文、檢字、秦簡與《說文》文字異同表。

- 睡虎地秦簡文字編　張守中撰集　北京　文物出版社　1994年
- 戰國楚簡文字編　郭若愚編著　上海　上海書畫出版社　1994年
- 楚系簡帛文字編　滕壬生著　武漢　湖北教育出版社　1995年

收錄出土於長沙、江陵、荊門、信陽等楚墓計十六處，以及曾侯乙墓竹簡、子彈庫楚帛書文字，凡一九三二〇文。分為單字、合文、重文、存疑字四部分，每字先標明楷體，再註明出土墓號、行數；帛書則註明篇名、第某行第某字，並附出土墓號簡稱表、引用書目、原物照片選、檢字表。

- 包山楚簡文字編　張守中撰集　北京　文物出版社　1996年
- 楚漢簡帛書典　李正光、鄭曙斌、喻燕姣、曹學群、李建毛編　長沙　湖南美術出版社　1998年
- 郭店楚簡文字編　張守中、張小滄、郝建文撰集　北京　文物出版社　2000年

以《郭店楚墓竹簡》一書為基礎，分為單字、合文、存疑字、殘字四部分，計收單字一二二六、合文二一例、存疑字五三、殘字七。每字先標明楷體，再注明篇題、簡號，並有檢字表。

- 銀雀山漢簡文字編　駢宇騫編著　北京　文物出版社　2001

年7月

- 馬王堆簡帛文字編　陳松長編著　北京　文物出版社　2001年6月

以《馬王堆漢墓帛書》、《長沙馬王堆一號漢墓》為主，收錄出土竹簡、帛書文字，共三千二百餘字。依《說文》部序分為十四部，以及合文、附錄（存疑字），字頭依原物照片取樣，電腦處理後盡量保存原形，先標註楷體，再註明所見篇名、行數、相關詞例，並附有篇名簡稱表、檢字表。

五、其他

- 古璽彙編　羅福頤編　北京　文物出版社　1981年

共收五七〇八方，包括官璽、姓名私璽、複姓私璽、成語璽、單字璽、補遺。依編號收印文、釋文、出處，附引用印譜目錄。

- 古璽文編　羅福頤編　北京　文物出版社　1981年

依《說文》次第，採各家說法時註明「某人釋某」，附錄收無法辨識之字，並附檢字表。

- 古陶文彙編　高明編著　北京　中華書局　1990年

收錄商代、西周、春秋戰國、秦代古陶文。著錄古陶二千五百種，盡量使用拓片與複製照片，商代、西周依時代劃分，標註出土地點；其他依出土地域分為山東、河北、陝西、河南、山西、湖北、及不明出土地。附有引書目錄、索引。

- 古陶文字徵　高明、葛英會編著　北京　中華書局　1991年

所收錄資料以《彙編》為主，兼採其未錄者。分為正文、合文、附錄，分部依《康熙字典》，每字下首列字形出處（《彙編》章次、編號）、釋文，部分字形有考釋、說明，並附有引書目錄、檢字表。

・古封泥集成　孫慰祖主編　上海　上海書店　1994年

收錄時代以戰國至唐為限，計二六四二枚，均為拓片。分為戰國封泥、秦漢魏晉封泥、唐封泥三卷，例以官私分部，而秦漢魏晉封泥量多，再依職掌官稱分目。每印下註序號、釋文、出處，附引用譜錄、索引、封泥文編、檢字表。

六、綜合性工具書

・戰國古文字典——戰國文字聲系　何琳儀著　北京　中華書局　2冊　1998年9年

分為正編、補遺、合文、附錄四部分，收字下限大致定為一九九一年。正編、補遺依上古韻部繫字，分部採王念孫二十二部；每韻下再依上古聲紐繫字，所繫諧聲字再依形旁分類，合文後半部分為數字合文，依數字遞增順序排列。每字下字形依齊、燕、晉、楚、秦五系分域排列，每域之下不標國別，註明字形出處、器名或簡號。附有聲系表、聲首表、書刊簡稱、筆畫索引。

・吳越文字彙編　施謝捷編著　南京　江蘇教育出版社　1998年

・戰國文字編　湯餘惠主編　福州　福建人民出版社　2001年12月

材料來源為戰國銅器、兵器、貨幣、璽印、封泥，以及竹簡帛書的文字材料。正編共五六一八條，一八二八八字；合文三三八條，六三五字；附錄九五九條，一一一三字。每字先標註楷體，再註明字形出處、器號或簡號，所收之字依秦、楚、三晉、齊、燕五系地域排列。附有出處簡稱表、筆畫檢字。

・古文字詁林　古文字詁林編纂委員會編纂　上海　上海教育

出版社 1999年12月 —

　目前已出版四冊，彙集上自殷商下迄秦漢的甲骨文、金文、古陶文、貨幣文、簡牘文、帛書、璽印文、石刻文八種古文字考釋成果，是目前古文字考釋最新的參考工具書。分部依《說文》部首順序，每字先列隸定楷書字頭，旁加註篆書，依次收錄字形和考釋資料，所錄考釋資料依時間先後排列，首標作者姓名，後附有出處。每冊前有本冊所載部首表、部首檢字表、筆畫檢字表。

七、古文字工具書的實際運用

　古文字工具書的實際運用，以查考出土器物為例，「毛公鼎」出土於清道光末年的陝西岐山縣，時代屬西周晚期，器形精美，銘文長達四百餘字，現屬國立故宮博物院重要珍藏之一。欲對此器作一了解，首先參《金文著錄簡目》之「鼎類」下，查得毛公鼎已著錄於三十餘種歷代金文專著之書目與其頁碼，可明其收藏、著錄源流；而相關拓文、摹文可見《殷周金文集成》第五冊，編號二八四一，書後也附簡要說明，包括了字數、時代、著錄、出土、流傳、現藏；銘文內容可以《殷周金文集成釋文》第二冊（頁426-433），以及《殷周金文集成引得》（頁56）二種釋文相參看。

　其次以考釋文字為例，「中」字，《說文解字》云：「和也，从口、丨下上通也。」又重文二（古文、籀文），許慎據小篆釋義、釋形，未得其本旨。「中」字古文字形可參《甲骨文編》（卷一·九）、《金文編》（卷一·二八）、《戰國古文字典》（冬韻·頁二七二）所引。而歷來學者對「中」字之說解，可參《古文字詁林》（第1冊，頁322-342）所集孫詒讓、羅振玉、王國維

　　至近代姚孝遂、戴家祥共二十餘家之說。「中」字當為獨體象
形，象旗竿與旗斿，羅振玉曰：「斿或在左、或在右，斿蓋因風
而左右偃也……斿不能同時既偃於左，又偃於右矣。」其說可
從，故由甲、金文字形，可訂正許慎之說解，亦可正籀文字形傳
寫之訛。

敦煌遺書的檢索與利用

黃智明

康寧護理專科學校兼任講師

一、前言

　　敦煌位處甘肅省西陲，為古絲路往來之要衝，縣東南四十里鳴沙、三危二山山間之河谷西側崖壁，洞窟層疊鑿造，累如蜂窠，此即名聞遐邇，而與雲岡、龍門、天龍、麥積齊名並稱的千佛洞（古名莫高窟），自前秦苻堅建元二年（366）沙門樂僔始闢石窟，其後有法良禪師相繼營造，歷唐、宋、元數代，賡續不衰。

　　莫高窟藏經密室，是光緒二十六年五月二十六日（1900年6月22日）清晨為道士王圓籙偶然發現。這批文獻資料，雖以佛經佔大部分，但其他儒道各教經典、公私文件以及諸子、史籍、韻書、詩賦、小說、契據、度牒、星曆等，也都不勝枚舉。而除漢文資料外，尚有西藏文、梵文、于闐文、龜茲文、粟特文及突厥文等，內容涵蓋六朝、唐、五代時期，中亞歷史、地理、語言、種族、社會、經濟、宗教、文學、藝術等方面。較之清末同時流出的殷墟甲骨、流沙簡牘、內閣大庫書檔，敦煌遺書的發現，更富有史料上的意義及價值。

　　可惜的是，莫高窟藏經發現初始，即為英、法、日、俄等國

相繼劫掠，致使千年文物，分散各地。一九〇七年，匈牙利裔英籍考古學家斯坦因首向王道士賄購經卷二十四箱、絹畫及其他絲織等文物五箱，輦歸英倫。同年十月，法國漢學家伯希和帶領中亞考察隊抵達烏魯木齊，於伊犁將軍載瀾處得見一件敦煌藏經洞出土寫經，於是放棄原訂考察吐魯番的計畫，直奔敦煌，一九〇八年二月二十五日到達千佛洞。由於伯氏精通漢語，又得到王道士同意，親自進入藏經洞檢選經卷，所以整體而言，伯氏所得的敦煌文書，是中、英、法、蘇、日五大收藏國中質量最好的。一九〇九年九月，伯氏由河內再次來到北京，隨身帶來一批敦煌發現的珍本祕籍，出示給羅振玉等中國學者，羅振玉等人認識到這些寫本文獻的重要價值，亟上清廷學部，飭查千佛洞書籍並造象古碑，勿令外人購買。一九一〇年，學部委托新疆巡撫何秋輦將餘存卷子運送北京，而途中又遭地方官員竊取其中重要部分。一九一二年，日本大谷探險隊吉川小一郎、橘瑞超來到敦煌，又分別從王道士手中購得部分敦煌寫卷。一九一四年到一九一五年，俄國東突厥斯坦考察隊在隊長奧登堡的率領下前往敦煌，這次探險，總計帶回一萬八千件漢文殘卷、二百餘卷藏文寫本、少量梵文或其他文字寫本，以及一百餘件絹紙繪畫雕塑等回到聖彼得堡。一九二一年，甘肅省教育廳、敦煌縣政府聯合整理千佛洞遺留寫卷，共得藏文寫經一〇五捆，移送敦煌縣勸學所和甘肅省圖書館保存。藏經洞文獻至此告罄。

敦煌文獻的流散各地，是以往學者研究此一學科的最大障礙，早在一九三一年，陳寅恪先生就曾經指出：「夫敦煌在吾國境內，所出經典又以中文為多，吾國敦煌學者著作較之他國轉獨少者，固因國人治學罕具通識，然亦未始非以敦煌所出經典涵括至廣，散佚至眾，迄無詳備之目錄，不易檢校其內容，學者縱欲

有所致力，而憑藉末由也。」（〈敦煌劫餘錄序〉）這段話顯示了
敦煌學研究，必須以目錄為基礎，脫離了目錄，閱覽敦煌卷子幾
乎是不可能的事，更遑論研究敦煌學。回顧過去百年間出版的敦
煌文獻整理目錄，大致可分為三類：一是對敦煌地區所出文物資
料的編目，第二類是敦煌文書的匯輯影印，第三是學者研究敦煌
學的著述目錄。本文所要介紹的檢索敦煌遺書的方法，主要也是
依據這三個部分來做說明。其中敦煌出土文書資料的編目，蘇瑩
輝先生的《敦煌學概要》（臺北：五南圖書出版公司，1988年12
月）、白化文先生的《敦煌文物目錄導論》（臺北：新文豐出版公
司，1992年8月）、榮新江先生的《海外敦煌吐魯番文獻知見錄》
（南昌：江西人民出版社，1996年6月）及杜澤遜先生的〈敦煌文
獻概述〉（收入《文獻學概要》，北京：中華書局，2001年9月）
都曾有過詳盡的介紹，本文僅從其中略加擷取說明。

二、敦煌文獻目錄

目前收藏敦煌吐魯番文物最豐富的幾個機構，為北京圖書館
（現改名中國國家圖書館）、英國圖書館、法國國家圖書館及聖彼
得堡（列寧格勒）俄羅斯科學院東方學研究所聖彼得堡分所。除
上述四大館藏之外，海內外各圖書館也有少量收藏（詳參榮新江
《海外敦煌吐魯番文獻知見錄》及〈歐洲所藏西域出土文獻聞見
錄〉〔載《敦煌學輯刊》，1986年第1期〕）。以下著重介紹四大館
藏漢文、非漢文寫本目錄及各種專科目錄。

㈠四大館藏漢文寫本目錄

首先介紹中國（含臺灣地區）館藏敦煌漢文寫本目錄，有下

列數種：

- 敦煌劫餘錄　陳垣編　中央研究院歷史語言研究所排印本
  1931年；另收入《敦煌叢刊初集》第3、4冊　臺北　新文豐
  出版公司　1985年

《敦煌劫餘錄》，十四帙，著錄寫經八六七九號，是原北平圖書館（今北京圖書館）館藏敦煌漢文遺書目錄的第一部分，出版於一九三一年，編纂時間約二十年。其工作基礎，是一九一〇年學部咨甘肅有司，將藏經洞中殘卷「悉數運京，移藏部隸京師圖書館」的《千字文》草目及李翊灼所撰《敦煌石室經卷中未入藏經論著述目錄》（收入《敦煌叢刊初集》第5冊，臺北：新文豐出版公司，1985年）。全書仿趙明誠《金石錄》體例排次，前十三帙，著錄了佛經、律、論、雜文三九六種，道經九種，摩尼教經一種，都八五二七卷。第十四帙為「續考諸經」八十六種，為周叔迦先生從失名諸經中續考出者。

- 敦煌遺書總目索引　王重民編　北京　商務印書館　1962年
  初版；北京　中華書局重印補訂本　1983年；另收入《敦煌
  叢刊初集》第2冊　臺北　新文豐出版公司　1985年

全書分總目、索引、附錄三大部分。總目部分主要由中、英、法三大館藏目錄組成。中國館藏目錄《北京圖書館藏敦煌遺書簡目》係據《敦煌劫餘錄》簡化改編而成，計八六七九號；英國館藏目錄為劉銘恕的《斯坦因劫經錄》，計六九八〇號；法國館藏目錄為王重民的《伯希和劫經錄》，計五五七九號。三大館藏目錄之外，另有「散錄」，包括從不同地方蒐集來的《前中央圖書館藏卷目》、《旅順博物館所存敦煌之佛教經典》等十九個目錄。索引部分，將上述三大館藏目錄及各種散錄中的經卷題目，按照字頭筆畫順序編成。附錄部分，則是翟林奈《英國博物館所藏敦煌漢文寫本注記目錄》的分類總目、新舊編號對照表。

- 敦煌劫餘錄續編　北京圖書館善本組編　北京　北京圖書館

1981年；另收入《中國西北文獻叢書續編》第1輯〈敦煌文獻卷〉 蘭州 甘肅文化出版社 1999年

《敦煌劫餘錄》完成後，北京圖書館又陸續收集到兩三千個卷子，於是北京圖書館善本組在一九八一年又就其中的一〇六五件寫本進行編目。然而此次整理，仍未將北京圖書館所藏的敦煌漢文遺書卷子完全反映出來，至少尚有一兩千件沒有公布，需要再出三編。

· 敦煌遺書最新目錄 黃永武主編 臺北 新文豐出版公司 1986年

本書是在《敦煌寶藏》一百四十冊完成之後編成，是《敦煌遺書總目索引》「總目」部分的增訂簡編本。內容包括：1.《英倫所藏敦煌漢文卷子目錄》；2.《北平所藏敦煌漢文卷子目錄》；3.《巴黎所藏敦煌漢文卷子目錄》；4.《列寧格勒所藏敦煌卷子目錄》；5.《敦煌遺書散錄》十六種。此部目錄較諸以往各種編目更為全面，而且糾正了舊錄題名的不少錯誤，又與《敦煌寶藏》對應，所以工具性較強。但無提要，其學術性較弱。

· 敦煌遺書總目索引新編 施萍婷主撰稿，邰惠莉助編，敦煌研究院編 北京 中華書局 2000年

本書是《敦煌遺書總目索引》的新編本。「總目」部分一仍《敦煌遺書總目索引》，著錄項目包括：序號、名稱、題記、本文、說明。在名稱方面，對《敦煌遺書總目索引》及《敦煌遺書最新目錄》作了許多訂正和補充，明標「首題」、「尾題」、「原題」、「首尾俱全」。首尾不全者，則儘量吸收相關研究予以準確定名，有品題者均予注出。一卷中包括多項內容者，盡可能列出細目，較前兩者總目細致。書中「題記」項大多錄自卷尾紀年題識、發願文、譯場列位、寫經列位、受持者題寫、打油詩等。「本文」項是劉銘恕《斯坦因劫經錄》的發明，指重要卷子的正文的移錄或節錄，本書保留並加校正。「說明」項是王重民、劉銘恕所加學術性提示，本書予以保留。「索引」部分係《總目》部分的條目筆畫索引。本書所著

錄的敦煌遺書雖仍不全，不包括俄藏、日藏和其他散藏，但就著錄的準
確，分條的細緻方面而言，已超出《敦煌遺書總目索引》及《敦煌遺書最
新目錄》甚多，這是敦煌學目錄工作的一件最新最大的工程。

　　除上述目錄外，近幾十年來，國內圖書館陸續公布了所藏的
敦煌漢文遺書卷子目錄，詳細情形可參考各種敦煌學研究目錄。

　　二是英國館藏敦煌漢文寫本目錄：

・大英博物院藏敦煌漢文寫本注記目錄（Descriptive Catalogue
of the Chinese Manuscripts from Tunhuang in the British
Museum）　翟理斯（Lionel Giles,1875-1958）編　倫敦　大
英博物院　1957年；另收入《敦煌叢刊初集》第1冊　臺北
新文豐出版公司　1985年

　　此書收錄的英藏敦煌漢文文書可分三部分：一、斯坦因第二次中亞探
險所獲敦煌遺書S.0001-6980號；二、斯坦因第三次中亞探險所獲漢文和少
數民族文獻Or.8212/1-195號中的部分寫本；三、刻印本S.P.1-20號。全書依
「佛教文獻」、「道教文獻」、「摩尼教文獻」、「世俗文書」、「印刷文書」
五類編排。書末有若干附錄：特殊卷子表（如寫有題記、武周新字的卷子
序號），斯坦因編號與《翟目》順序號對照表及遺書題名、人名、地名等專
名索引。較我國學者劉銘恕所編《斯坦因劫經錄》收錄更多，也更好用。

　　然而《翟目》所收，只是英藏品中較有價值的部分，並非英藏漢文遺
書的全部，有些甚至並非敦煌藏經洞一處所出，因此後來學者先後對《翟
目》有所訂正和補充。

　　三是法國館藏敦煌漢文寫本目錄：

・巴黎國家圖書館藏敦煌漢文寫本注記目錄（Catalogue des
manuscripts chinois de Touenhouang）

　　伯希和所劫敦煌漢文寫本遺書，最早由伯希和本人編目，他完成了
P.2001-3511號的法文原稿，但沒有刊布。二次大戰後，在戴密微（Paul

Demieville,1894-1979）的推動下，法國科研中心組成專門的敦煌研究小組，從事敦煌寫本的編目和研究。按計畫，伯希和所獲敦煌漢文寫本的正式目錄擬編六卷，按序號每五百號為一卷，第六卷兼收藏文寫本背面的漢文文書和集美博物館等處所藏的零散寫卷。一九七〇年，謝和耐（J. Gernet）和吳其昱（Wu Chiyu）主編的《敦煌漢文寫本目錄》第一卷由國立圖書館出版，收P.2001-2500號；一九八三年和一九九一年，出版了蘇遠鳴（Michel Soymié）主編的第三卷和第四卷，收P.3001-3500、P.3501-4000，分別由巴黎辛格－波利尼亞克基金會及法國遠東學院出版；第五卷分上下兩冊，亦由蘇鳴遠主編，收P.4001-6040號，由法國遠東學院於1995年出版。第二卷由左景權、隋麗玫等負責編纂，收P.2501-3000號，至今尚未出版。與已刊敦煌寫本目錄相比，法目著錄最詳，可惜編輯速度過於緩慢。

四是蘇聯館藏敦煌漢文寫本目錄：

· 蘇聯科學院亞洲民族研究所藏敦煌漢文寫本注記目錄　孟列夫主編　第1冊1963年出版，第2冊1967年出版；另收入《敦煌叢刊初集》第11、12冊　臺北　新文豐出版公司（譯名為《蘇俄所劫敦煌卷子目錄》）　1985年；袁席箴、陳華平翻譯（譯名為《俄羅斯科學院東方研究所聖彼得堡分所藏敦煌漢文寫卷敘錄》）　上海　上海古籍出版社　1999年

蘇聯對其所藏敦煌文書進行正規的整理、登錄等目錄工作，是從三〇年代開始的，由亞洲博物館寫本特藏部保管員符魯格（K.K.Flug，1893-1942）負責。他完成了Φ編號的三〇七件和Дx編號的二千件寫本的目錄，並發表了〈蘇聯科學院東方學研究所藏漢文寫本非佛教部分概況〉及〈蘇聯科學院東方學研究所藏漢文佛經古寫本簡目〉。從一九五七年開始，在符魯格的基礎上，由孟列夫（L.N.Meńsikov）領導的研究小組重新開始漢文寫本的編目工作，其成果即為一九六三年和一九六七年分別出版的《蘇聯科學院亞洲民族研究所藏敦煌漢文寫本注記目錄》第一、二冊。

第一冊著錄新編號（簡稱《孟目》）一至一七〇七號，第二冊著錄一七〇八至二九五四號。全書分類編排，首為佛教經、律、論、未入藏佛典及漢文著述，然後是儒道著述、地志、史籍、律令、各種文學作品、辭書、韻書、字書、藝術品、醫藥文獻、星曆、占卜、習字、各種雜文書，最後是非漢文文獻。附錄有新舊編號對照表。

(二)非漢文寫本目錄

敦煌藏經洞所出文書，除漢文外，要以藏文文書數量最為龐大，且至今尚無明確統計，估計也許與漢文文書數量相近。其他如梵文和當時西域通行的于闐文等多種書寫文字，也有若干的遺存。關於非漢文文書的收藏狀況，可參閱榮新江〈歐洲所藏西域出土文獻聞見錄〉（刊載於《敦煌學輯刊》，1986年第1期）及黃文煥〈河西吐蕃文書概述〉（載於《文物》，1978年12月號）、〈河西吐蕃經卷目錄跋〉（載於《世界宗教研究》，1980年第2期）、〈河西吐蕃卷式寫經目錄並後記〉（載於《世界宗教研究》，1982年第1期）。

國內藏敦煌非漢文文書，當時並未運抵北京，現今大都藏於甘肅省圖書館與敦煌市博物館，其目錄尚未發表。國外部分，則已整理為幾部重要的遺書目錄：

· 印度事務部圖書館藏敦煌藏文卷子目錄（Catalogue of the Tibetan Manuscripts from Tunhuang in the India Office Library）路易·德·拉·瓦累·普散（Louis de La Vallée Poussin, 1869-1938）編　倫敦　牛津大學出版社　1962年

斯坦因所劫敦煌遺書中，有關藏文卷子和其它中亞古民族文字卷子約兩千卷，原存英國印度事務部圖書館。本目錄僅著錄藏文佛典寫本七六五件，不包括任何世俗文書，也未將英藏藏文寫卷收全，是其缺點。這部目

錄另有一個重要附錄，是一九五四年日本榎一雄就藏於印度事務部圖書館的古藏文和其它中亞古民族文字卷子中的漢文文書而編製的《漢文寫本目錄》，總計著錄一三六件。

一九七七至一九八八年，日本東洋文庫出版了日本東洋文庫西藏研究委員會編纂的《斯坦因搜集藏語文獻解題目錄》十二冊，其中一至八冊是對瓦累‧普散目錄所收七六五件寫本的重新著錄；九至十二冊，則著錄瓦累‧普散未著錄的藏文文獻，較瓦累‧普散目錄更為完備。順帶說明，印度事務部圖書館藏品，已於一九九一年歸英國圖書館收藏。

‧巴黎國家圖書館藏古藏文寫本目錄（Inventaire des Manuscripts Tibetains de Touenhouang Conserves a La Bibliotheque Nationale）　拉露（Marcelle Lalou,1890-1967）編　巴黎　阿德里安‧梅松耶夫書店及國家圖書館聯合出版　3冊　1939、1950、1961年

此書共收錄二二一六個卷子，似乎未能將伯希和所劫古藏文卷子全部收錄。《拉露目錄》的特點，是著錄了所錄藏文文書的形狀、尺寸、題名、起訖等資料，並附有專名索引。

魏英邦著有〈翻譯巴黎與倫敦所藏敦煌藏文寫本目錄後記〉一文（載於《西北師範學院學報增刊‧敦煌學研究》，1986年），評述《普散目錄》與《拉露目錄》甚詳，可參看。

其他文種寫卷由於數量較少，學者的整理成果多半以論文方式發表，請參閱各敦煌學研究論著目錄。

㈢各種專科目錄

在介紹專科目錄之前，有必要先對鄰國日本的敦煌遺書目錄整理工作做一簡略說明。日本劫奪的敦煌文書，數量不算多，屈居中、英、法、蘇四大收藏國之後。可是，從一九〇九年田中慶

太郎、內藤虎次郎、狩野直喜等人在北京見到伯希和劫經並迅速在日本報導後，九十年來，日本學者對敦煌學的研究，一直走在世界的前列。日本所編目錄可分兩類：其一是為他們收藏的敦煌文書編製的目錄；其二是就他國所藏敦煌文書，並補充以日本藏品而編製的目錄。五十年代中期，研究敦煌文書在日本形成了熱潮，編目的工作也獲得很大的發展，出現了幾部便於使用的專科目錄。其主要研究敦煌學並進行大量目錄工作的機構，是東洋文庫敦煌文獻研究聯絡委員會，由文部省支助，以後該組織改稱為東洋文庫敦煌文獻研究委員會。自一九六四年至一九七一年，該機構先後出版了四種系列化的專科目錄：

- 斯坦因敦煌文獻中業經引用介紹的西域出土漢文文獻分類目錄初稿Ⅰ—非佛教文獻之部·古文書Ⅰ　池田溫、菊池英夫編　東京　東洋文庫敦煌文獻委員會　1964年11月
- 斯坦因敦煌文獻及研究文獻中業經引用介紹的西域出土漢文文獻分類目錄初稿Ⅱ—非佛教文獻之部·古文書Ⅱ　土肥義和編　東京　東洋文庫敦煌文獻委員會　1967年3月
- 西域出土漢文文獻分類目錄Ⅲ—斯坦因將來大英博物館藏敦煌文獻分類目錄道教之部　吉剛義豐編　東京　東洋文庫敦煌文獻委員會　1969年3月
- 西域出土漢文文獻分類目錄Ⅳ—敦煌出土漢文文學文獻分類目錄附解說斯坦因、伯希和本　金岡照光編　東京　東洋文庫敦煌文獻委員會　1971年3月

其收錄範圍：第一冊，收錄官府文書（公文書），主要是有關法令、戶籍、計帳等方面的遺書；第二冊，收錄寺院文書，主要是有關寺院行政與寺院經濟的文書；第三冊，收錄道教文獻。以上三冊所收主要是斯坦因盜劫的敦煌文書，涉及一些伯希和所劫文書和斯坦因第三次中亞探險所劫文

書，還有北京圖書館、龍谷大學及個人收藏文書。第四冊出版較晚，收錄較全，斯、伯所劫和中國所藏差不多都有收入，但缺蘇藏。

除此之外，大淵忍爾的《敦煌道經目錄》（京都：法藏館，1960年3月）、《敦煌道經——目錄編》（東京：福武書店，1978年3月），兜木正亨的《斯坦因伯希和敦煌搜集品中法華經目錄》（東京：佛の世界社，1978年），大正一切經刊行會編行的《敦煌本古逸經論章疏並古寫經目錄》（收入《昭和法寶總目錄》，東京：大正一切經刊行會，1928年），三木榮的〈西域出土醫藥關係文獻總合解說目錄〉（收入《東洋學報》第47卷第1期，1964年6月），田中良昭的〈敦煌禪宗資料分類目錄初稿㈠——傳燈‧嗣承論〉（收入《駒澤大學佛教學部研究紀要》第27卷，1969年3月）、〈敦煌禪宗資料分類目錄初一稿㈡——禪法‧修道論〉（收入《駒澤大學佛教學部研究紀要》第29、32、34卷，19671年3月、1974年、1976年），也都是相當重要的著作。

至於國內編纂的專科目錄，由於數量眾多，不及一一備載，讀者可參閱各種「敦煌學研究論著目錄」。

三、敦煌文書匯輯影印

在微縮膠卷攝製公布以前，二〇年代初期，學者研究敦煌文書的主要依據，是伯希和攜帶來京或寄與學者的照片。其中刊布敦煌遺書的最大功臣，是王仁俊（撰有《敦煌石室真蹟錄》六卷，清宣統元年〔1909〕吳趨王氏手寫石印本）、羅振玉（輯刊有《敦煌石室遺書》，清宣統己酉〔1909〕年排印本；《鳴沙石室佚書》，民國二年上虞羅氏排印本；《雪堂叢刻》，民國四年上虞羅氏排印本；《鳴沙石室古籍叢殘》，民國六年上虞羅氏排印

本；《鳴沙石室佚書續編》，民國六年上虞羅氏排印本）等人。
一九八一至一九八六年間，黃永武先生《敦煌寶藏》編成，這是
具有劃時代意義的鉅著，對查找利用敦煌資料提供了最大的便
利。其後則陸續有更多的寫本文書圖錄影印行世，以下擇要介紹
幾部相關工具書。

・敦煌書法叢刊　饒宗頤編　東京　二玄社　29冊　1983-
1986年

此書係選刊有書法價值的法藏漢文拓本、寫本，兼及一些重要的典籍
文獻和歷史文書。內容分：第一卷「拓本」，第二卷「韻書」，第三至十二
卷「經史」，第十三卷「書儀」，第十四至十五卷「牒狀」，第十六卷「詩
詞」，第十七卷「雜詩文」，第十八至十九卷「碎金」，第二十至二十六卷
「寫經」，第二十七至二十九卷「道書」。其中編者對每件影本都寫有解說，
極有參考價值。一九九四年，廣東人民出版社出版了此書的中文修訂本，
題為《法藏敦煌書苑精華》，共八冊，印刷質量不及二玄社版，但解說部分
更增入近年來許多新的研究成果。

・敦煌大藏經　徐自強、李富華等編　星星出版社、臺北　前
景出版社　63冊　1990-1991年

全書按《開元釋教錄》框架輯集敦煌文獻中佛經部分，前六十冊為漢
文佛經，後三冊為梵文、粟特文、于闐文、回鶻文、吐蕃文等佛經。其最
大特色，是對某些經卷進行了綴合，並寫有校記，校記中列出各經卷與
《大正藏》、《中華大藏經》對應關係。末附《敦煌大藏經總目錄》，極便搜
檢。

・英藏敦煌文獻（佛經以外部分）　中國社會科學院歷史研究
所、中國敦煌吐魯番學會敦煌古文獻編輯委員會、英國國家
圖書館、倫敦大學亞非學院合編　成都　四川人民出版社
15冊　1990年

　　第一至十一卷，收英國圖書館已公布的全部非佛經漢文寫本。十二至十四卷，則為首次公布的英國圖書館藏S.6981-13677號之間的非佛教文書、英國博物館東方古物部所藏敦煌寫本以及絹紙繪畫上的供養人題記、英國印度事務部圖書館所藏敦煌漢文寫本非佛經部分。第十五卷為總目及索引。

・敦煌社會經濟文獻眞蹟釋錄　唐耕耦、陸宏基編　5冊
　1986、1990年

　　第一冊於一九八六年由北京書目文獻出版社出版，其餘四冊於一九九〇年改由全國圖書館文獻縮微複製中心出版。此書以北京、倫敦、巴黎等處藏敦煌文獻縮微膠卷為依據，選出有關社會經濟史料分類影印，並附釋文，上圖下文，頗便利用。所收範圍甚廣，除宗教經典、儒家經籍、文學作品、語言文字、醫藥、科技等方面未收外，其餘敦煌世俗文書幾乎全部網羅在內，對研究經濟、歷史、地理、法律、軍事、風俗、中西交通等都具有極高價值。

・敦煌吐魯番文獻集成　上海博物館、上海圖書館、俄羅斯科
　學院東方研究所聖彼得堡分所、俄羅斯科學出版社東方文學
　部、中國社會科學院民族研究所、北京大學圖書館、天津市
　藝術博物館、法國國家圖書館合編　上海　上海古籍出版社
　1992、1996年

　　全書分七大部分：《上海博物館藏敦煌吐魯番文獻》，二冊；《上海圖書館藏敦煌吐魯番文獻》，四冊；《俄羅斯科學院東方研究所聖彼得堡分所藏敦煌文獻》，十七冊；《俄羅斯科學院東方研究所聖彼得堡分所藏黑水城文獻》，十一冊；《北京大學圖書館藏敦煌文獻》，二冊，《天津市藝術博物館藏敦煌文獻》，七冊；《法國國家圖書館藏敦煌西域文獻》，二十冊。此套書印刷精良，所收敦煌文獻有不少屬首次公布，價值很大。

四、敦煌學研究論著目錄

隨著敦煌學研究的日益廣泛，彙輯全世界學者對敦煌學考訂、研究的單篇論文和專門著作的目錄，其重要性也不下於各種館藏寫本目錄。現今已發表或出版的研究論著目錄，可分為兩類：一是綜合性的目錄，二是專題性的論著目錄，列舉如下：

㈠綜合性目錄

- 敦煌文獻研究論文目錄　鈴木俊等編　東京　東洋文庫敦煌文獻研究連絡委員會　1959年
- 中國敦煌吐魯番著述資料目錄索引（1909—1984）　盧善煥、師勤編　西安　陝西省社會科學出版社　1985年8月
- 敦煌學論著目錄（1909—1983）　劉進寶編　蘭州　甘肅人民出版社　1985年
- 敦煌學研究論著目錄（1908—1986）　鄭阿財、朱鳳玉主編臺北　漢學研究資料及服務中心　1987年4月
- 敦煌學研究論著目錄　鄺士元編　臺北　新文豐出版公司1987年6月
- 敦煌吐魯番論著目錄初編（歐文部分）　敦煌吐魯番學北京資料中心編　北京　該中心　1988年8月
- 敦煌吐魯番論著目錄初編（日文專著部分）　敦煌吐魯番學北京資料中心編　北京　該中心　1988年8月
- 敦煌學研究專著目錄（中文、日文、英文）　敦煌研究院資料中心編印　1988年8月
- 吐魯番・敦煌出土漢文文書研究文獻目錄　東京　東洋文庫

敦煌文獻研究委員會編　1990年3月
- 敦煌研究院五十年研究論著目錄（1944—1994）　盧秀文編
不著出版項
- 中國敦煌學百年文庫·論著目錄卷　敦煌研究院資料中心編
蘭州　甘肅文化出版社　1999年
- 敦煌吐魯番學論著目錄初編（日文部分）　李德範、方久忠
編著，敦煌吐魯番北京資料中心主編　北京　北京圖書館出
版社　1999年4月
- 敦煌學研究論著目錄（1908—1997）　鄭阿財、朱鳳玉主編
臺北　漢學研究資料及服務中心　2000年
- 國家圖書館藏敦煌遺書研究論著目錄索引　申國美主編　北
京　北京圖書館出版社　2001年9月
- 我國臺港地區出版敦煌學著述、資料初目（上）　師勤、盧
善煥編　刊載於《中國敦煌吐魯番學會研究通訊》1984年第
2期　頁28-40　1984年9月
- 我國臺港地區出版敦煌學著述、資料初目（下）　師勤、盧
善煥編　刊載於《中國敦煌吐魯番學會研究通訊》1984年第
3期　頁33-46　1984年12月
- 1950—1993臺灣地區有關敦煌學博碩士論文目錄　鄭阿財編
刊載於《中國唐代學會會刊》第4期　頁267-268　1993年11
月

㈡專題性目錄

- 西藏研究文獻目錄·日文、中文篇（1877—1977）　貞兼綾
子編，鍾美珠譯　鄭州　中州古籍出版社　1986年8月
- 絲綢之路文獻敘錄　甘肅省社會科學學會聯合會、甘肅省圖

書館合編　蘭州　蘭州大學出版社　1989年8月

· 絲綢之路研究文獻書目索引　岳峰、周玲華編　烏魯木齊新疆人民出版社；香港　香港文化教育出版社　1994年10月

· 敦煌文學研究書目　太田辰夫著　刊載於《神戶外大論叢》第5卷第2期　頁19-130　1954年7月

· 敦煌學與西域文明文獻研究目錄（1-2）　戚志芬、閻萬鈞編　刊載於《敦煌研究》（詳細卷期參見上述綜合性目錄）

· 敦煌文學研究目錄索引（初稿）　張鴻勛、周丕顯、顏廷亮編　刊載於《關隴文學論叢（敦煌文學專集)》　頁224-249　蘭州　甘肅人民出版社　1983年8月

· 五涼文學座談會論文資料目錄　刊載於《敦煌語言文學研究通訊》第8期　1984年10月

· 敦煌語言文學研究論文目錄（1984—1989）　敦煌語言文學研究通訊編　刊載於《敦煌語言文學研究通訊》（詳細卷期參見上述綜合性目錄）

· 敦煌·吐魯番學工具書目　李并成著　刊載於《敦煌學輯刊》1985年第1期　頁158-166　1985年6月

· 敦煌樂舞著述論文簡目　林海飆編　刊載於《中國敦煌吐魯番學會研究通訊》1986年第4期　頁45-50　1986年

· 敦煌醫學文獻論著目錄　王進玉編　刊載於《中華醫史雜誌》第17卷第1期　頁51-53　1987年

· 王國維敦煌學論著目錄初編〉（上、續）　張宏、耐廬編　刊載於《（甘肅）社會科學》（詳細卷期參見上述綜合性目錄）

· 中國古代壁畫保護技術論著目錄　王進玉編　刊載於《新疆文物》1995年第1期　頁79-82　1995年

・潘重規教授敦煌論著目錄　朱鳳玉、鄭阿財編　收入《慶祝潘石禪先生九秩華誕敦煌學特刊》　頁603-608　臺北　文津出版社　1996年9月

附帶一提,這些收錄當代敦煌學研究最新成果的專題目錄,大多刊載於《中國敦煌吐魯番學會研究通訊》、《敦煌學輯刊》、《敦煌語言文學研究通訊》等刊物上,讀者可留意參看。

五、結語

敦煌藏經洞內文書文物的發現,開啟了敦煌學研究的風潮。敦煌學目錄是敦煌學研究的基礎,為了推動敦煌學的發展,幾代中外學者作了大量的目錄工作。然而在六〇年代以前,各館館藏編目工作不僅進行緩慢,各種已公布的目錄體例也不甚一致,因此白化文先生在《敦煌學目錄初探》一書中,曾感慨地說:「劫奪的本領大,偷得快,可是整理的本領小,整理編目公布的工作做得很慢。約舉數例,如英國翟理斯所編的《大英博物院藏敦煌漢文寫本注記目錄》(Lionel Giles: Descriptive Catalogue of the Chinese Manuscripts from Tunhuang in the British Museum)用了三十八年才編成行世。法國的館藏漢文文書目錄至今才編成了二卷一千號。蘇聯所藏的敦煌寫本目錄至今才公布了兩冊,據說還有大量材料正在整理之中。就連我國自己的各館館藏,有的至今也沒有完全編完公布,如北京圖書館館藏即如此。」「敦煌學目錄和目錄工作是在紛亂的劫奪中極不正常地產生的。敦煌遺書經不同國家的眾多學者用多種方式進行登記著錄,呈現了各自為政的局面,它妨礙了一部良好的統編的聯合目錄的產生,影響了敦煌學的進一步發展。」(石家莊:河北人民出版社,1989年5月)白

先生此書成於一九八九年，距今已十餘年，這十餘年間，相關敦煌學目錄整理工作實有相當大的進展。本文粗略地介紹了幾種館藏編目及研究論著目錄，希望能對初學者有所幫助。

另外必須指出，敦煌文書的形態、用紙、裝潢、印信、題記及俗寫文字、各類符號與卷本割裂等情形，均有其特殊性，因此讀者在接觸敦煌寫卷之前，最好對於這些問題有所瞭解，方能正確有效的運用原始材料，避免乖違失真，穿鑿臆測。

虛詞的檢索與利用

葉純芳

東吳大學中國文學系博士生

一、前言

　　虛詞是相對於實詞而言的，它又叫作「助詞」，在更早的時候，又可稱作「虛字」或「助字」。虛詞一般來說可以分為連詞、介詞、語氣詞、感嘆詞等幾類。

　　清代阮元在〈經傳釋詞序〉中說：「經傳中實字易訓，虛詞難釋。」可見虛詞對於讀通古書，具有關鍵性的地位。「虛詞難釋」的苦惱，並不是今人才有，古人同樣對於古書中的虛詞用法感到困難。所以，便有學者將這些自古流傳下來的虛詞作分類整理。對研讀古書的人來說，確實有著事半功倍的效用。而《助語辭》便是我國目前所能見到最早論述文言虛詞的專著。

　　《助語辭》作者為元代的盧以緯。本書最初稱《語助》，收錄於《奚囊廣要叢書》（於《北京圖書館古籍珍本叢刊‧子部‧叢書類》可見此書）。明代胡文煥編《格致叢書》收錄此書時，將書名改為《新刻助語辭》，目前較通行的本子有王克仲的《助語辭集注》（北京：中華書局，1988年6月）。這部書開創了彙解虛詞的先例，全書收六十六組虛詞或與虛詞有關的詞組，共計一百三十六個詞條。其中有單音節詞六十八個，複合詞和詞組六十八

個。複合詞和詞組的數量在書中佔了一半，這在以單音節虛詞為主要訓釋對象的我國古代社會，無疑是在研究領域方面的一個進展。《助語辭》的學術價值在於它開拓了虛詞研究的領域，在歷史上第一次把虛詞作為語言結構中的重要環節，並給予集中的闡述。其中對某些詞條的解釋，即便在今天，也不無借鑑之處。但正如所有草創性的著作一樣，它同時也存在著不可忽視的缺陷。其中既有因歷史的侷限而出現的問題，也有因作者對語言事實的誤解而出現的問題。這些問題成為後世研究虛詞的推手，也使清代在虛詞的研究上有著前所未有的成就。其中最重要的兩部著作是劉淇的《助字辨略》與王引之的《經傳釋詞》。

　　《助字辨略》從先秦至宋元的經傳、諸子、詩詞、小說中搜集了虛字四百七十六個，分成三十類，以正訓、反訓、通訓、轉訓等方法進行解釋，釋義明確，徵引豐富，奠定了虛字研究的基礎。《助字辨略》初刻於康熙五十年，後來多次重刊，一九三九年開明書店據長沙楊氏刻本標點排印，略加校注，在書眉上標出各字的解釋，增編筆畫索引以便檢查。（目前有多家出版社翻印，較易取得的有臺北：臺灣開明書店，1979年；揚州：江蘇廣陵古籍刻印社，1990年；上海：上海書店，1994年。）王引之的《經傳釋詞》蒐集周秦兩漢古書中的虛字一百六十個，分成五十二類，並作深入的分析與考釋，直到今日，它仍是一部研治古代虛詞的重要參考書。它的不足處，是略於虛詞的常用意義，詳於虛詞的特殊意義，而且幾乎不收複音虛詞，因此限制了它的應用範圍。補充該書的有清孫經世的《經傳釋詞補》、《經傳釋詞再補》，一九五六年中華書局合刊三書，定名為《經傳釋詞》（附補及再補），並改編目錄，注明正文頁碼，以便查考。一九八三年四月，臺北漢京文化事業公司翻印中華書局本，亦將三書合刊。

另外有清吳昌瑩的《經詞衍釋》（香港：太平書局，1977年5月），也是一部補充《經傳釋詞》的著作。以上所舉，為清以前較重要的虛詞研究著作。其他像《經籍纂詁》、《說文解字注》、《廣雅疏證》、《爾雅義疏》等書，雖然研究重點不在虛詞，但對虛詞的分析，亦有其精闢的見解。這是民國成立以前對虛詞研究的大略概況。關於近現代人研究虛詞的著作，以下分為綜合性虛詞著作與專門性虛詞著作兩部分來介紹。

二、綜合性的虛詞著作

本文所謂的綜合性的虛詞工具書，指的是將古書中（包括經、史、子、集）常用的虛詞彙集起來的著作。近人研究虛詞，較有成就的著作有楊樹達的《詞詮》、裴學海的《古書虛字集釋》、楊伯峻的《中國文法語文通解》、呂叔湘的《文言虛字》。

・詞詮　楊樹達著　上海　商務印書館　1928年

楊樹達不論在訓詁學、文字學上都有很高的造詣與成就，同時又接受西方語言理論的薰陶，因此結合了我國訓詁學的傳統與現代語法學的理論，對虛詞進行研究，是我國研究虛詞的一大進步。該書的特點是材料充實，分類精確，條理清楚，便於檢索。收錄古書中常用虛字約五百三十個。一九九六年，上海書局根據商務印書館一九三一年版影印出版。一九三二年，方毅為《詞詮》作校訂，仍由上海商務印書館出版。大陸易幟後，臺灣商務印書館根據上海商務印書館一九三二年版的校訂本，於一九五九年影印出版。之後又有王術加、范進軍的《詞詮校注》（長沙：岳麓書社，1996年）與張在雲等校議的《詞詮校議》（昆明：雲南教育出版社，1998年）。《詞詮校議》附有《詞詮》上海版、已校正北京版、一九五四年版或初版的誤例和有爭議、應補充的一些例句，並含《詞詮》引用書（篇）

目及校勘用書一覽表。對《詞詮》一書可說是作了完整的整理工作。

・古書虛詞集釋　裴學海著　上海　商務印書館　1934 年

本書主要參考《助字辨略》、王念孫《讀書雜志》、《經傳釋詞》、俞樾《古書疑義舉例》等訓詁專著和近代語法著作而成。其價值在於收錄周秦兩漢中，前人闡釋不完備的虛詞二百九十個，補充以前諸家關於虛詞研究的遺漏、不足和糾正錯誤。但其排列方式延續《經傳釋詞》按唐釋守溫的三十六字母為序，對一般不明古韻的讀者來說，查檢非常困難。目前翻印本非常多，如：臺北的泰順書局（1973 年，與《經傳釋詞》、《經詞衍釋》合刊）、世一書局（1974 年）、泰盛書局（1975 年）、漢京文化事業出版（1983 年）、廣文書局（1989 年）；上海的上海書局（1996 年）等。

・中國文法語文通解　楊伯峻著　上海　商務印書館　1936 年

本書雖然是一部研究古今漢語語法的書，但它只講詞法，不講句法，詞法則著重虛詞的用法。將文言、白話中的虛詞分類排比，顯示其歷史演變軌跡，特別是收集了大批中古以後的語言材料，是過去的著作中所沒有的，一九九〇年上海書店根據商務印書館版影印出版。

楊伯峻之後又出了幾部有關虛詞的著作，如《古漢語虛詞》（北京：中華書局，1981 年 2 月）、與田樹生 共同編著的《文言常用虛詞》（長沙：湖南人民出版社，1983 年）等。《古漢語虛詞》是在楊伯峻另一部著作《文言虛詞》（北京：中華書局，1956 年）的基礎上作了一些增改，例句抽換更多，譯文也作了較仔細的推敲，排列的次序，《文言虛詞》是依筆畫為次，《古漢語虛詞》則改用漢語拼音為次。討論範圍較《文言虛詞》更廣泛、深入，對初學者（因例句有譯文，初學者可以看得懂）或想深入研究者皆適用。本書選擇一百六十九個虛詞，虛詞中的多音詞附於主要虛詞之下。虛詞的用法，不僅限於常見的，對於難解或容易誤會的虛詞，有詳盡的解說。一個虛詞有幾種不同的意義與用法，也有明確的說明。

・文言虛字　呂叔湘著　上海　開明書店　1944 年

　　雖然這是一本講解古代漢語虛詞的小書，卻仍有其特點。以虛詞的常用意義而言，《經傳釋詞》總以「常語也」帶過，不作分析。本書認識到虛詞的常用意義正式學習虛詞的重點，選取常用虛詞二十二個，舉出大量例句，分析它們的語法作用，並且兩兩比對，如「之」、「其」；「而」、「以」等，並盡可能和現代語比較，以便讀者領會和查考。每節後附有部分練習，便於讀者閱讀後印證所學。書後附有〈開明文言讀本導言〉。〈導言〉簡要分析了將近二百個文言虛詞以及有關文言句式，內容更為豐富。翻印本有：臺北臺灣開明書店（1947年）、香港開明書店（1956年）、臺北文史哲出版社（1975年）等。

　　近年來大陸方面對虛詞的研究成果頗多，依出版年排列有：

- 現代漢語八百詞　呂叔湘主編　北京　商務印書館　1980年
- 古代漢語虛詞　華南師範學院中文系古代漢語虛詞編寫組編　廣州　廣東人民出版社　1982年
- 現代漢語虛詞例釋　北京大學中文系1955、1957級語言班編　北京　商務印書館　1982年
- 常用文言虛詞詞典　陝西師範大學古漢語虛詞用法詞典編寫組編　西安　陝西人民出版社　1983年
- 古漢語虛詞手冊　韓崢嶸著　長春　吉林人民出版社　1984年
- 古代漢語虛詞通釋　何樂士等著　北京　北京出版社　1985年
- 實用古漢語虛詞詳釋　段德森編著　太原　山西教育出版社　1986年
- 文言複式虛詞　楚永安著　北京　中國人民大學出版社　1986年
- 古漢語虛詞用法詞典　陝西師範大學詞典編寫組編　西安

陝西人民出版社　1988年

‧現代漢語虛語解析詞典　鮑克怡著　上海　上海教育出版社
1988年

‧漢語虛詞詞典　唐啓運、周日健主編　廣州　廣東人民出版
社　1989年

‧古代漢語虛詞類解　陳霞村著　太原　山西教育出版社
1992年

‧文言虛詞詮釋　李靖之、李立編　北京　中國勞動出版社
1994年

‧古漢語虛詞詞典　王海棻等編　北京　北京大學出版社
1996年

‧虛詞詁林　俞敏監修，謝紀鋒編纂　哈爾濱　黑龍江人民出
版社　1992年

‧現代漢語常用虛詞詞典　武克忠主編　曲阜師範大學本書編
寫組編著　杭州　浙江教育出版社　1992年

‧現代漢語虛詞詞典　王自強編著　上海　上海辭書出版社
1998年

‧現代漢語虛詞詞典　侯學超編　北京　北京大學出版社
1998年

‧古代漢語虛詞詞典　中國社會科學院語言研究所古代漢語研
究室編　北京　商務印書館　1999年

‧現代漢語虛詞　張誼生著　上海　華東師範大學出版社
2000年

　　雖然這方面的著作不少，但是大多數都無法超出過去的藩
籬，體例、材料大同小異的著作頗多，而真正有特色的卻很少。
以下介紹幾部編輯較為嚴謹的著作：

　　《現代漢語八百詞詞》，此書選詞以虛詞為主，亦收部分實詞。各詞條都標明詞類，如果一詞兼屬幾類，在同一條目下分項標明。每一詞條都有一定數量的例句，顯示各種不同的用法，各個義項皆有簡單的說明。對詞的用法說解較為詳細，例證也較豐富。

　　《現代漢語虛詞例釋》，此書收副詞、介詞、連詞、助詞、語氣詞等七百七十條。除現代漢語虛詞外，還酌收少量現代書面語中通行的文言虛詞。各詞條都標明讀音和詞類，並通過例句加以分析。全書按漢語拼音字母順序排列。

　　《實用古漢語虛詞詳釋》，本書所釋虛詞範圍，包括部分半虛半實、半實半虛的代詞、副詞，以及大部分介詞、連詞、助詞等。除單音詞外，還收釋了複音詞、固定詞組。例句不僅取自先秦經傳，也取自歷代仿古作家的文言文，包括比較通俗的文言小說、詩詞等。且例句皆翻譯成白話文。每個標目均按今音注出，有兩個讀音且目前仍在使用者，則同時標出，並加說明。本書對虛詞的來源亦儘量加以說明，來源不明的闕疑。所釋虛詞按筆畫順序排列。本書在一九九〇年再版時，改名為《實用古漢語虛詞》。

　　《古代漢語虛詞類解》，本書著重介紹先秦兩漢時期的虛詞，亦收部分中古時期虛詞。而且單音虛詞與複音虛詞並重，常用虛詞與罕用虛詞兼顧，即使一些較偏僻的字與義，只要閱讀古籍會使用到，也儘量收列。書中介紹單音虛詞四百六十多個，兼及複音虛詞、固定結構三百九十多個，又收有少量跟虛詞用法有關的配合形式。一般講解古代漢語虛詞的著作，大都採用辭典式寫法，以單詞為單位，按其詞性、意義、用法逐項說明，往往使人感到頭緒繁多，內容龐雜，難以掌握和運用。作者吸取前人之

長，以據義系聯，同類比較的方式解說。使綱目清晰，條理分明，便於讀者理解。書前〈緒論〉部分有〈古代漢語虛詞的性質和作用〉、〈古代漢語虛詞研究歷史概述〉、〈古代漢語虛詞研究方法淺說〉三篇文章，非常詳盡地對虛詞的相關問題作分析與說明。

《古漢語虛詞詞典》，本書共收古漢語虛詞八百三十七個，包括介詞、連詞、副詞、助詞、語氣詞、助動詞、嘆詞等。代詞根據用法分別標為疑問代詞、人稱代詞、指示代詞、無指代詞、不定代詞等。每個虛詞下皆有書證，文句艱深的書證，編者或注釋難詞，或解釋某個句子，或今譯全例，且譯文有時會顧及上下文或背景而加以說明。

臺灣出版的虛字著作有王叔岷《古書虛字新義》（臺北：聯經出版事業公司，1978年）、高樹藩編纂《文言文虛詞大詞典》（臺北：柬欣文化圖書公司，1988年）、《古籍虛字廣義》（臺北：華正書局，1990年）等。

三、專門性的虛詞著作

專門性的虛詞著作，主要針對特定對象而出版。如研究古文字的學者，會發現前人考釋甲骨文、青銅器銘文，多側重人地的考證，名物的訓詁，而對其文句的分析每有忽略，特別是甲骨文、青銅器銘文中有許多的虛詞，多數學者未能予以注意。這樣的情況很容易導致考釋文字的錯誤，甚至文義顛倒，妨礙我們對古文字的理解和研究。如果有一部專門研究古文字虛詞的著作，研究古文字的學者們就會方便許多了。這類的著作，由於主題範圍較集中，相對地比綜合性的虛詞著作內容深入，分析透澈。對

於專科研究者而言，也較為方便。這類的著作，目前出版的有：

· 詩詞曲語辭匯釋　張相著　北京　中華書局　1955年
· 尚書虛字集釋　朱廷獻著　臺北　臺灣商務印書館　1969年
· 左傳虛字集釋　左松超著　臺北　臺灣商務印書館　1969年
· 老子助字解　佚名撰　臺北　藝文印書館　1970年
· 杜甫詩虛字研究　黃啟原著　臺北　洙泗出版社　1977年
· 論孟虛字集釋　倪志僩著　臺北　臺灣商務印書館　1981年
· 墨子虛詞用法詮釋　謝德三著　臺北　學海出版社　1982年
· 西周金文虛詞研究　方麗娜著　臺北　國立臺灣師範大學國
  文研究所碩士論文　1985年
· 左傳虛詞研究　何樂士著　北京　商務印書館　1989年
· 三國史記虛詞研究　安載澈著　臺北　國立臺灣師範大學國
  文研究所博士論文　1990年
· 水滸詞匯研究·虛詞部分　植田均譯，李思明校　北京　文
  津出版社　1992年
· 兩周金文虛詞集釋　崔永東著　北京　中華書局　1994年
  附錄：西周金文虛詞用法釋例。
· 甲骨文虛詞詞典　張玉金著　北京　中華書局　1994年
  原名：《甲骨文虛詞研究》。
· 兒女英雄傳虛詞例匯　龔千炎主編、劉倬副主編　北京　語
  文出版社　1994年
· 史記稱代詞與虛詞研究　許璧著　國立臺灣師範大學國文研
  究所博士論文　1979年
· 商君書虛詞研究　李杰群著　北京　中國文史出版社　2000
  年

以下介紹二部專門性虛詞著作：

《詩詞曲語辭匯釋》，本書彙集了唐、宋、元、明以來流行於詩詞劇曲中的特殊語辭。作者以為，詞為詩餘，曲為詞餘，詩詞曲三者各為分流，仍屬同源，因此將此三者彙集解釋。彙集的方法有二：因其分流，則詩證詩，詞證詞，曲證曲，是為「自匯」；因其同源，則三者或二者互證，是為「互匯」。綜合各證，得出一個較為適當的字義，如果一義不足概括，則別求解釋，定為他義。而其研究虛詞的方法，則承自劉淇《助字辨略》、王引之《經傳釋詞》與清代諸訓詁大師的啟示。本書詳引例證，解釋詞義與用法，兼談其流變與演化，對於研究古典文學、語言學都有一定的參考價值。

《兩周金文虛詞集釋》，本書取兩周金文百餘種虛詞，分介詞、連詞、副詞、助詞、嘆詞。為使體例統一，傳統虛詞專著中所收的代詞、助動詞等項，本書不收入。每一詞條，首描篆體，次別其義項；每一義項內，首辨詞性，次明其義訓，又次列金文之例，又次舉典籍之例以證之。本書定訓的方法有四，典訓法：據傳統虛詞專著中已有的詮釋而定其訓；義理法：據上下文關係及內在邏輯而定其訓；聲訓法：據聲韻通轉而定其訓；結構法：據文法結構而定其訓。引用前人成說處，皆加以註明，亦間有作者自出己意，疏解字義者。書中所附〈西周金文虛詞用法釋例〉，為研究金文和其他古文字、研究古漢語，以及要以金文來探討古代歷史文化的學者而言，有非常大的助益。

四、結語

楊樹達先生在《詞詮·序例》中說：「凡讀書者有二事焉：一曰明訓詁，二曰通文法。訓詁治其實，文法求其虛。」如果能

　　夠充分掌握虛詞的各種用法與意義，對我們讀古書來說，就再也不是一件痛苦的事了。因此，有一部適合自己的綜合性虛詞工具書，可以使我們不強以實義釋之；當我們要研究一部古籍時，專門性虛詞工具書更可以輔助我們深入地研讀古籍。正確地解釋古籍的意義，我們才能探討古籍中的思想，使研究領域更寬更廣。

　　坊間出現許多虛詞詞典，但內容良莠不齊，有些甚至將幾部著作的內容彙為一書，重新出版。讀者在選擇虛詞工具書時，最先應該看編著者的資歷，如編著者對文字學、語言學、語法學皆有研究，那麼他所編出來的虛詞工具書至少有最基本的保障，像文中所提到的楊樹達、楊伯峻、呂叔湘等人，一生鑽研語言文字學，對虛詞的用法、解釋，自然要比一般書商為謀利而作的剪貼工作要來的正確深入。接著再看編者所釋字義，所舉例證是否有遷強之處，所下評論是否武斷，這樣我們在面對眾多虛詞工具書時，就不會難以作決定，誤用工具書了。

古文資料的檢索與利用

陳美雪

世新大學中國文學系副教授

　　我國古代散文萌芽於商代，迄清末為止，經過三千多年的發展，不但各個朝代有不同的散文風格，也產生各式各樣的散文體裁，根據姚鼐所編《古文辭類纂》即分為十三類，足見散文這一文類，內容也相當複雜。至於歷代所留存下來的散文數量有多少，雖沒有人作正式的統計，但從《全唐文》收錄近兩萬篇，可知歷代散文的總數將超過百萬篇以上。

　　這麼豐富的文學資源，加上後人的研究成果，該如何去查閱利用？以下分檢索散文作品和後人研究論著兩大項來加以討論。

一、檢索散文作品

　　我們要檢索古文作品，可從三方面入手：㈠是各代總集，㈡是各種總集，㈢是個人文集，茲分別說明如下：

㈠各代總集

　　從先秦到明代都編有總集，要檢索散文作品以利用這些總集最為方便：

　　・全上古三代秦漢三國六朝文　（清）嚴可均編　北京　中華書局　4冊　1958年12月

全書包括〈全上古三代文〉十六卷、〈全秦文〉一卷、〈全漢文〉六十三卷、〈全後漢文〉一〇六卷、〈全三國文〉七十五卷、〈全晉文〉一六七卷、〈全宋文〉六十四卷、〈全齊文〉二十六卷、〈全梁文〉七十四卷、〈全陳文〉十八卷、〈全後魏文〉六十卷、〈全北齊文〉十卷、〈全後周文〉二十四卷、〈全隋文〉三十六卷、〈先唐文〉一卷。同一朝代之中，以帝后、宗室諸王、國初群雄、諸臣、宦官、列女、闕名、外國、釋氏、仙道、鬼神等次序排列；同一作家之作品，則按文體分類編次。

由於嚴氏用力至深，蒐羅宏富，凡當時能見到的總集、別集、史書、類書，以及道、釋經典和金石拓片都加以輯錄。到目前為止，是查尋此一時段之文章，最為方便的一本工具書。

•全唐文　（清）董誥等奉詔編纂　北京　中華書局　1987年

本書是唐、五代文章的總集，收錄作者三〇四二人，文章一八四八八篇。編修工作始於嘉慶十三年（1808），成於嘉慶十九年（1814）。當時曾開設《全唐文》館，館臣有百餘人，由董誥領銜，知名學者如阮元、徐松都在館中。《全唐文》的編修者將許多散見的文章從浩瀚的書籍中抄出，可說幾乎把當時能見到的唐、五代文全蒐羅殆盡了。

一九八二年北京中華書局本，作了斷句，並附印《唐文拾遺》、《唐文續拾》，是較為完備的本子。由於《全唐文》的內容相當龐大，檢索篇名、人名非利用工具書不可。相關的工具書有：金輝編《全唐文人名詞典》（北京：華齡出版社，1996年）、馬緒傳編《全唐文篇名目錄及作者索引》（北京：中華書局，1985年）、馮秉文主編《全唐文篇目分類索引》（北京：中華書局，2001年）。

•全唐文新編　周紹良主編　長春　吉林文史出版社　22冊　2000年

《全唐文》在當時雖已將能見到的文章蒐羅完備，但由於新資料的發現，仍有可補充的地方。因此，有《唐文拾遺》、《唐文續拾》之作。且當

時編輯文字訛誤、文章重出等缺點也不少,學界一直有重新編輯的計畫,本書是此一理想的實現。

本書吸收近二百年來的研究成果,對《全唐文》的各種錯誤加以訂正,《唐文拾遺》、《唐文續拾》和新發現的文章,則依《全唐文》體例插進各卷中。新增入的文章,均註明出處;原無標題的,則代擬標題。《全唐文新編》所訂的編輯原則是「尊重事實,糾正錯誤,補充內容,避免繁瑣」。此書之出版,使唐文更為完備,檢索也更加方便。

· 全宋文 四川大學古籍整理研究所編 曾棗莊、劉琳主編 成都 巴蜀書社 100冊 1988年—

本書旨在蒐集有宋一代之單篇散文、駢文和詩詞以外之韻文。所收文章之時限,原則上以宋朝建立(960)至宋朝滅亡(1279)為止。生於五代十國而入宋之作家,《全唐文》已收者,一般不再收;《全唐文》誤收或入宋有文而為《全唐文》所未收者,重收。五代十國君主之文一律不收。宋、元跨代之作者,凡一般視為宋人且在宋有文者,本書全收。所收作者,一律按生年先後排列,生年不詳者,排於有生年或大約生年者之後,所收作者,皆撰有小傳。本書卷帙浩博,蒐羅宏富,是檢索宋人文章不可或缺的一本工具書。

· 全遼文 陳述編 北京 中華書局 1982年

本書為遼代詩文總集,計十三卷。遼代詩文傳世並不多,歷來也不受重視。民國初期,陳述在前人的基礎上輯有《遼文匯》十卷。八十年代初,他又將自己續編的遼文和《遼文匯》統編為一書,編成十三卷本的《全遼文》。卷一至三收遼代諸帝后的詩文;自卷四起,按大致的年代先後,收入遼代各家之作。卷十三為補遺,書後有〈類目索引〉、〈作者索引及事蹟考〉。

· 全元文 李修生主編 南京 江蘇古籍出版社 25冊 1997 —2000年

本書旨在蒐集有元一代之漢文單篇散文、駢文和詩詞曲以外的韻文。所收作家的時限，原則上承金和兩宋，原金朝管轄區作家以金哀宗天興三年（1234）為上限，原南宋管轄區作家以南宋趙昺祥興二年（1279）為上限；以元順帝至正二十八年（1368）為下限。由金、宋入元，由元入明之作家，其主要活動在元者，皆加以收錄。書末附有〈金元文作者索引〉、〈金元文篇名索引〉等。

・全明文　錢伯城、魏同賢、馬樟根主編　上海　上海古籍出版社　1992年—

本書旨在收錄有明一代駢、散、賦、贊、頌、銘等單篇文章。所收文章，分別輯自現存明人文集、總集及各類文獻。全書以作家生年先後為序，生年無可考者，參以卒年；生卒年俱無可考者，參以登第、交遊、爵里世次以定期時代。各朝帝王作品，置於各時期之首。所收各家，皆有小傳及版本介紹。

有明一代之單篇文章，不下數萬篇，編輯本書之艱鉅可知，是以迄今近十年僅出版一冊而已。不得已可查黃宗羲所編《明文海》（北京：中華書局，1987年2月）。

㈡選注本和鑑賞集

總集既已收羅各代的文章，何以還需要選注本和鑑賞集？因為：1.古文中往往有許多典故，總集中因篇幅所限，不適宜作注釋，有註解的選本可以彌補不足。2.總集既不作注釋，更不可能為每一篇古文作賞析，鑑賞集可彌補這方面的缺憾。3.總集篇幅龐大，除非專門研究者，一般人手頭上並不一定擁有，要檢查某一篇古文，可以先查這些重要的選本。

古文選本的數量相當多，古代人所編的選本，如《文選》、《唐文粹》、《古文苑》、《古文觀止》、《古文辭類纂》、《經史

百家雜鈔》等都是。其中，最有名的是《古文觀止》、《古文辭類纂》二書。

《古文觀止》為清人吳楚材、吳調侯編，最初刊行於清康熙三十四年（1695）。本書共選錄先秦到明末之古文二百二十二篇，不囿於一家一派，打破明人「文必秦漢」或「推尊唐宋八大家」的門戶之見，使學者能夠較全面的了解古代散文的風貌。

由於《古文觀止》有不少長處，也成為流傳最廣的古文選本，為其作注解、賞析的非常多，重要的有：

- 新譯古文觀止　謝冰瑩等著　臺北　三民書局　1971年4月
- 古文觀止譯注　陰法魯主編　長春　吉林文史出版社　1986年1月
- 古文觀止　高陽審定　臺北　五南圖書公司　1990年
- 古文觀止鑑賞　張高評主編　臺南　南一書局　2冊　1999年2月

其次是姚鼐所編的《古文辭類纂》，選錄戰國到清代的古文七百篇，分十三類，即論辨、序跋、奏議、書說、贈序、詔令、傳狀、碑志、雜記、箴銘、頌贊、辭賦和哀祭，書前有〈序目〉，說明自己學文的經歷，和編選的緣起。提出神、理、氣、味、格、律、聲、色，闡明文章內容與形式的關係。各類前有論說，探索文體源流，評論作家得失。

本書出版以後，為其作續編、評注的甚多，重要的有：

- 續古文辭類纂注　（清）王先謙編　臺北　世界書局　1975年
- 續古文辭類纂　黎庶昌編　臺北　臺灣中華書局　1972年
- 重校古文辭類纂評註　王文濡校注　臺北　臺灣中華書局　1969年

- 吳評古文辭類纂　吳闓生評　臺北　臺灣中華書局　1971年

　　至於鑑賞集是近二十年來研究古文的方式之一，由於相當受讀者重視，出版的數量非常多，重要的有：

- 古文鑑賞辭典　吳功正主編　南京　江蘇文藝出版社　1987年11月

　　臺灣文史哲出版社翻印，改名為《古文鑑賞集成》，分為《唐以前古文鑑賞之部》、《唐宋金元古文鑑賞之部》、《明清古文鑑賞之部》三冊，1991年3月出版。

- 古代散文鑑賞辭典　王彬主編　北京　農村讀物出版社　1987年12月

- 古代抒情散文鑑賞集　徐公持、吳小如等著　臺北　國文天地雜誌社　1989年6月

- 古文鑑賞大辭典　徐中玉主編　杭州　浙江教育出版社　1989年11月

- 古文鑑賞辭典　章培恆、陳振鵬主編　上海　上海辭書出版社　2冊　1997年7月

- 中學古文鑑賞手冊　吳功正主編　南京　江蘇文藝出版社　1988年3月

- 學生古文鑑賞辭典　陳慶元主編　福州　福建人民出版社　1992年

- 古文觀止・續古文觀止鑑賞辭典　關永禮主編　上海　同濟大學出版社　1990年6月

- 唐宋八大家鑑賞辭典　關永禮主編　太原　北岳文藝出版社　1989年10月

- 唐宋八大家散文鑑賞辭典　呂晴飛主編　中國婦女出版社　1991年1月

- 中國雜文鑑賞辭典　樓滬光等主編　太原　山西人民出版社
  1991年1月
- 歷代小品鑑賞辭典　湯高才主編　上海　上海三聯書店
  1990年
- 歷代小品文精華鑑賞辭典　夏咸淳、陳如江主編　臺北　萬
  卷樓圖書公司　1996年3月

在鑑賞集中，除上引純粹古文的鑑賞集外，也有不少是詩文
合編的鑑賞集，例如：

- 歷代名篇賞析集成　袁行霈主編　北京　中國文聯出版公司
  1988年12月；臺北　五南圖書公司翻印　1991年11月
- 中國古詩文鑑賞辭典　郁賢皓主編　南京　江蘇古籍出版社
  1988年7月；臺北　新地文學出版社翻印　1990年9月（改名
  爲《古詩文鑑賞入門》）
- 中國名勝詩文鑑賞辭典　佘樹森、喬默主編　北京　北京大
  學出版社　1989年4月
- 建安詩文鑑賞辭典　王巍、李文祿主編　長春　東北師範大
  學出版社　1994年4月
- 近代詩文鑑賞辭典　張正吾、陳銘主編　北京　光明日報出
  版社　1991年12月

㈢個人文集

當今出版的個人文集，編校者通常都有較詳盡的校注，利用
價值要比總集中所收的要高。如要參閱韓愈的古文，與其利用
《全唐文》所收的，倒不如利用馬其昶校注的《韓昌黎文集校注》
（上海：上海古籍出版社，1987年），其他各家文集，只要有校注
的，都可參考。此類校注本甚多，直接利用線上目錄檢索即可知

有無。

二、檢索研究論著

要檢索古代散文的研究論著，最方便的是有一部《古典散文研究論著目錄》。

可惜，還沒有這本書問世。目前比較方便使用的是下列幾種工具書：

- 中國文學論著集目正編　國立編譯館主編　臺北　五南圖書公司　7冊　1996年7月
- 中國文學論著集目續編　國立編譯館主編　臺北　五南圖書公司　7冊　1997年12月

這兩部工具書，《正編》收民國元年（1912）至民國七十年（1981）的資料條目。資料涵蓋臺灣、大陸、日本、歐美等地。除第一冊總論外，其餘各冊都收有散文的資料條目，只是資料有不少遺漏。

此外，還有許多工具書可檢索散文資料，茲分民國時期、中國大陸、臺灣、海外等四方面來探討。

㈠民國時期

所謂民國時期，是指民國元年至民國三十八年間，要檢查這一時期研究古典散文的專著，可利用：

- 全國總書目　平心編　上海　生活書店　1935年；臺北　成文出版社　1978年7月（《書目類編》第48、49冊）
- 民國時期總書目（中國文學）　北京圖書館編　北京　書目文獻出版社　1992年11月

- 抗日戰爭時期出版圖書聯合目錄　四川省中心圖書委員會編
　成都　四川大學出版社　1992年10月
　至於要檢查這一時期的期刊論文，可利用：
- 文學論文索引（1-3編）　陳璧如等編　臺北　臺灣學生書
　局影印本
- 國學論文索引（1-4編）　國立北平圖書館索引組編　臺北
　維新書局　1968年
　　查這些工具書，僅能查到期刊資料的條目，要知道這些期刊
藏在哪個圖書館，可利用全國圖書聯合目錄編輯組編《全國中文
期刊聯合目錄（1833—1949）》（北京：北京圖書館，1961年）。

㈡大陸地區

　　檢查大陸近數十年的研究專著，可利用下列工具書：
- 全國總書目　國家出版事業管理局版本圖書館編　逐年出版
- 臺灣地區「大陸研究」圖書聯合目錄　行政院大陸委員會資
　訊中心編　臺北　該委員會　1995年7月
- 中國文學古籍博覽　李樹蘭編　太原　山西人民出版社
　1988年
　　要檢查這一時段的期刊論文，可利用下列工具書：
- 中國古典文學研究論文索引（1949—1980）　中山大學中文
　系資料室編　南寧　廣西人民出版社　1984年6月
- 中國古典文學研究論文索引（1980—1981）　中國社會科學
　院文學研究所圖書資料室編　北京　中華書局　1985年10月
- 中國古典文學研究論文索引（1982—1983）　中國社會科學
　院文學研究所圖書資料室編　北京　中華書局　1988年9月
- 中國古典文學研究論文索引（1984—1985）　中國社會科學

院文學研究所圖書資料室編　北京　中華書局　1995年7月

除了這些專門性索引外，最近的研究成果也可利用上海圖書館編的《全國報刊索引》來檢索。另外，中國人民大學複印報刊資料中心所編的《中國古代・近代文學研究》每期前也有索引，可檢索。至於檢索別的資料條目，要知道哪個圖書館有收藏，可檢查《臺灣地區現藏大陸期刊聯合目錄》（臺北：行政院大陸委員會，1996年初版、1997年修訂版）。近幾年大陸推出的《中國期刊網》，不但可檢索條目，也有全文，利用起來相當方便。

㈢臺灣地區

要檢索臺灣地區的研究專著，可利用：

・中華民國出版圖書目錄彙編　國立中央圖書館編　臺北　該館　1964年
・中華民國出版圖書目錄　國立中央圖書館編目組編　臺北　該館　1960年

近期出版的圖書，可檢查國家圖書館編《全書新書資訊月刊》。另外，也可以利用圖書館線上公用目錄來檢索。

要檢索臺灣地區出版的期刊論文，可利用：

・中國文化研究論文目錄（第二冊文學）　國立中央圖書館編輯　臺北　臺灣商務印書館
・中華民國期刊論文索引彙編　國立中央圖書館期刊股編　臺北　國立中央圖書館　1978年

《中華民國期刊論文索引》已作成電子檔，檢索非常方便。

㈣海外地區

要檢索海外地區的研究成果，最方便使用的工具書是：

・中國文學研究文獻要覽・1945—1977（戰後編）　吉田誠夫
　等編　東京　紀伊國屋書店　1979年
・東洋學文獻類目　京都大學人文科學研究所附屬東洋學文獻
　中心編　京都　該中心　1935年—
・日本中國學會報（學界展望）　日本中國學會編　東京　該
　學會　1949年—

　　《東洋學文獻類目》基本上每年出版一冊，現已出至一九九
九年，是檢查中國、臺灣、日本、韓國、歐美等地漢學研究成果
最方便的一本工具書。《日本中國學會報》每年一期，已出至二
○○一年。每期後的學界展望，蒐羅海內外漢學研究成果的條
目，也相當方便使用。

古典詩學資料的檢索與利用

林淑貞

靜宜大學中國文學系副教授

　　所謂「古典詩學」，即是一門以古典詩歌為研究對象的學科領域，基本上，可將之擘分為兩大範疇，一是詩歌文本（text）研究，凡是對歷代詩歌總集、選集、別集作具體研究或對歷代詩人、流派研究其主題意蘊、形構技巧、藝術風格者屬之。二是詩論研究，凡是勾稽詩歌理論、釐析詩學術語、闡述詩歌史或源流、體派之研究者屬之。由於關涉範圍甚廣，我們擬依序：一、簡介詩歌作品，以知歷代詩歌總集、選集、別集，使研究能以原典為本，不為虛空之論；二、簡介工具書檢索與利用，以達事半功倍之效，使資訊應用無遠弗屆；三、簡介格律／韻書等，冀能提供詩歌創作之形式規範及形構技巧；四、簡介詩學相關網站，提供立體詩學之互動與創作，冀能資源互享。以上四項，期能提供詩學研究者契入基本文獻暨資源利用的津筏。

一、檢索詩歌作品

　　本部分可分為詩歌總集、選集、專家詩等類別。

㈠詩歌總集

　・先秦漢魏晉南北朝詩　逯欽立輯校　臺北　木鐸出版社　3

冊　1988年7月

· 全唐詩　（清）康熙敕編　北京　中華書局　25冊　1996年1月

· 全五代詩　（清）李調元編　成都　巴蜀書社　2冊　1992年

· 全宋詩　傅璇琮等主編　北京　北京大學出版社　72冊1991年

· 宋詩鈔　（清）吳之振、呂留良、吳自牧選　北京　中華書局　4冊　1986年12月

· 全金詩　薛瑞兆、郭明志編　天津　南開大學出版社　4冊1995年

· 元詩選　（清）顧嗣立編　臺北　世界書局　2冊　1967年

· 明詩綜　（清）朱彝尊編　臺北　世界書局　2冊　1989年4月

· 清詩匯　徐世昌編　臺北　世界書局　8冊　1961年

　　以上為歷代詩歌總覽，以朝代為主，可宏觀某一時代詩歌特色或專題研究之基本典籍。

㈡詩歌選集

　　選集的內容以主題或性質不同而分類，主要有下列數種：

· 古詩源　（清）沈德潛　臺北　世界書局　1998年二版

　　《古詩源》為沈德潛所選輯，上起唐堯，下迄南北朝，與明人麻三衡《古逸詩載》同為考察中國詩歌起源之詩集，然逸詩難徵，偽託自所難免。

· 古謠諺　（清）杜文瀾　臺北　新文豐出版公司　1986年

· 樂府詩集　（南宋）郭茂倩　臺北　里仁書局　2冊　1984年

　　《樂府詩集》為南宋郭茂倩輯，上起陶唐，下迄李唐，以曲調分卷輯錄，總括歷代樂府、歌謠、辭曲等，凡一百卷，是研究樂府重要典籍。

- ·唐人選唐詩新編　傅璇琮編　西安　陝西人民教育出版社1996年
- ·宋詩菁華錄　（清）陳衍評點，曹中孚校注　成都　巴蜀書社　1992年
- ·御定佩文齋詠物詩選　（清）張玉書等編錄　臺北　臺灣商務印書館　5冊　1983年（景印文淵閣四庫全書第1432-1434冊）
- ·唐人絕句萬首　楊家駱主編　臺北　鼎文書局　2冊　1978年3月
- ·西崑酬唱集注　（宋）楊億編，王仲犖注　北京　中華書局1980年
- ·宋詩選注　錢鍾書選注　北京　人民文學出版社　1958年
- ·臺灣詩錄　陳漢光編　臺北　臺灣省文獻委員會　3冊1971年6月

《臺灣詩錄》共十卷，是研究臺灣漢詩的基本典籍，包括：唐宋元、明、明鄭、清康熙、雍正、乾隆、嘉道、咸同、光緒（止於二十一年）、日據時期（止於清宣統三年）。

　　除了上述正式詩歌選集之外，在《昭明文選》詩選的部分亦輯入漢魏六朝詩凡十三卷，分類詳贍，纂輯精要，不可錯過。徐陵《玉臺新詠》，編選梁代以前詩歌選集，主要以艷情詩為主，凡八百七十章，亦可考齊梁之前詩歌。宋太宗太平興國七年（九八二），詔李昉敕編《文苑英華》，所選詩文時代承接《昭明文選》，起自梁朝，下迄晚唐五代，錄文學家二千二百人，詩文約二萬篇，所選詩歌有二十四目，歌行體有十七目，可作為銜接

《文選》之重要選集參考。

㈢專家詩

由於歷代詩家眾多，茲將重要專家詩集依時代先後，臚列於下：

· 曹植集校注　趙幼文校注　北京　人民文學出版社　1984年
· 阮步兵詠懷詩注　黃節注　臺北　藝文印書館　2000年四刷
· 陶淵明集校注　孫鈞錫校注　鄭州　中州古籍出版社　1986年
· 謝康樂詩註　黃節註　臺北　藝文印書館　1959年
· 鮑參軍詩注　（清）錢振倫注，黃節補注　臺北　世界書局　1962年
· 駱臨海集箋注　（清）陳熙晉箋注　北京　中華書局　1961年
· 沈佺期宋之問集校注　陶敏、易淑瓊校注　北京　中華書局　2冊　2001年
· 孟浩然詩集校注　李景白校注　成都　巴蜀書社　1988年
· 王右丞集箋注　（清）趙殿成箋注　北京　中華書局　1961年
· 新版王昌齡集編年校注　胡問濤校注　成都　巴蜀書社　2000年
· 新版李白全集編年注釋　安旗主編　成都　巴蜀書社　2冊　2000年4月
· 杜詩詳注　（清）仇兆鰲注　臺北　漢京文化事業公司　4冊　1984年
· 韓昌黎詩繫年集釋　錢仲聯集釋　上海　上海古籍出版社

2冊　1984年

- 柳宗元詩箋釋　王國安箋釋　上海　上海古籍出版社　1993年
- 韋應物集校注　陶敏等校注　上海　上海古籍出版社　1998年
- 劉長卿詩編年箋注　儲仲君著　北京　中華書局　2冊 1996年
- 白居易集箋校　朱金城箋校　上海　上海古籍出版社　1988年
- 李長吉歌詩彙解　（清）王琦彙解　上海　上海古籍出版社 1997年
- 樊川詩集注　（清）馮集梧注　上海　上海古籍出版社 1962年
- 孟郊詩集校注　華忱之、喻學才校注　北京　人民文學出版社　1995年
- 玉谿生詩箋注　（清）馮浩箋注　臺北　里仁書局　2冊 1980年
- 蘇軾詩集　（清）王文誥輯註，孔凡禮點校　北京　中華書局　1982年
- 黃庭堅全集　劉琳等校點　成都　四川大學出版社　4冊 2001年

　　因詩家眾多，僅舉魏六朝唐宋諸家以茲參考，至於其他詩家之詩集或全集查索方式，容後再述。目前出版詩人全集或詩集的出版社，在臺灣主要有臺灣中華書局、世界書局、廣文書局、臺灣商務印書館、三民書局等，在大陸主要有：北京中華書局、上海古籍出版社、江蘇古籍出版社、北京人民文學出版社等，若尋

訪原典，不妨鎖定這些書局，必能有得。例如北京中華書局《中國古典文學基本叢書》有《屈原集校注》二冊、《陶淵明集》、《李太白集》三冊、《王維集校注》四冊、《杜詩詳注》四冊、《白居易集》四冊、《劉長卿詩編年箋注》二冊、《李商隱詩歌集解》五冊、《曾鞏集》二冊、《蘇軾詩集》八冊、《後山詩注補箋》、《徐渭集》、《顧亭林詩箋釋》二冊、《龔自珍己亥雜詩注》等。新近，臺灣國立編譯館委託邱燮友、李建崑等諸位學者編寫詩集校注，亦有成果，可查閱，例如《孟郊詩集校注》（臺北：新文豐出版公司，1997年）、《張籍詩集校注》（臺北：華泰文化事業公司，2001年）、《賈島詩集校注》（臺北：里仁書局）等。

二、工具書檢索與利用

本部分分作三類介紹，一是攸關檢索詩歌書目（典籍）暨詩人之工具書，二是檢索詩歌論著工具書，三是辭典工具書。

㈠檢索詩歌書目（或典籍）暨詩人工具書

第一，檢索詩歌書目工具書：

· 四庫全書總目　北京　中華書局　1965年初版，1995年六刷
· 宋人別集敘錄　祝尚書著　北京　中華書局　2冊　1999年
· 清人文集別錄　張舜徽著　臺北　明文書局　1982年
· 清人詩集敘錄　袁行雲著　北京　文化藝術出版社　3冊 1994年
· 中國歷代詩文別集聯合書目　王民信主編　臺北　聯合報文化基金會國學文獻館　10冊　1981年

・臺灣漢語傳統文學書目　吳福助主編　臺北　文津出版社
　1999年
・臺灣古典文學與文獻研討會論文集　東海大學中國文學系編
　臺北　文津出版社　1999年
　以上諸書可查索詩歌目或典籍，至於《臺灣漢語傳統文學書
目》、《臺灣古典文學與文獻》二書可查臺灣漢詩之著錄。
　第二，檢索詩人工具書：
・唐五代人交往詩索引　吳汝煜主編　上海　上海古籍出版社
　1993年5月
・唐人軼事彙編　周勛初主編　上海　上海古籍出版社　4冊
　1995年
・列朝詩集小傳　（清）錢謙益編　臺北：世界書局　2冊
　1985年
・清朝詩集小傳　（清）鄭方坤編　臺北　廣文書局　1971年
・歷代詩史長編　楊家駱主編　臺北　鼎文書局　1971年
・歷代詩史長編人名索引　王德毅編　臺北　鼎文書局　1972
　年
　以上諸書可檢閱詩人軼事、傳略或詩歌本事。其中，楊家駱
主編之《歷代詩史長編》輯有唐、宋、金、遼詩、元、明、清諸
代之紀事，可資利用；另有《清朝詩人徵略》四冊、《清代閨閣
詩人徵略》、《道咸同光四朝詩史》等可資查索。此外，王德毅
編有《歷代詩史長編人名索引》，將《歷代詩史長編》的人名作
一引得，便於檢索。
　復次，哈佛燕京學社編有詩人引得，包括：四傑、王維、孟
浩然、李白、杜甫、岑參、高適、韓愈、劉禹錫、杜牧、李義山
等人，提供專家詩研究引得。

㈡檢索論著工具書

第一，檢索學位論文及期刊論文：

若欲查索臺灣地區相關詩學之學位論文或期刊論文，可進入國家圖書館檢索系統查閱，大陸之期刊則可進入「中國期刊網」檢索。

第二，檢索論著目錄：

· 中外六朝文學研究文獻目錄　洪順隆主編　臺北　文津出版社　1987年；臺北　漢學研究中心　1992年增訂版

· 唐代文學論著集目　羅聯添編、王國良補編　臺北　臺灣學生書局　1979年初版，1984年增訂再版

· 宋史研究論文與書籍目錄　宋晞編　臺北　中國文化大學出版社　1983年

· 中國通代文學論著集目正編　王國良編　臺北　五南圖書出版公司　1996年

· 中國通代文學論著集目續編　王國良編　臺北　五南圖書出版公司　1997年

由羅聯添召集、王國良編輯之《中國通代文學論著集目》，該書有「正編」、「續編」各七冊，主要收錄近八十年來中外學者研究中國文學之論著，正編自一九一二年起至一九八一年止，續編自一九八二年至一九九〇年止，各有七個單元：通代、先秦兩漢、魏晉南北朝、隋唐五代、兩宋、遼金元明、清代等，以時間先後為序，資料來源包括：雜誌、博碩士論文、專書、報章文史周刊論著等。各單元以朝代為主，再按文體及論著性質分類（如通論、詩、文、小說、戲劇等），每一類再分中文、日文、韓文、西文四部分，每一部分包括：通論（專論、專書、單篇）、翻譯、校注、書誌、索引、資料彙編等項，按年月排列，蒐羅豐贍，分類精細，若

於詩學，亦可翻閱檢索。

㈢辭典（書）工具書

目前詩學辭典工具書以大陸學者的整體成果較豐。我們將之
擘分為常識類、鑑賞類及詞彙／語彙／典故辭書等類別。

第一，常識或通論類辭書：

・中國詩學大辭典　傅璇琮主編　杭州　浙江教育出版社
1999年12月
・中國古代詩歌辭典　喻朝剛、張連第、樂昌大主編　成都
四川人民出版社　1989年
・中國詩歌大辭典　侯健主編　北京　作家出版社　1990年12
月
・詩歌辭典　陳紹偉編　廣州　花城出版社　1986年10月

第二，鑑賞類辭書：

從辭書所鑑賞的篇幅分類，可分為名句及名篇兩類。從詩歌
體裁之不同，應有近體、古體之不同；因音樂性質，而有不入樂
與樂府之不同；因鑑賞主題不同，而有題畫詩、山水、詠物、才
女等之不同；從時代分類，而有魏晉六朝詩、唐詩、清詩等之不
同，至於不可分類之辭書所在多有，茲統攝於次。

・古代詩歌精萃鑑賞辭典　王洪主編　北京　北京燕山出版社
1989年11月
・樂府詩鑑賞辭典　李春祥主編　鄭州　中州古籍出版社
1990年
・中國歷代名詩分類　胡光舟、周滿江主編　南寧　廣西人民
出版　4冊　1990年
・中國題畫詩分類鑑賞辭典　張晨主編　瀋陽　遼寧美術出版

社　1992年

· 中國古今題畫詩詞全璧　石理俊主編　石家莊　河北教育出版社　2冊　1994年12月

· 古今山水名勝詩詞辭典　李時人主編　西安　陝西人民出版社　1991年

· 山水詩歌鑑賞辭典　張秉戌主編　北京　中國旅遊出版社　1991年

· 中國古代山水詩鑑賞辭典　余冠英主編　南京　江蘇古籍出版社　1989年；臺北　新地文學出版社　1991年

· 中國歷代才女詩歌鑑賞辭典　鄭光儀主編　北京　中國工人出版社　1991年

· 中國歷代詠物詩辭典　陶今雁主編　南昌　江西教育出版社　1992年

· 漢魏六朝詩歌鑑賞辭典　呂晴飛、李觀鼎、劉方成編著　北京　中國和平出版社　1990年

· 漢魏晉南北朝隋詩鑑賞辭典　太原　山西人民出版社　1989年

· 全唐詩大辭典　張忠綱主編　北京　語文出版社　2000年9月

· 唐詩大辭典　周勛初主編　南京　江蘇古籍出版社　1990年11月

· 唐詩鑑賞辭典　蕭滌非等著　上海　上海辭書出版社　1983年

· 唐詩鑑賞辭典補編　周嘯天主編　成都　四川文藝出版社　1990年

· 唐詩分類大辭典　馬東田主編　成都　四川辭書出版社

1992年
· 全唐詩精華分類鑑賞集成　潘百齊編著　南京　河海大學出版社　1989年
· 宋詩鑑賞辭典　繆鉞等著　上海　上海辭書出版社　1987年
· 清詩鑑賞辭典　張秉戍、蕭哲庵主編　重慶　重慶出版社　1992年
· 甘肅歷代詩文詞曲鑑賞辭典　蘭州　敦煌文藝出版社　1994年
· 歷代怨詩怪詩鑑賞詞典　周溶泉、徐應佩、姜光斗、顧啓主編　南京　江蘇文藝出版社　1989年6月
· 中國古典詩詞地名辭典　魏嵩山主編　南昌　江西教育出版社　1989年4月
· 歷代梅花詩選　疏影編　臺北　超藝出版公司　1976年10月
· 中國花卉詩詞全集　鄧國光、曲奉先編著　鄭州　河南人民出版社　4冊　1997年
· 古詩百科大辭典　王洪、田軍、馬奕主編　北京　光明日報出版社　1991年12月
· 唐詩百科大辭典　王洪、田軍主編　北京　光明日報出版社　1990年10月
第三，詞彙／語彙／典故辭書：
· 詩詞曲語辭匯釋　張相著　臺北　臺灣中華書局　1989年臺八版
· 詩詞曲語辭集釋　王金英、曾明德編　北京　語文出版社　1991年
· 詩詞曲語辭例釋　王金英主編　北京　中華書局　1986年
· 古代詩詞典故詞典　陸尊梧、李志江、白維國、厲兵主編

天津　天津人民出版社　1992年
‧全唐詩典故辭典　范之麟、吳庚舜主編　武漢　湖北人民出版社　2冊　1989年

三、格律／韻書

古典詩之創作與新詩最大不同處，在於形式格律及用韻之規範。以下分類簡介。

㈠格律暨指導創作書籍介紹

‧中國詩律研究　王力著　臺北　文津出版社　1972年（原名《漢語詩律學》）
‧詩文聲律論稿　啓功著　北京　中華書局　1977年
‧詩詞曲格律淺說　呂正惠著　臺北　大安出版社　1986年
‧古典詩的形式結構　張夢機著　臺北　尚友出版社　1981年
‧近體詩創作理論　許清雲著　臺北　洪葉文化事業公司　1997年
‧讀詩常識　吳文蜀著　上海　上海古籍出版社　1987年；臺北　國文天地出版社　1990年

㈡韻書介紹

‧佩文韻府　康熙敕編　臺灣商務印書館
‧增廣詩韻全璧　臺北　華正書局　1991年7月
‧詩府韻粹　臺北　臺灣學生書局　1983年
‧古典詩韻易檢　許清雲編　臺北　文津出版社　1993年

四、網路資源

　　目前尚無古典詩學專屬的網站，攸關古典詩學多附掛於中國文學、古典文學或國文教學的相關網站中。當前最受肯定的是：

「網路展書讀」

http://cls.admin.yzu.edu.tw/home.htm

　　由羅鳳珠教授架設的「網路展書讀」，由於內容豐富，且能連結相關網站，為檢索之優質網站，內有四大單元：網路私塾、詩詞韻文、古典小說、網路資源，其中有「古典詩詞館」，附有詩詞吟唱、大家來吟詩、中國飲食詩、中國情詩、唐詩典故等吟唱及檢索功能；「唐宋流行歌」中有《唐詩三百首》以介紹唐詩入門小百科及各種唐詩知識，另附有資料檢索以提供詩名、詩句、作者及相關性質之檢索功能；「詩詞韻文」中有唐宋文傳記史資料可供檢索，另有「臺灣古典漢詩」則提供臺灣漢詩以供覽閱。

「古雅臺語人」

http://staff.whsh.tc.edu.tw/~huanyin/index.htm

　　是由鄭凰英所架設的網站，是一個有趣且內容豐富的網站，共有兩大單元，一是臺文好站，二是中國文學好站。後者又細繹為：總類、古今詩詞歌賦總匯、小說戲劇、古文四大類別。其中與古典詩相關的「古今詩詞歌賦總匯」，其下又分為總類編、朝代編，如果要檢索詩詞歌賦的文本（text）則當於「朝代編」中依時代檢索，其下共分為先秦、漢魏六朝、唐五代、兩宋、元明清五個時期，雖內容涵括詩、詞、歌、賦，但以「詩」所佔分量為多，因詩實是中國古典韻文之大系。

「網路古典詩詞雅集」

http://www.poetrys.org/phpbb/index.php

　　是一個優質的詩詞創作發表網站，許多古典詩詞愛好者在此「飆詩」，且常有互動與回應，能看到精采的對話與議題討論。

「文國尋寶記」

http://cls.admin.yzu.edu.tw/wen/wen.htm

　　有七大主題：學堂、黑白宮、大觀園、梁山、接龍瀑布、倒影湖、西園，其中與古典詩詞相關的主題單元即是「西園」，內附有唐詩三百首、宋詞三百首。「唐詩三百首」有唐詩世界、兒童樂園、資料檢索三單元，可供檢索、觀覽。

「傳統中國文學」

http://www.literature.idv.tw/indexl.htm

　　含有電子報、電子書庫、國學入門、研究專區、中研所，其中「國學入門」單元內含國學常識、文學日譚、詩詞歌賦、古籍觀止、成語新說、巧聯妙對等項，尤以「詩詞歌賦」一欄，有詩詞論文之討論與回應，可供查看。

「中央研究院人文資料庫‧漢籍電子文獻」

http://www.sinica.edu.tw/ftms-bin/ftmsw3

　　中有「樂府詩集」一單元，由臺灣師範大學國文系製作，將南宋郭茂倩《樂府詩集》以電子檔方式存錄，方便學者專家檢索。

「臺灣古典漢詩網站」

（hppt://cls.admin.yzu.edu.tw/cp/bin/All-Vol-Author.asp）

　　此網站為成功大學所架設，提供相關漢詩資訊，並臚列二十四種詩集，俾益學者檢視查索。

　　另外，東吳大學陳郁夫教授曾將《全唐詩》的全文以電子檔

製成檢索系統，亦有利大家檢索，若無此CD片，可連結故宮博
物院「寒泉古典文獻全文檢索資料庫」（http://libnt.npm.gow.tw/
s25/index.htm）網站搜尋即可。

詩話資料的檢索與利用

連文萍

東吳大學中國文學系副教授

掌握學術研究的相關資料，是從事研究工作的起步，資料掌握得越詳備周全，研究的基礎越是穩固。特別是中國古典詩學資料多如瀚海，要掌握詩學相關文獻或研究成果，並不是容易的事，本文嘗試以中國古典詩學為範疇，介紹檢索詩學文獻及後人研究成果的幾個途徑，提供讀者參考。

一、詩學文獻的檢索

從事詩學研究，首先必須掌握善本文獻。詩學的善本文獻，包括詩話專書及散見於總集、別集、筆記中的單篇詩論，檢索的方式與一般查找古籍的方式相同，如檢索《臺灣公藏善本書目書名索引》、《臺灣公藏普通本線裝書目書名索引》、《中國古籍善本書目》等總合性書目，或翻查《國立中央圖書館善本書目》、《北京圖書館善本書目》、《京都大學人文科學研究所漢籍分類目錄》、《美國哈佛大學哈佛燕京圖書館中文善本書志》等國內外圖書館藏書書目，或是進國家圖書館網站檢索「古籍文獻資訊網」，均可尋找詩學古籍善本的典藏之處，並進一步閱覽研讀。

值得注意的是，後人影印複製出版的詩學文獻也相當多，如果能全面掌握，可以節省前往圖書館蒐集資料的時間與精力。除

了詩學古籍善本的查找，也有許多後人整編分類、校勘輯佚的詩學文獻，或是後人纂編的辭典、目錄索引等，均是研究的重要助力，必須切實掌握。以下分就叢書、點校、輯佚、類編或彙編、選集、辭典、目錄等七個項目，呈現近人整編詩學文獻資料的大致方向與成果，並擇要加以說明。

㈠叢書

由於許多詩學文獻資料篇幅短小，所以明代就有揚州知府楊成纂刊《詩話》卜卷，將《劉邠貢父詩話》、《六一居士詩話》、《司馬溫公詩話》等卜種宋人詩話編成詩話叢書刊行流傳，自此之後，詩話叢書的編刊即不絕如縷，尤其是清末以來，每一次詩話叢書的整編，都好似將古代詩話作一次爬梳整理，對於詩話的流傳與研究，都是意義重大的。以下列出具代表性的詩話叢書提供參考：

- 清詩話　丁福保輯　中華書局上海編譯所　1963年校點　臺北　藝文印書館　1977年；上海　上海古籍出版社　1978年修定
- 歷代詩史長編　楊家駱主編　臺北　鼎文書局　1971年
- 古今詩話叢編　廣文書局編譯所編　臺北　廣文書局　1971年
- 古今詩話續編　廣文書局編譯所編　臺北　廣文書局　1973年
- 歷代詩話　何文煥輯　臺北　藝文印書館　1974年；北京　中華書局　1981年校點；臺北　木鐸出版社　1982年
- 歷代詩話續編　丁福保輯　臺北　藝文印書館　1974年；北京　中華書局　1983年校點；臺北　木鐸出版社　1983年

- 詩話叢刊　臺北　弘道文化事業公司　1978年
- 清詩話續編　郭紹虞輯　上海　上海古籍出版社　1983年校點；臺北　木鐸出版社　1983年
- 全明詩話　周維德輯　濟南　齊魯書社（將出版）

　　以上各式詩學叢書，各有不同的編纂角度，但論刊行的方式，則主要有兩種，一為依照原來的刊本影印複製，如廣文書局編譯所編《古今詩話叢編》、《古今詩話續編》，就影印刊行臺灣收藏的詩話明、清刊本達八十四種（按：大陸的出版社也有詩學古籍的影印出版，如中華書局上海編譯所一九五八年將元刊本《葉先生詩話》影印出版；上海古籍出版社一九七九年將宋刊本《韻語陽秋》影印出版等等，可以注意）；一為重新排印，如一九一六年丁氏排版本《歷代詩話續編》，就是重新排印刊行，後來藝文印書館根據此本影印發行，一九八三年北京中華書局則出版重新點校的版本。

(二)點校

　　將詩學資料重新打字排版，再加以點校或注釋，是現代詩學文獻整編的常見方式。中國大陸中文學界受到羅根澤、郭紹虞等學者的影響，對於詩話的點校工作相當重視，最值得注意的是，北京的人民文學出版社從一九五九年左右，有一系列詩話校點本的陸續出版，並編為《中國古典文學理論批評專著選輯》叢書，以下列舉部分書目，以見一斑：

- 滄浪詩話　嚴羽著，郭紹虞校釋　北京　人民文學出版社1961年
- 六一詩話　歐陽脩著，鄭文點校　北京　人民文學出版社1962年

- 苕溪漁隱叢話　胡仔著，廖德明校點　北京　人民文學出版社　1962年
- 四溟詩話　謝榛著，宛平點校　北京　人民文學出版社　1962年
- 北江詩話　洪亮吉著，陳邇冬校點　北京　人民文學出版社　1983年
- 詩話總龜　阮悅編，周本淳校點　北京　人民文學出版社　1987年
- 詩源辯體　許學夷著，杜維沫點校　北京　人民文學出版社　1987年

　　除了人民文學出版社之外，北京的中華書局有常振國等點校的《詩林廣記》（1982年）、《後村詩話》（1983年）、《竹莊詩話》（1984年）等書出版；中華書局上海編譯所有吳景旭所編《歷代詩話》校點本（1958年）；上海古籍出版社有王仲聞校勘《詩人玉屑》（1978年）、王鎮遠等標點《海天琴思錄》（1988年）；齊魯書社有李壯鷹校注的《詩式校注》（1986年）；四川大學出版社有陳應鸞箋注的《歲寒堂詩話校箋》（2000年）等，都可以留意。詩話經過點校之後再排印出版，更有利於現代研究者掌握全書內容，加上點校本大多附有「校勘記」或「點校後記」，甚至如《歷代詩話》、《歷代詩話續編》不但有點校本，還附上〈人名索引〉，為從事詩學研究者提供極大的便利。

㈢輯佚

　　「輯佚」，是由各總集、別集、史傳、筆記等書當中，尋找佚失的詩學資料，特別是詩話的著作形式都為筆記、條列式，很容易佚失，如果能纂輯佚文，就更能全面掌握詩學發展的概況與業

績。目前學界在詩學輯佚方面的成績不多，最受矚目的有：
- 宋詩話輯佚　郭紹虞輯　北京　中華書局　1980年
- 清詩話訪佚初編　杜松柏輯　臺北　新文豐出版公司　1987年

　　此外，關於專述詩歌本事、保存詩人與詩作相關文獻的歷代詩紀事，近人也有纂輯整編成績，如：
- 清詩紀事初編　鄧之誠編　上海　上海古籍出版社　1984年重印本
- 清詩紀事　錢仲聯主編　南京　江蘇古籍出版社　1987-1989年

　　以上二書當中，後者收錄上起明遺民、下迄清宣統時期，共六千餘位詩人的相關資料，內容宏富，是研究清代詩學必須參考的重要文獻。

㈣類編或彙編

　　古代詩話多是隨手筆記、以資閒談的性質，論述的內容漫無體系，對於閱讀及研究都可能形成阻礙，所以近人常將眾多詩話收錄的條目打散，再根據內容加以分門別類、重新輯錄，藉以建立中國詩學理論的體系，這一類的詩學文獻就稱為「類編」。又有一種「彙編」，是由總集、別集、筆記等書中彙集詩論家論詩的單篇文章或零星文字，雖不一定有明確的分門別類，卻也能使中國詩學體系更加龐大而完整。以下列出重要的類編或彙編：
- 百種詩話類編　臺靜農等編　臺北　藝文印書館　1974年
- 中國文學批評資料彙編　葉慶炳、吳宏一等主編　臺北　成文出版社　1978、1979年
- 古代詩話精要　趙永紀編　天津　天津古籍出版社　1989年

・中國古代文論類編　賈文昭、程自信編　福州　海峽文藝出版社　1990年
・中國近代文論類編　賈文昭編　合肥　黃山書社　1991年
・萬首論詩絕句　郭紹虞、錢仲聯等輯　北京　人民文學出版社　1991年
・明詩話全編　吳文治主編　南京　江蘇古籍出版社　1997年

　　以上各式類編或彙編中，《百種詩話類編》收錄上起梁朝鍾嶸《詩品》，下迄清代施補華《峴傭說詩》等一百部詩話的內容，按照「作家類」、「詩論類」、「歷代詩評論」、「體製類」等類目重新整編。《中國文學批評資料彙編》係彙集總集、別集、史傳、筆記等書中有關文學批評的單篇資料，包括文體論、創作論、批評論，全書共有八冊，各冊以朝代區分，分別為兩漢魏晉南北朝、隋唐五代、北宋、南宋、金代、元代、明代、清代。《古代詩話精要》係整編歷代詩話三一六部的內容，按「本體論」、「通變論」、「作家論」、「創作論」、「風格論」、「題材體裁論」、「批評鑑賞論」等七大類編排。《明詩話全編》則除了彙集原已單獨成書的明人詩話專著，另外重新由文集中輯出論詩文字，數量達六百餘萬字，也使得六百多位原本沒有詩話專著的明代詩論家，從此有了詩話輯本。

㈤**選集**

　　近人整編的詩學資料當中，也常以選集的方式，選取重要的詩學理論，予以集中呈現。部分詩學選集的選輯眼光精到，可以讓讀者快速且精確的掌握詩學重點，有些還附上注釋或導讀，更是增加選集的可讀性及價值。以下列舉較為知名的詩學相關選

集，提供參考：

- 近代文論選　舒蕪等編選　北京　人民文學出版社　1959年
- 中國歷代文論選　郭紹虞主編　上海　上海古籍出版社　1980年；臺北　木鐸出版社　1981年
- 中國歷代詩話選（一、二卷）　王大鵬等編　長沙　岳麓書社　1985年
- 歷代詩話詞話選　武漢大學中文系編　武漢　武漢大學出版社　1983年
- 宋金元文論選　陶秋英編選　北京　人民文學出版社　1984年
- 精選歷代詩話評釋　畢桂發等主編　鄭州　中州古籍出版社　1988年
- 兩漢文論譯注　曹順慶主編　北京　北京出版社　1988年
- 隋唐五代文論選　周祖譔編選　北京　人民文學出版社　1990年
- 古典詩論集要　屈興國、羅仲鼎、周維德選注　濟南　齊魯書社　1991年
- 明代文論選　蔡景康編選　北京　人民文學出版社　1993年

㈥辭典

　　詩學辭典可以提供詩學專書、詩學作者、文體、流派、名詞術語等相關資料的檢索，是查尋詩學資料的方便法門。詩學辭典的編纂，在中國大陸最為盛行，以下選列較具代表性的詩學辭典：

- 中國古代文學理論辭典　趙則誠等主編　長春　吉林文史出版社　1985年

・千古名句詩話辭典　許欽承編　鄭州　中州古籍出版社
1989年
・文學理論詞典　鄭乃臧、唐再興主編　北京　光明日報出版
社　1989年
・中國文論大辭典　彭會資主編　天津　百花文藝出版社
1990年
・中國古代詩話詞話辭典　張葆全主編　桂林　廣西師範大學
出版社　1992年
・中國詩話辭典　蔣祖怡主編　北京　北京出版社　1996年

㈦**目錄**

　　查找詩學文獻的相關目錄，除了先前所述總合性書目及各圖
書館典藏目錄，還可查閱叢書目錄，如：
・中國版刻綜錄　楊繩信編　西安　陝西人民出版社　1987年
・中國叢書綜錄　上海圖書館編　上海　上海古籍出版社
1986年

　　叢書目錄可以檢索收錄在叢書當中的詩學資料，像明代胡震
亨《唐詩談叢》收錄於《學海類編》、王文祿《詩的》收錄於
《百陵學山》、支允堅《藝苑閒評》收錄於《梅花渡異林》叢書，
以上三本明代詩話都沒有單行本，如果不是查檢叢書目錄，就無
法掌握這三本詩學資料。

　　又有綜合性的目錄索引，也可以檢索詩學文獻的出處或出版
情形，如山東大學中文系古代文藝理論史編寫組編《中國古代文
藝理論資料目錄彙編》（濟南：齊魯書社，1981年），此書收集先
秦至清末民初之間，與文藝理論有關的專著或單篇文章，包括詩
論、文論、畫論、小說理論等六大部分，各專著與文章均按作者

時代先後編列。

　　另有不少詩學研究學者的專著中附有詩學目錄，如劉德重等著《詩話概說》（北京：中華書局，1990年）附有〈歷代詩話要目〉；筆者的博士論文《明代詩話考述》（臺北：東吳大學中國文學研究所博士論文，1998年），附有〈明代詩話總目及版本總覽〉、〈明代詩話撰輯及刊刻相關年表〉、〈明代詩話作者索引〉。又有專門的詩話目錄專書，如吳宏一主編《清代詩話知見錄》（臺北：中央研究院中國文哲研究所，2002年），都是檢索詩學文獻須參考的資料。

二、後人研究成果的檢索

　　後人的詩學研究成果，主要有專書及單篇論文兩大部分。檢索詩學研究的專書，網路資料庫是便捷的方式，如國家圖書館的資訊網有「全國圖書書目資訊網」、「博碩士論文資訊網」、「典藏國際漢學博士論文摘要資料庫」等，可以充分利用。檢索單篇論文，也有相關資訊網，如國家圖書館的「期刊文獻資訊網」，或是專門的目錄索引，如《中國古典文學研究論文索引》（中國社會科學院文學研究所等編，北京：中華書局陸續出版）等可以查尋，但這些是掌握文學研究資訊的基本途徑，限於篇幅，不予詳述。以下針對詩學研究的專門領域，介紹可以掌握詩學研究資訊的重要專書或期刊等，並分就詩話總論、詩話考述、論文集、期刊年鑑等四個項目加以說明。

㈠詩話總論

　　在詩學研究的領域中，詩話研究的成績最為豐碩，值得注意

的是，已有許多總論詩話的專著先後問世，這些專著或淺顯、或深入，但多能爬梳論述「詩話」的名義、起源、發展、類型、作者等各個面相，有的並嘗試建立詩話研究的學科體系與理論體系，甚至發展出與日本、朝鮮、印度等域外詩學的比較研究，如果能掌握這些專著，對於「詩話」的本身以及詩話研究的概況，就能有全面的認識。以下列舉具代表性的詩話總論專著，提供參考：

- 詩話和詞話　張葆全著　上海　上海古籍出版社　1984年；臺北　國文天地雜誌社　1991年
- 歷代詩話論作家　常振國等編　長沙　湖南文藝出版社　1984年
- 詩話叢話　郭紹虞著（見《照隅室雜著》）　上海　上海古籍出版社　1986年
- 中國詩話史　蔡鎮楚著　長沙　湖南文藝出版社　1988年
- 詩話學　蔡鎮楚著　長沙　湖南教育出版社　1990年
- 詩話概說　劉德重等著　北京　中華書局　1990年

(二)詩話考述

詩話總論之外，近年來有不少專門的詩話考證評述成果出現，這些論著對於歷代詩話的發掘、整理、評論等相關研究深具貢獻，從事詩學研究者，對於這些成果必須有所掌握：

- 清代詩話敘錄　鄭靜若著　臺北　臺灣學生書局　1975年
- 初唐詩學著述考　王夢鷗著　臺北　臺灣商務印書館　1977年
- 宋詩話考　郭紹虞著　北京　中華書局　1985年
- 宋代詩話考略、金元詩話考略、明代詩話考略、清代詩話考

略、現代詩話考略　蔡鎮楚著　以上收錄於《石竹山房詩話論叢》　長沙　湖南文藝出版社　1995年

· 全唐五代詩格校考　張伯偉著　西安　陝西人民教育出版社　1996年

· 明代詩話考述　連文萍著　臺北　東吳大學中國文學研究所博士論文　1998年

· 元代詩學偽書考、唐五代詩格叢考　張伯偉著　二文收錄於《中國詩學研究》　瀋陽　遼海出版社　2000年

· 清代詩話考述　吳宏一主編（編纂中）

(三)論文集

　　與詩話有關的專門論著，因為書名明確，較易掌握，但許多論文集中，也有不少重要的詩學檢索資料，如《中國近代文學論文集》（北京：中國社會科學出版社，1982年）收有〈中國近代文學研究論文資料索引（1949—1979）〉；《近代文學史料》（北京：中國社會科學出版社，1985年），收有〈中國近代文學總論和詩文研究論文、資料索引（1919—1949）〉等，都可以考查詩學研究的論文篇目，但卻容易為人所忽略，十分可惜。

　　有些論文集，收錄評述學術研究狀況的學術史相關論文，藉此總結學術研究的成績，作回顧與前瞻的工作，這類論文集也可以考查詩學研究的相關資訊，如《中國文哲研究的回顧與展望論文集》（鍾彩鈞主編，臺北：中央研究院中國文哲研究所，1992年）和《五十年來的中國文學研究（1950—2000）》（龔鵬程主編，臺北：臺灣學生書局，2001年），都是總論臺灣的中國文學研究業績的重要論文集。其中，《五十年來的中國文學研究》一書，有四篇論文分別論述五〇到九〇年代臺灣學界對於中國古典

文學的研究概況,並有論文專論文學理論研究概況、文學資料及文獻目錄的整理概況等,由這些論文可以看到詩學研究的重要成果,更可以進一步了解這些研究成果的優缺點,明白有哪一些研究成果是應該掌握的,又有哪些未來的研究方向等等,值得參考。

㈣期刊年鑑

由於中國古典詩學研究,迄今並未有全面的詩學研究論著目錄可供檢索,但國內外有不少期刊都附有研究論文的索引,或學界研究現況的報導,可時常翻閱瀏覽,以便掌握研究動態及成果。如國家圖書館漢學中心編刊的《漢學研究通訊》,就曾刊載彭正雄等編〈臺灣地區古典詩詞出版品的回顧與展望1950—1994〉(14卷3期,1995年9月)。同時,《漢學研究通訊》每一期都有各大學文史系所最新研究動態報導、研究生正在撰寫的論文題目,及近期內所舉辦的學術會議等相關訊息,為讀者提供最新的研究資訊。

又如《書目季刊》曾先後刊載宋隆發編〈文心雕龍研究書目〉(13卷1期,頁73-92,1979年6月)、王國良編〈劉勰文心雕龍研究論著目錄〉(21卷3期,頁46-92,1987年12月)、何廣棪編〈鍾嶸詩品研究論文目錄〉(14卷4期,頁47-53,1980年1月)、王國良編〈鍾嶸詩品研究論著目錄〉(21卷1期,頁76-86,1987年6月)等,都是值得注意的詩學資料。

此外,海峽兩岸出版的各式文學年鑑,也常會總結並呈現古典文學研究的業績,詩學研究的相關研究資訊也在其中,如《一九九八年臺灣文學年鑑》(臺北:文訊雜誌社,1999年)就有黃文吉、孫秀玲所編〈中國古典文學研究論著書目〉,這一類的資

料應該確實掌握。

　　以上針對「詩學文獻的檢索」及「後人研究成果的檢索」兩方面，盡可能的以重點舉例的方式，介紹檢索、利用古典詩學資料的途徑，這與全面掌握詩學資料的目標，尚有一大段的距離。其實，每位研究者尋查資料都有自己的經驗與方法，如果有更多的人把自己的經驗寫出來，在一個專輯或一本書中交會，一定是相當有意思的事，或許也才能更多方面的呈現檢索詩學資料的法門。

詞學資料的檢索與利用

黃文吉

彰化師範大學國文學系教授

一、前言

　　詞自唐五代興起之後，大盛於宋金，綿延於元明，復興於清，迄今共有千餘年之歷史，其間產生許多偉大的作家及傑出的作品，這是人類的文化資產、精神寶藏。填詞在今天或許因為時代差異而不甚流行，但保存文化資產、挖掘精神寶藏的詞學研究，則甚具價值，這也是為什麼有如此多的中外學者投入這門學問之緣故。

　　目前臺灣增加了不少大學，各大學也擴充了許多系所，與中國文學相關的系所又陸續成立，一般大學中文系都會修習「詞選」課程，有的研究所也會開設「詞學研究」之類科目，每年都有不少研究生以詞學作為研究論文；因此，如何引導這些對詞學有興趣的後起之秀，讓他們能夠掌握詞學研究之鑰，以開啟詞學研究方便之門，則是相當重要的課題。以下根據個人多年來的研究經驗，將詞學資料的檢索與利用分數點介紹於後。

二、歷代詞人的作品在哪裏？

　　從事文學研究，最先要掌握的是作品，因此，有志於詞學研究者，首先要面對的是作品在哪裏？由於前人花了許多心力，從事詞籍的蒐集、考辨、校勘等整理工作，然後將各朝代的詞人作品彙集一編，也就是全集的編纂，透過這些全集，我們可以很輕鬆獲得某個朝代所有詞人的作品，茲將已經出版的各個朝代詞的全集錄之如下：

・全唐五代詞　張璋、黃畬編　上海　上海古籍出版社　1986年2月；臺北　文史哲出版社　1986年

・全唐五代詞　曾昭岷等編　北京　中華書局　1999年12月

・全宋詞　唐圭璋編　北京　中華書局　1965年6月；臺北世界書局　1967年10月

・全宋詞補輯　孔凡禮輯　北京　中華書局　1981年8月；臺北　源流出版社　1982年12月

・全宋詞　唐圭璋編，王仲聞參訂，孔凡禮補輯　北京　中華書局　1999年1月

　　此書是將上列的《全宋詞》、《全宋詞補輯》彙為一編，並作修訂，雖有利於讀者，但以簡體字橫排對古籍整理實在不妥當。

・全金元詞　唐圭璋編　北京　中華書局　1979年10月；臺北洪氏出版社　1980年11月

・全清詞（順康卷）　南京大學中國語言文學系全清詞編纂研究室編　北京　中華書局　20冊　2002年5月

　　從上面所列可以發現，目前缺少的是《全明詞》，《全清詞》也還沒出齊，在這種情況下，要找明代的詞，可用趙尊嶽輯的

《明詞彙刊》（上海：上海古籍出版社，1992年7月）；清代的詞則可用陳乃乾編《清名家詞》（上海：開明書店，1937年；臺北有鼎文書局翻印，書名改作《清詞別集百三十四種》（1976年8月），因為這兩部書蒐集的明、清詞較多。

掌握上列全集之後，如果再配合相關的索引，使用起來則更加便利。如胡昭著、羅淑珍根據張璋、黃畬編的《全唐五代詞》，編了《唐五代詞索引》（北京：當代中國出版社，1996年5月），讀者可透過每句詞的首字查到該句及該句所屬作者、詞調。高喜田、寇琪則根據中華書局一九六五年版《全宋詞》和一九八一年版《全宋詞補輯》，編有《全宋詞作者詞調索引》（北京：中華書局，1992年6月），讀者可透過調名及首句找到整首作品，並可統計每一詞調現存有多少作品。

目前因電腦的普遍使用，上述的索引已被電腦檢索系統取代了，如果要檢索唐宋詞，可上網到羅鳳珠老師所規劃主持的「網路展書讀」網站（http://cls.admin.yzu.edu.tw/），透過「唐宋詞」資料庫的檢索系統，在彈指之間即可找到所需要的唐宋詞人及其作品。另外也可上網到南京師範大學（http://www.njnu.edu.cn/），使用「全唐宋金元詞文庫及賞析系統」，該資料庫除唐宋詞外，還包含《全金元詞》，收錄更廣，但因為使用簡體字，對臺灣讀者恐怕較為不便。

如果研究某一詞家，需要了解其詞集的流傳情形，可查閱饒宗頤著《詞集考》（北京：中華書局，1992年10月），該書將唐五代宋金元的詞人所流傳下來的詞集，能見到的各種版本都一一著錄，讀者可據此找尋詞家不同版本的詞集。另外，要查清人詞集的話，可利用吳熊和等人合編的《清詞別集知見目錄彙編》（臺北：中央研究院中國文哲研究所籌備處，1997年6月），該詞集有

多少版本，目前庋藏何處，都有註明。

三、古人的詞學論評何處尋？

　　研讀詞人的作品之後，我們想要參考古代詞評家的意見時，要從哪裏找到資料呢？詞和詩一樣，詩有詩話，詞也有詞話，古人的詞學論評常透過詞話的形式來表達，因此我們必須先掌握詞話的資料。歷代的詞話不少，經唐圭璋的苦心蒐集整理，將歷代詞話編成《詞話叢編》（北京：中華書局，1986年11月；臺北：新文豐出版公司翻印，1988年2月）一書，如今只要擁有此書，從宋到清的八十五種詞話都在我們的手中了。

　　有了《詞話叢編》之後，再配合李復波編《詞話叢編索引》（北京：中華書局，1991年9月），則有事半功倍之效。如過去我們要找有關柳永的評論資料，則必須將《詞話叢編》翻尋一遍，非常費時，如今我們只要查《詞話叢編索引》，根據柳永條目下所列的頁碼，就可找到《詞話叢編》中所有柳永的評論資料。

　　但《詞話叢編索引》只限「人名索引」及「書名索引」，如果我們想要找尋詞學相關主題的資料就無能為力。這時可上網到中央研究院漢籍電子文獻瀚典全文檢查系統（http://www.sinica.edu.tw/~tdbproj/handy1/），利用文哲所提供的《詞話集成》資料庫檢索，目前這個資料庫已收二十八種詞話，預計收到一〇五種，擬補入《詞話叢編》未收的二十種，如果完成的話，對詞學研究者將更形便利。

　　除了詞話之外，古人的詞學論評意見也發表在詞籍序跋上，但序跋都隨附在詞籍，某些詞籍找尋不易而且費時，目前已經有學者將詞籍序跋匯聚在一起，如：金啟華等編《唐宋詞集序跋匯

編》（臺北：臺灣商務印書館，1993年2月）、施蟄存主編《詞籍
序跋匯編》（北京：中國社會科學出版社，1994年12月），前書只
收唐宋兩代的詞籍序跋，後書則蒐集更廣，除唐宋遼金元明清等
歷代詞別集序跋外，還將總集、選集、詞話、詞譜、詞律等各種
序跋收入，可讓讀者省下不少力氣。

我們解讀一首詞時，有關該詞的本事或傳說，也需要參考。
因此清人張宗橚就編有《詞林紀事》，今人楊寶霖又做補正，出
版了《詞林紀事、詞林紀事補正合編》（上海：上海古籍出版
社，1998年11月）；唐圭璋也編了《宋詞紀事》（上海：上海古
籍出版社，1982年11月），更嚴謹的從宋人書籍中錄出有關宋詞
本事，頗具參考價值。目前學界又將詞的本事和評論彙聚一起，
編出一套《歷代詞紀事會評叢書》（合肥：黃山書社，1995年12
月），其中已出版有：史雙元編著《唐五代詞紀事會評》；鍾陵
編著《金元詞紀事會評》；尤振中、尤以丁編著《明詞紀事會評》
及《清詞紀事會評》；嚴迪昌編著《近現代詞紀事會評》，尚缺
宋詞部分，如果全部出齊，要掌握歷代詞的本事或評論資料則更
輕而易舉了。

四、現代人的研究論著如何找？

相對於古人詞話式的論評意見，現代人除了專著外，就是撰
寫論文，民國以來已經累積了不少研究成果，這些論文除了部分
曾結集成書外，大多散見在報紙、期刊中，書海茫茫，要找尋這
些資料猶如大海撈針，常讓年輕學子視找資料為畏途。筆者為了
自助助人，於是蒐集了臺灣、大陸、香港、新加坡、韓國、日
本、歐洲、美國、蘇聯等地有關詞學研究的專書和論文篇目，主

編了一套《詞學研究書目（1912—1992）》（臺北：文津出版社，
1993年4月），透過該書目，我們就知道現代人在詞學研究上有哪
些成果，一方面可按圖索驥參考前人的研究成果，一方面也可避
免和前人的論題重複，而白費工夫。兩年後林玫儀也主編了《詞
學論著總目（1901—1992）》（臺北：中央研究院中國文哲研究所
籌備處，1995年6月），增補了一些條目，同樣可提供學界檢索近
百年詞學研究論著上的便利。

　　以上兩種目錄只收到一九九二年，近十年的研究論著要如何
找呢？筆者後來又繼續編了〈1993—1995年臺灣詞學研究論著索
引〉，發表在《中國書目季刊》（30卷1期，1996年6月）及《詞學
研究年鑑（1995—1996）》（武漢：武漢出版社，2000年3月）；
最近又編了〈1997—2001年臺灣宋代文學研究論著索引〉，發表
在《宋代文學研究年鑑（2000—2001）》（武漢：武漢出版社，
2002年10月），臺灣近十年的詞學研究成果大致可從此兩篇索引
中去尋找。而大陸方面的研究成果，也可從上述的《詞學研究年
鑑》及《宋代文學研究年鑑》所刊載的論著索引獲悉。

　　在電腦檢索方面，我們可以上網到國家圖書館全球資訊網
（http://www.ncl.edu.tw/ncl1.htm），使用國家圖書館資訊網路系
統，從中去檢索臺灣有關詞學的專著、期刊論文、博碩士論文等
資訊；一九九一年以來某些期刊論文甚至可從中華民國期刊論文
索引影像系統（http://www2.read.com.tw/cgi/ncl3/m_ncl3）直接閱
讀或列印。大陸一九九四年以後某些期刊論文，我們也可透過中
國期刊網（http://democjn.csis.com.tw/help/help.asp）取得。日本小
樽商科大學教授萩原正樹所設立的網頁（http://www.res.otaru-
uc.ac.jp/~hagiwara/），上面載有松尾肇子編〈日本國內詞學文獻
目錄補稿〉（1998年7月24日版），也可提供查尋日本有關詞學研

究的期刊論文篇目。

五、調名、格律、用韻如何檢索？

　　詞是詩的一體，它有特殊的形式體製，每個詞調都有其來歷，清毛先舒曾撰《填詞名解》，試圖就詞調名稱的來源加以探究解說。萬樹《詞律》、康熙《欽定詞譜》等書，也都涉及詞調來源考辨。聞汝賢根據上述眾書，又徵引許多資料，編成《詞牌彙釋》（臺北：聞汝賢自印本，1963年5月）一書，今天我們想要檢索詞調來源或同調異名等資料，應以此書較為方便。

　　詞原本是配合曲譜來歌唱的歌詞，後來曲譜亡佚了，後人為了能夠繼續填詞，則從前人的作品歸納其句法字數、平仄押韻等規律，這是文字譜，如張綖《填詞圖譜》、萬樹《詞律》、康熙《欽定詞譜》等都是。其中以萬樹《詞律》最受學界肯定。潘慎花了三十年心血完成的《詞律辭典》（太原：山西人民出版社，1991年9月），不但詞調與調體增加了，也有不少獨特的見解，加上編排創新，頗方便檢索。

　　上述的詞譜旨在求完備，另有人針對填詞需要，選擇一些常用的詞調而編成的詞譜，如清舒夢蘭所編的《白香詞譜》，選有一百調，最受初學者喜愛使用。龍沐勛也選擇了一百五十餘調，編成《唐宋詞格律》（上海：上海古籍出版社，1978年10月；臺北：里仁書局翻印，1979年3月），該書考辨精詳，除標平仄外，某字如一定要用去聲時，也特別附註說明。另外某些詞調若能確定適合表達何種感情，也予以說明；這些對學習填詞者皆相當有用。羅鳳珠的「網路展書讀」網站（http://cls.admin.yzu.edu.tw/），在「倚聲填詞」系統中，就採用《唐宋詞格律》，依據

該書的詞調格律，利用電腦自動檢測填詞是否合律，對詞的創作教學頗有助益。

唐人開始填詞時，並無特別的詞韻用書，直到南北宋之交，朱敦儒才擬應制詞韻十六條，另外列入聲韻四部，但該書早已亡佚，難得其詳。而世傳的宋《菉斐軒詞林要韻》，乃是後人謬託，實為曲韻之書。清代學者熱中編纂詞韻用書，如沈謙《詞韻略》、李漁《詞韻》、許昂霄《詞韻考略》、吳烺等編《學宋齋詞韻》等，數量雖多，但各有其缺失；直到戈載編的《詞林正韻》問世之後，才成為倚聲家所認同的詞韻用書。因此，今天無論填詞或考察詞人用韻情形，大家都以《詞林正韻》為依據。上述的「倚聲填詞」系統，也可以檢索《詞林正韻》，對填詞者相當方便。

六、其他工具書的利用

研讀歷代詞人的作品時，如果遇到典故，我們除了可用一般的辭典如：《辭海》、《辭源》、《中文大辭典》、《漢語大詞典》等來解決外，另外也有專為讀詞而編的典故辭典，如：葛成民、謝亞非等編《唐宋詞典故大辭典》（南寧：廣西人民出版社，1994年7月）、金啟華主編《全宋詞典故考釋辭典》（長春：吉林文史出版社，1991年1月）等，這兩部典故辭典所舉例子，唐五代詞是根據張璋、黃畬編的《全唐五代詞》，宋詞則根據唐圭璋編一九六五年版《全宋詞》，並都標註該書的頁碼，便於讀者檢查原詞，所以讀者除可了解典故的意義外，還可透過所舉的用例，了解該典故在唐宋詞中被運用的情況。

讀詞遇到生難字詞或典故時，如果都靠自己一一查尋辭書，

相當費時費力，因此藉著專家學者的注釋，是讀詞的一條便捷道路。目前各詞家別集、選集的注本實不勝枚舉，今舉收詞較多的大部頭注本，如：孔范今主編《全唐五代詞釋注》（西安：陝西人民出版社，1998年10月）、馬興榮等主編《全宋詞廣選新注集評》（瀋陽：遼寧人民出版社，1997年7月），前書共三冊，後書計五冊，蒐羅的作家與作品非常廣泛，平日所見的唐宋詞，遇到理解上的困難，翻檢這兩部書應可找到注釋。尤其後書還有集評，對研究者甚有幫助。

如果想要更深入了解一首詞，這時就得借助專家學者的賞析，大陸出版界曾出現一股「鑑賞辭典熱」，筆者曾發表〈必也正名乎——談「鑑賞辭典」〉一文（《國文天地》第7卷第7期，1991年12月），當時附錄的書目所收各種鑑賞辭典已達一一九種，數量相當驚人。茲舉詞的鑑賞辭典數種，以供參考：

- 唐宋詞鑑賞辭典　唐圭璋主編　南京　江蘇古籍出版社1986年12月；臺北　新地出版社　1991年4月（書名改作《唐宋詞鑑賞集成》）
- 唐宋詞鑑賞辭典（唐五代北宋卷、南宋遼金卷）　唐圭璋、繆鉞等著　上海　上海辭書出版社　1988年4、8月；臺北地球出版社　1990年1月（書名改作《宋詞新賞》）；臺北五南圖書公司　1991年6月（書名改作《唐宋詞集成》）
- 唐五代詞鑑賞辭典　潘慎主編　北京　北京燕山出版社1991年5月
- 宋詞鑑賞辭典　賀新輝主編　北京　北京燕山出版社　1987年3月
- 全宋詞精華分類鑑賞集成　潘百齊主編　南京　河海大學出版社　1991年12月

- 全宋詞鑑賞辭典　賀新輝主編　北京　中國婦女出版社 1995年1月
- 金元明清詞鑑賞辭典　王步高主編　南京　南京大學出版社 1989年4月
- 金元明清詞鑑賞辭典　唐圭璋主編　南京　江蘇古籍出版社 1989年5月
- 元明清詞鑑賞辭典　錢仲聯等著　上海　上海辭書出版社 2002年12月

　　最後，還有綜合詞學各種課題於一編的「百科大辭典」，其內容涵蓋：詞學知識、詞人生平、風格流派、詞集、論著、詞樂、詞譜、詞調、語詞、典故、詞話集錦、名作評介、名句精析等，非常多樣，案頭有此一書檢索，平常的詞學問題多半能獲得解決，茲舉數種以供參考：

- 唐宋詞百科大辭典　王洪主編　北京　學苑出版社　1990年9月
- 宋詞大辭典　張高寬等主編　瀋陽　遼寧人民出版社　1990年6月
- 宋詞百科大辭典　程自信、許宗元主編　合肥　安徽教育出版社　1994年12月
- 中國詞學大辭典　馬興榮等主編　杭州　浙江教育出版社 1996年10月

七、結語

　　我們常說：「工欲善其事，必先利其器。」做學問也是如此，如果能夠充分掌握工具，必能節省許多時間力氣。尤其現在

是一個電腦時代,透過電腦檢索資料,更是快速準確。詞學這門學問,經過許多同好的努力耕耘,成果相當可觀,不論是歷代詞全集的編纂、詞話及詞籍序跋的收集,或現代研究論著目錄、各類辭典、工具書等的編輯,都有可觀的成績;而電腦檢索系統的開發,網站、網頁的架設,對詞學資料的獲得、研究資訊的流通,更是如虎添翼。我們很幸運處在這個高科技的時代,可以很有效率獲得資料從事研究;但話說回來,光只有好的工具,並不能保證事情一定做得完美,使用工具者的學養功力尤其重要。過去的學者靠逐字逐句逐行逐頁尋找資料,過程固然艱辛,但也不知不覺閱讀了許多書籍,增加了無數功力,寫下許多擲地有聲的著作;因此,我們在利用工具方便之餘,平日也應該做完整的閱讀,增加自己的學養功力,如此才是善用工具之道。

散曲資料的檢索與利用

陳美雪

世新大學中國文學系副教授

　　在宋、金對立時期，民間因吸收少數民族的樂曲，逐漸發展成為一種新的歌曲形式，即「散曲」。散曲從元代開始興盛，一直延續到清末民國，根據統計約有數萬首。要檢索這些散曲該如何入手？又近百年來研究散曲的風氣大開，這些研究成果該如何檢索？本文以下分檢索曲文和後人論著兩大項討論。

一、檢索曲文

　　要檢索曲文可從三方面入手，一是各代總集，二是各代選集，三是個人散曲集，茲分別說明如下：

㈠各代總集

　　從元代到清代都已編有完備的總集，要檢索曲文以利用這些總集最為方便。

　　1・全元散曲　隋樹森編　臺北　漢京文化事業公司　1983年12月

　　本書收元人散曲作品，小令三八五三首，套數四五七套。全書按作家年代先後排列，每個作家都有小傳，然後再按小令、套曲兩大類，依次輯入該作者的作品。在每首曲子的末尾，都註明它最早見於何書，並且把其

他選有這首曲子的書名也一一寫出。書後附有依姓名筆畫和依四角號碼排列的作者姓名別號索引。

由於有新的散曲資料發現，有學者對本書作補遺：⑴陳加校輯〈「全元散曲」補遺〉，《文獻》第2期（1980年7月）；⑵盧潤祥〈「全元散曲」拾遺〉，《晉陽學刊》1981年第3期。

2・全明散曲　謝伯陽編　濟南　齊魯書社　5冊　1994年3月

本書收錄明代散曲作品，計收作家四〇六人，小令一〇六〇首，套數二〇六四套。篇幅比《全元散曲》還多，作品的編排，以作者時代先後為序，未知生卒年代的，附於相關作品之後。書末附有多種索引。

3・全清散曲　凌景埏、謝伯陽編　濟南　齊魯書社　3冊　1985年9月

本書收錄清代散曲作品，計收作家三四二人，小令三二一四首，套數一一六六套。所收作品，以生活在清代作家作品為主，同時兼收由明入清、由清入民國之作者的作品。各作家之下，均附有作者小傳。每一作家，先列小令，後列套數。書後並附有索引。

㈡選注本和鑑賞集

總集既已收羅一切散曲集，何以還需要利用選注本和鑑賞集？這有幾個原因：1.散曲中往往有許多典故和特殊用語，總集因篇幅所限，往往不作注釋，有注釋的選注本可以彌補不足。2.總集既不作注釋，更不可能為曲文作賞析，鑑賞集可以彌補這方面的不足。3.總集篇幅龐大，除非專門研究者，一般人手頭上並不一定擁有，要檢查曲文，往往先查某些重要的選本。有上述幾種原因，要查曲文，有時仍需仰賴選注本和鑑賞集。

元代即有散曲的選注本，如《陽春白雪》、《太平樂府》、《樂府新聲》、《樂府群玉》等。明人編輯的有《盛世新聲》、

《詞林摘豔》、《南北宮詞紀》等。這些書由於書名不太能看出是散曲選集，今人已很少利用。現代人的選注本有很多，以下僅舉較重要者。

任中敏編選的《元曲三百首》，是流傳最廣的散曲選本，為其作箋注的甚多，筆者所知即有：

· 元曲三百首箋　羅忼烈　臺北　明倫出版社　1970年
· 元曲三百首注析　胡遂、王毅注析　長沙　岳麓書社　1992年
· 新譯元曲三百首　賴橋本、林玫儀注譯　臺北　三民書局　1995年
· 元曲三百首賞析　張國偉、吳海主編　石家莊　河北人民出版社　1995年
· 元曲三百首注評　史良昭著　西安　太白文藝出版社　1997年

此外，也有新編本，如俞為民、孫蓉的《新編元曲三百首》（南京：江蘇古籍出版社，1995年）。

另外，有不少選注本，不限於三百首，數量相當多，茲舉重要者如下：

· 元曲別裁集　盧冀野編　臺北　臺灣開明書店　1954年
· 元散曲選注　王季思等編　北京　北京出版社　1981年6月
· 元人散曲選　劉永濟輯錄　上海　上海古籍出版社　1981年7月
· 元人散曲選詳註　曾永義、王安祈選註　臺北　學海出版社　1981年10月
· 元人散曲選　羊春秋選注　長沙　湖南人民出版社　1982年10月

有些選注本，除元人散曲外，也選了明人的散曲，如：

· 曲選　鄭騫編　臺北　華岡出版公司　1967年11月

· 元明散曲選讀　陳鋒編　哈爾濱　黑龍江人民出版社　1983年10月

· 元明散曲選　石紹勳、韋道昌編　太原　山西人民出版社　1984年4月

由於明散曲的選注本並不多，這些元明散曲合選本，對檢查明代散曲仍有些許作用。

選注本之外，為了解散曲的寫作技巧、風格等，可利用鑑賞集。鑑賞集基本上也是一種選注本，祇不過加上賞析而已，重要的鑑賞集有：

· 元明散曲鑑賞集　人民文學出版社編輯部編　北京　人民文學出版社　1989年1月

· 中國古代散曲精品賞析　葉桂剛、王貴元主編　北京　北京廣播學院出版社　1992年

· 元曲鑑賞辭典　賀新輝主編　北京　中國婦女出版社　1988年5月

· 唐宋元小令鑑賞辭典　陳緒萬、李德身主編　西安　華岳文藝出版社　1990年3月

· 元曲鑑賞辭典　蔣星煜主編　上海　上海辭書出版社　1990年7月

· 愛情詞與散曲鑑賞辭典　錢仲聯主編　長沙　湖南教育出版社　1992年9月

(三)個人曲集

當今出版的個人散曲集，編校者往往有較詳盡的校注，利用

價值比總集中所收的要高。且是新式排版，版面清晰，使用起來
也較方便。元代的重要個人曲集有：

- 關漢卿散曲集　李漢秋、周維培校注　上海　上海古籍出版社　1990年7月
- 東籬樂府　馬致遠著，鄧長風點校　上海　上海古籍出版社　1989年
- 馬致遠散曲校注　劉益國著　北京　書目文獻出版社　1989年
- 馬致遠集　蕭善因、北嬰、蕭敏點校　太原　山西古籍出版社　1993年
- 雲莊樂府　張養浩著，馮裳點校　上海　上海古籍出版社　1989年
- 喬吉集　李修生等編校　太原　山西人民出版社　1988年
- 夢符散曲　喬吉著，申孟點校　上海　上海古籍出版社　1989年
- 盧疏齋集輯存　盧摯著，李修生輯箋　北京　北京師範大學出版社　1985年3月
- 甜齋樂府　徐再思著，俞忠鑫校注　上海　上海古籍出版社　1991年

明代重要的個人曲集有：

- 誠齋樂府　朱有燉著，翁敏華點校　上海　上海古籍出版社　1989年
- 陳鐸散曲　陳鐸著，楊權長點校　上海　上海古籍出版社　1989年
- 楊升庵夫婦散曲　任中敏編　臺北　臺灣商務印書館　1970年（人人文庫1353）

・海浮山堂詞稿　馮惟敏著　上海　上海古籍出版社　1981年
3月

二、檢索研究論著

　　近十數年學者所編輯的散曲研究論著目錄有數種，雖不太完
備，但仍可參考，茲臚列如下：
・元代散曲研究論著目錄　何貴初編　書目季刊　第23卷第3
期　頁108-131　1989年12月
・四十年來元散曲研究論文索引（1949—1989）　趙義山編
四川師院學報　1992年第5期
・臺灣及海外散曲研究論著索引　何貴初編　收入門巋主編
《中國古典詩歌的晚暉——散曲》（全國第二屆中國古代散曲
研討會論文集）　天津　天津古籍出版社　1994年
・元明清散曲論著索引　何貴初編　香港　玉京書會　1995年
10月
　　以上各文或發表期刊中，或論文集中之一篇，即使第四種是
專書也都流傳不廣。
　　讀者要檢索散曲資料，除參考以上資料外，還可利用下列工
具書：
・遼金元明文學論著集目正編（1912—1981）　王民信編　臺
北　五南圖書公司　1996年7月
・遼金元明文學論著集目續編（1982—1990）　王民信編　臺
北　五南圖書公司　1997年12月
・清代文學論著集目正編（1912—1981）　宋隆發編　臺北
五南圖書公司　1996年7月

・清代文學論著集目續編（1982—1990）　宋隆發編　臺北
　五南圖書公司　1997年12月

　　這幾部目錄都收有散曲的資料條目，且所收資料涵蓋臺灣、
大陸、日本、歐美，使用起來相當方便。可惜，資料條目遺漏不
少。

　　另外，還有許多綜合性的工具書，可分民國時期、中國大
陸、臺灣、海外等四個方面來討論。

㈠民國時期

　　所謂民國時期，是指民國元年至民國三十八年間，要檢查這
一時期研究散曲的專著，可利用：

・全國總書目　平心編　上海　生活書店　1935年；臺北　成
　文出版社　1978年7月（《書目類編》第48、49冊）
・民國時期總書目（中國文學）　北京圖書館編　北京　書目
　文獻出版社　1992年11月
・抗日戰爭時期出版圖書聯合目錄　四川省中心圖書委員會編
　成都　四川大學出版社　1992年10月

　　要檢查這一時期的期刊論文，可查：

・文學論文索引（1-3編）　陳璧如等編　臺北　臺灣學生書
　局影印本　1970年
・國學論文索引（1-4編）　國立北平圖書館索引組編　臺北
　維新書局　1968年

　　查這些工具書，僅能查到期刊資料的條目，要知道這些期刊
藏在哪個圖書館，可利用全國圖書聯合目錄編輯組編《全國中文
期刊聯合目錄（1833—1949）》（北京：北京圖書館，1961年）。

㈡大陸地區

檢查大陸近數十年的研究專著,可利用下列工具書:

·全國總書目　國家出版事業管理局版本圖書館編　逐年出版
·臺灣地區「大陸研究」圖書聯合目錄　行政院大陸委員會資訊中心編　臺北　該委員會　1995年7月
·中國文學古籍博覽　李樹蘭編　太原　山西人民出版社1988年

要檢查這一時段的期刊論文,可利用下列工具書:

·中國古典文學研究論文索引(1949—1980)　中山大學中文系資料室編　南寧　廣西人民出版社　1984年6月
·中國古典文學研究論文索引(1980—1981)　中國社會科學院文學研究所圖書資料室編　北京　中華書局　1985年10月
·中國古典文學研究論文索引(1982—1983)　中國社會科學院文學研究所圖書資料室編　北京　中華書局　1988年9月
·中國古典文學研究論文索引(1984—1985)　中國社會科學院文學研究所圖書資料室編　北京　中華書局　1995年7月

除了這些專門性索引外,最近的研究成果也可利用上海圖書館編的《全國報刊索引》來檢索。另外,中國人民大學複印報刊資料中心所編的《中國古代·近代文學研究》每期前也有索引,可檢索。檢索別的資料條目,要知道哪個圖書館有收藏,可檢查《臺灣地區現藏大陸期刊聯合目錄》(臺北:行政院大陸委員會,1996年初版、1997年修訂版)。近幾年大陸推出的《中國期刊網》,不但可檢索條目,也有全文,利用起來相當方便。

㈢臺灣地區

要檢索臺灣地區的研究專著,可利用:

· 中華民國出版圖書目錄彙編　國立中央圖書館編　臺北　該
　館　1964年
· 中華民國出版圖書目錄　國立中央圖書館編目組編　臺北
　該館　1960年

近期出版的圖書,可檢查國家圖書館編《全國新書資訊月
刊》。另外,也可以利用圖書館線上公用目錄來檢索。

要檢索臺灣地區出版的期刊論文,可利用:

· 中國文化研究論文目錄(第二冊·文學)　國立中央圖書館
　編輯　臺北　臺灣商務印書館
· 中華民國期刊論文索引彙編　國立中央圖書館期刊股編　臺
　北　國立中央圖書館　1978年

《中華民國期刊論文索引》已作成電子檔,檢索非常方便。

㈣海外地區

要檢索海外地區的研究成果,最方便使用的工具書是:

· 中國文學研究文獻要覽·1945─1977(戰後編)　吉田誠夫
　等編　東京　紀伊國屋書店　1979年
· 東洋學文獻類目　京都大學人文科學研究所附屬東洋學文獻
　中心編　京都　該中心　1935年─
· 日本中國學會報(學界展望)　日本中國學會編　東京　該
　學會　1949年─

《東洋學文獻類目》基本上每年出一冊,現已出至一九九九
年,是檢查中國、臺灣、日本、韓國、歐美等地漢學研究成果最

方便的工具書。《日本中國學會報》每年一期，二〇〇一年的已出版，每期後面的學界展望，蒐羅海內外漢學研究成果的條目，也相當方便使用。

戲曲資料的檢索與利用

陳蕙文
中興大學中國文學系碩士生

　　正當中國文學生機蓬勃之際，古典戲曲仍處於漫長的潛伏醞釀中，及至宋雜劇、金院本和說唱諸宮調等北方戲曲的融合淬煉，才逐漸發展出成熟完整的戲曲──元雜劇，在各種時間和地域等因素環環交錯後，元末南戲、明清傳奇等新戲劇形式紛至沓來，戲曲作品、論著日益增多，成為新時代新文學的表徵。但因小說戲曲素來不被視為正統文學，所以始終被官修目錄和正史藝文志摒棄門外，戲曲作品論著逐漸闕佚，所幸元明清不少戲曲作家致力編輯戲曲目錄，蒐羅載錄戲曲作品，才使這些豐富的藝術資源得以留傳下來。本文僅就簡短篇幅，選介數種古典戲曲的工具書籍，以資參考。

一、戲曲作品

　　研究戲曲須先從原典入手，才不致失偏。而戲曲作品經歷數百年流離轉徙，訪得初本十分困難，因此歷朝歷代不少的戲曲藏家繼絕存亡，奔波尋訪戲曲善本。民國之後，不少出版社紛紛重印或重編刊本，以廣戲曲文獻之流傳。

　　・古本戲曲叢刊　古本戲曲叢刊編輯委員會編輯
　　這是一九五三年由鄭振鐸所發起編定的元明清三代戲曲總集，在一九

五四至一九六四年間由文學古籍刊行社、上海商務印書館、北京中華書局，陸續出版《初集》、《二集》、《三集》、《四集》和《九集》，共收錄有《西廂記》和元明兩代戲文、傳奇一百種、明代傳奇一百種、明末清初劇作一百種、元明雜劇總集八種、清乾嘉年間宮廷大戲十種。這些戲曲文獻多半是據各種戲曲的最早抄本、刻本影印，保存不少珍貴的本子。

‧孤本元明雜劇　（元）王實甫等著　臺北　臺灣商務印書館　4冊　1977年

本書是從脈望館抄校的《古今雜劇》二百四十二種中選出來的，其中有失傳已久的孤本一百三十六種，文獻價值實為重要。本書計收有元明雜劇一百四十四種，元明兩代作家共二十二人。其中元代作家十四人，劇作三十七種。一九三九年由上海商務印書館出版，廣受好評，之後又有中國戲劇出版社據原紙型重印。

‧元曲選　（明）臧晉叔編　臺北　臺灣中華書局　1981年

本書收錄九十四種元人、六種明初的雜劇作品。編者尋訪善本互為參校，務求曲文通順、科白齊整，以盡元曲之妙，可謂保存有功，但擅改曲文，亦為人所詬病。

‧盛明雜劇　（明）沈泰輯　臺北　廣文書局　1979年

本書是臺北廣文書局據誦芬室刻本影印，共二集，每集收雜劇三十種，囊括明初至明末幾位重要雜劇作家及其作品。

‧全明雜劇一六八種　楊家駱主編　臺北　鼎文書局　12冊　1979年

收錄明人雜劇五十二家，一百三十七種，無名氏三十一種，共一百六十八種。考訂每劇版本，擇其善本或具代表性者刊行之。首冊為目錄和陳萬鼐所著之提要，敘有作家生平、題目正名、版本、本事、曲體和本事考。

‧六十種曲　（明）毛晉編　臺北　臺灣開明書店　1970年

全書十二冊，一百二十卷，每劇二卷，第十二冊附總目錄，共收錄六十種劇本，除《西廂記》是元代雜劇外，其餘皆是明代傳奇。此書為流行較廣的古代戲曲選集，因毛晉別號汲古主人，因此《六十種曲》亦名為《汲古閣六十種曲》。

・全明傳奇　林侑蒔主編　臺北　天一出版社　出版項不詳

明代為傳奇鼎盛時期，但長久以來苦無作品總集，唯毛晉所編之《六十種曲》較為人知。所幸《全明傳奇》之出版，上起元明之間，下迄明清之際，錄有劇本二百四十七種，共五百二十九卷，其中作者可考者只有一百八十四種。若干劇本前附有目錄或凡例，而民國八十五年出版之《續編》則專收零冊及散齣。

・中國古典戲曲論著集成　楊家駱主編　臺北　鼎文書局　1974年

本書共十集，輯錄唐、宋、元、明、清五個朝代中最為重要的戲曲專著共四十八種，其內容包括古典戲曲的編劇、制曲、唱腔、表演等理論，以及戲曲沿流的考察，戲曲作家、演員的生平、掌故和史料等，多為歷代的一時之選，使戲曲研究者節省不少蒐羅資料的工夫。每一專著前並附有提要，略述該書內容、版本和作者簡介。

・新曲苑　任中敏編　臺北　臺灣中華書局　4冊　1970年

本書為戲曲史料彙編，共計收元明以來的戲曲史料和論著三十四種，如明清眾家曲考、曲品、筆譚、曲藻和曲譜等，具有文獻參考價值。書末附有任中敏自編的《曲海揚波》。

・清人雜劇初二集　鄭振鐸編　香港　龍門書店　1969年

收錄清代順康至同光之清人雜劇共八十本。一九三一年刊行初集，收有吳偉業等九人、雜劇作品四十本；一九三四年刊行二集，收有徐石麒等十三人、雜劇作品四十本。一九六九年由香港龍門書店合刊發行。

二、戲曲研究書目

　　戲曲文學發展雖然晚成，但元代鍾嗣成的《錄鬼簿》卻是中國現存最早的獨立完整的文學書目，《錄鬼簿》的出現，使得戲曲目錄在文學目錄史上佔有一席之地。隨著作品累增，之後的戲曲書目也後出轉精，不僅提供戲曲史料，更便利後人概觀戲曲領域的研究成果。

　・中國古典戲曲總錄　傅惜華編

　　本書輯錄宋金元明清五代之南北戲曲家作品，預計刊行八編，目前已出版有：《元代雜劇全目》（北京：作家出版社，1957年）、《明代雜劇全目》（北京：作家出版社，1958年）、《明代傳奇全目》（北京：人民文學出版社，1959年）、《清代雜劇全目》（北京：人民文學出版社，1981年）。各編體例大致相同，有作家傳略、作品存目、版本存佚等項目，書末均附有〈引用書籍解題〉、〈作家名號索引〉和〈作品名目索引〉。

　・元明北雜劇總目考略　趙景深主編，邵曾祺編著　鄭州　中州古籍出版社　1985年

　　本書為《中國古代戲曲理論叢書》之一，收元前期、元後期、元末明初三時期作家作品，其中劇目存本以元明兩代刊本或抄本為限。作家之下列有代表作，每劇均有簡歷、著錄、劇本、題目正名、劇情梗概和考釋。附錄有〈明嘉靖以前的北雜劇作家作品〉、〈寶文堂書目和脈望抄本中佚名作者的作品〉、〈傳奇匯考目中的雜劇作品作品〉、〈劇名索引〉。

　・曲海總目提要　董康編定　北京　人民文學出版社　1959年

　　本書為董康據《樂府考略》和《傳奇彙考》二書殘本編定而成，考定雜劇、傳奇作品共六百八十四種，列有作者簡歷、作品梗概及故事來源。其後又有北嬰編定之《曲海總目提要補編》（北京：人民文學出版社，1959

年），輯錄前者遺漏資料，補充修正作者材料，並附錄有劇目索引，可綜合查驗《提要》和《補編》。

- 古典戲曲存目彙考　莊一拂編著　上海　上海古籍出版社　3冊　1982年

本書計收有戲文三百二十餘種、雜劇一千八百三十餘種、傳奇二千五百九十餘種，共四千七百五十餘種，是目前戲曲史上最完整、最全面的古典戲曲總目。附錄有〈徵引有關戲曲資料舉要〉、〈作家名號索引〉和〈戲曲名目索引〉以供讀者查閱便利。

- 晚清戲曲小說目　阿英編　上海　上海文藝聯合出版社　1954年

本書共有〈晚清戲曲錄〉和〈晚清小說目〉兩部，〈晚清戲曲錄〉收錄以晚清出版為限，略及民初，版本則以石鉛印本為主，必要時兼及木刻本、未刊稿。分為傳奇、雜劇、戲文和話劇四類。

- 戲曲小說書錄解題　孫楷第著，戴鴻森校次　北京　人民文學出版社　1990年

全書六卷，後三卷為戲曲書錄解題，以作品作家先後為次，另將總集、選本、類書及曲譜、曲目、曲評等別分二類，置於卷六之末。

- 明清傳奇綜錄　郭英德編著　石家莊　河北教育出版社　1997年

主要收錄現有完整存本的明清傳奇劇目，自明成化初年（1465）迄清宣統三年（1911），約四百五十年。作家約四百五十人、作品一千一百餘部。每項作品條目註有劇目存錄、現存版本、情節梗概、本事流變和簡略評價。書末附有〈引用戲曲書目舉要〉、〈「明清傳奇綜錄」曲家名號索引〉和〈現存明清傳奇劇目索引〉，以供查詢。

- 古典小說戲曲書目　朱一玄等編　長春　吉林文史出版社　1991年

下編為古典戲曲之部，收錄一九四九至一九八五年的古典戲曲、研究論著書目，附錄有〈地方戲書目選錄〉、〈曲藝書目選錄〉和〈臺灣古典小說戲曲書目〉等。

・中國近代戲曲論著總目　傅曉航、張秀蓮主編　北京　文化藝術出版社　1994年

本書收有專著和報刊文章二類，專著以一八四〇至一九四九年為限共四百七十四種，分作者索引和書名索引；報刊文章則以一八七二至一九四九年為限，以理論、劇評和具備史料價值為選篇原則，收報刊雜誌三百六十二種，文章五千九百四十餘篇。

・中國戲曲研究書目提要　中國藝術研究院戲曲研究所資料室編著　北京　中國戲劇出版社　1992年

因感念傅惜華先生編輯《中國古典戲曲研究書目》的遺願，中國藝術研究院戲曲研究人員決力編寫此書。本書共收錄書目一千六百種，按照戲曲史論研究的脈絡，並兼顧戲曲文獻目錄的特點，每一條目著錄書名、作者、版本、年代和簡單提要，主要針對一九四九年後公開出版的戲曲研究書籍，或是四九年前的排印本、石印本和刻本書籍，迄一九八九年底為止。書末附有〈書名索引〉和〈編著者索引〉。

・中國古典戲曲序跋彙編　蔡毅編著　濟南　齊魯書社　1989年

古代戲曲理論批評除少數專著外，大多以序、跋方式散見於戲曲論著或劇作中。本書則將其匯為一編，採取分類與時序交叉，以曲律曲論、曲選、戲文、雜劇、傳奇分類編排，序為先、跋次之、題詞殿後。附有〈作家名號索引〉和〈作品名號索引〉。

三、戲曲工具書

曲海茫茫，何處靠岸？做為一個戲曲初學者最不可或缺的便是工具書。戲曲相關的工具書種類不少，如辭典、百科全書、年鑑或手冊，釋文解惑，不難掌握，可照顧到不同研究者的需求。

・戲曲辭典　王沛綸編著　臺北　臺灣中華書局　1969年

本書詞目收載元明清三代戲曲之專門知識，共分人名、劇名、書名、牌名、方言和術語等部，約為六千六百餘條。為適應戲曲藝文初學者，詞語詮釋多求深入淺出。

・中國戲曲曲藝詞典　上海藝術研究所、中國戲劇家協會上海
　分會編　上海　上海辭書出版社　1981年

本書是一部中型戲曲、曲藝的專科詞典，共收錄詞目五千六百三十六條，分為九個門類：總類；戲曲名詞術語；戲曲聲腔、劇種；戲曲作家、理論家、演員、團體；戲曲作品、論著、刊物；曲藝名詞術語；曲藝曲種；曲藝作家、理論家、演員、團體；曲藝作品、論著等。

・戲曲詞語匯釋　陸澹安編著　上海　上海古籍出版社　1981
　年

書中所收詞語，大抵以見於院本雜劇和諸宮調為主，傳奇則因數量太多不予收入。詞語多以兩字以上為主，並舉一二例以說明之，舉例亦註明戲曲出處，以便查考。

・中國戲曲劇種大辭典　中國戲曲劇種大辭典編輯委員會編
　上海　上海辭書出版社　1995年

本辭典介紹中國近代以來流布各地的戲曲劇種三百三十五種，並以各地通用的劇種名稱為詞目，按源流沿革、劇目概況、藝術特點、音樂唱腔為類進行解說，並附有其主要唱腔的曲譜（簡譜）。

‧中國曲學大辭典　齊森華等主編　杭州　浙江教育出版社
　　1997年

　　共收錄九千六百七十餘條詞目，內容橫跨有中國戲曲、散曲、曲藝、
民間小曲等相關領域，按曲學、曲源、曲種、曲家、曲派、曲目、曲集、
曲律、曲伎、曲論等部分類，為近年來相當完備的一部曲學工具書。

‧中國劇目辭典　王森然遺稿，中國劇目辭典擴編委員會擴編
　　石家莊　河北教育出版社　1997年

　　本辭典共收錄劇目一萬五千八百五十五條，是記錄我國傳統劇目的專
業大型工具書，包括古典傳統劇目、京劇和部分省市地方戲劇目。釋文按
劇種、又名、作者、著錄、刊本、題目正名、劇情、本事、劇評、藝術特
色、演出情況等條列說明。

‧中國戲曲表演藝術辭典　余漢東編著　武漢　湖北辭書出版
　　社　1994年

　　本書專收中國戲曲藝術中各種表演身段和與表演有關的名詞術語，每
一詞目按照「釋名」、「動作程序」、「藝術作用與範例」和「注意事項」
加以解釋，隨文並註明相關的其他詞目。

‧京劇劇目辭典　曾白融主編　北京　中國戲劇出版社　1989
　　年

　　收錄京劇劇目五千三百餘條，並按劇中故事時代先後排次，有劇情提
要和考略兩部分，考略部分說明劇本來源、劇作者、劇本沿革、本劇演員
等等。書後附有〈劇目筆畫索引〉和〈劇目音序索引〉。

‧中國音樂、舞蹈、戲曲人名辭典　曾悃生編　上海　商務印
　　書館　1959年

　　本書共收錄截至清代五千二百位，戲曲人物以崑、京、秦、徽四劇種
為主，包括傳奇雜劇及各種劇本作者、各劇種藝人和雜技藝人，以今人或
古人著述為根據，並詳加註明出處。

　　關於林林總總的戲曲資料，本文試以作品出處、目錄、提要和工具書來概括介紹，但做學問不可貴古賤今，尤其海峽兩岸及國外都有不少先進致力於戲曲研究，因此戲曲研究論文的重要性不容小覷。首先作家出版社編輯部編之《元明清戲曲研究論文集》（北京：作家出版社，1957年），輯有民初時期的戲曲研究；中國社會科學院文學研究所出版之《近代文學史料》（北京：中國社會科學出版社，1985年），書後附有〈中國近代戲劇研究論文資料索引（1919—1949）〉一文；于曼玲編《中國古典戲曲小說研究索引》（廣州：廣東高等教育出版社，1992年），蒐羅民國初期至八〇年代的小說戲曲研究論文，可謂詳備。另外，可透過「中華民國期刊論文索引影像系統」和「中國期刊網」來查詢臺灣和大陸地區的戲曲研究期刊論文，不過要注意檢索期限，以防遺漏。除了以上的論文目錄外，亦需留意戲曲主題學術研討會的舉辦近況、會後出版的論文集，始可掌握最新研究動態。臺灣近來舉辦不少中國文學學術論文研討會，主題、種類繁多，戲曲研究論文亦散見其中，但這些論文往往隱身於論文集的主題當中，不易發現。因此一部蒐集完整的戲曲研究論著，是我們所期待的。

古典小說資料的檢索與利用

鄭誼慧

東吳大學中國文學系碩士生

一、前言

　　小說起源甚早，但一向被視為小道，不受到重視。然而小說在其發展的過程中出現不少的作品，在浩繁的圖書文獻也佔有為數不少的數量。想要從眾多的古籍中找到特定的小說，並不是一件容易的事。而小說依其體例，大略可分為文言小說、白話小說兩大類，各有其發展演變的過程。文言小說如魏晉南北朝志人志怪的筆記體、唐傳奇等；白話小說有宋元話本、明清通俗小說、章回小說等，都有不少優秀的作品。近一、二百年來小說逐漸受到重視，相關研究日益增多，有的甚至形成一門專學，如研究《紅樓夢》的紅學。其他的研究議題也逐漸發展，累積了相當豐富的研究成果。對於有志於研究小說的學術工作者而言，如何去取得並利用這些成果，是一件相當重要的事。工具書的善加利用，可使學術研究事半功倍。如使用辭書可以查找專門的名詞釋義或詞彙解釋；使用書錄則可以得知小說作品的著錄及版本源流；研究論著索引可以得知近人的研究成果；使用資料彙編可以取得較多專門性的資料。故本文選介數種古典小說的工具書，以資參考。

二、小說總集

・太平廣記　（宋）李昉等編　上海　上海古籍出版社　4冊　1994年

　　全書五百卷，收錄宋前的文言小說，包括唐傳奇與魏晉志人志怪筆記小說，並分類編成，是以小說為主的類書。歷來研究古典小說的研究者都從中發掘不少資料，在保存宋以前的小說作品中，其利用價值是最高的。本書附錄有四角號碼索引及漢語拼音索引，另有引書引得及篇目引得，檢索尚稱便利。

・宋元小說家話本集　程毅中編　濟南　齊魯書社　2000年
・筆記小說大觀　不著編者　臺北　新興書局　1960年
・晚清小說大系　王孝廉編　臺北　廣雅出版社　1984年

三、小說總目

　　要想了解某一部小說，可以先查找小說書目。有些書目會對於小說的作者、版本、故事內容等情形作一簡單的提要介紹，有助於我們掌握小說的基本資料。而現今的總目除了小說作品的介紹外，另也包括了後人研究小說成果的研究論著。

・中國古典小說大辭典　劉葉秋、朱一玄、張守謙、姜東賦等主編　石家莊　河北人民出版社　1998年

　　共收辭目四五六八條，分為「總論」、「文言小說」、「話本小說」、「章回小說」四部分。所收的小說作品至五四運動前止，研究論著則收到此書結稿前，並吸收當代學者所編目錄的優點。除總論外，其餘各編按作品時代先後為序。並有「辭目音序索引」及「辭目筆畫索引」。

・戲曲小說書錄解題　孫楷第著，戴鴻森校次　北京　人民文學出版社　1990年

　　全書六卷，前三卷為小說。卷一為文言小說解題，自《山海經》至《畏廬漫錄》共有六十七部小說。卷二、卷三為白話小說解題，自《大宋宣和遺事》至《孽海花》共一百種。主要是收錄孫楷第於一九三四至一九三八年間所撰有關於小說、戲曲類的書錄解題。

・晚清戲曲小說目　阿英編　上海　古典文學出版社　1957年新一版

　　《晚清戲曲小說目》為《晚清戲曲錄》和《晚清小說目》合編而成。「晚清小說目」部分，收錄從光緒初年到宣統年間作品，分為創作之部及翻譯之部二大類，共著錄一千一百餘種小說。其中創作之部便著錄了四百多種，可知晚清小說發展之迅速。全書按篇目筆畫順序排列，只著錄版本；但附有檢字表，檢索仍稱便利。

・新編增補清末民初小說目錄　樽本照雄編　濟南　齊魯書社　2002年

　　本書由樽本照雄一人獨力編纂而成，以一九〇二年至一九一八年間發表的小說為主，共收有一萬六千多篇。其中大量收錄了報刊內的短篇小說，並大量著錄翻譯小說的日文原本情形，是其最主要的特色。本書條目著錄以「書」為單位，以書名首字中文發音排序，並列其類別、卷數、作者、出版地、出版時間；若是翻譯小說，則著錄原作者、原書名及原出版時間，十分詳盡。是研究近代文學的必要參考書。

・中國古典小說論文目　潘銘燊編　香港　中文大學出版社　1984年

　　收錄一九一二年至一九八〇年中國古典小說論文書目資料一千八百條，依小說時代先後分類編排。分為「概說」、「先秦小說」、「唐代小說」、「魏晉南北朝小說」、「唐代小說」、「宋元小說」、「明代小說」、

「清代小說」、「晚清小說」及「補遺」。分別著錄總論、作者、版本、源流考證、篇章情節等項目。另附有引用書目，以供參考。

- 古典小說戲曲書目　朱一玄、董澤雲、劉建岱編　長春　吉林文史出版社　1991年

　　本書目分為上、下二編，上編為古典小說之部。收錄了一九四九年至一九八五年大陸地區所出版的古典小說書目及研究論著書目。分為總論、文言小說、話本小說、章回小說四類。書目部分著錄書名（包括所入叢書）、作者（包括整理者）、出版者及出版年月。部分著名的作品則分為著者生平、小說版本、研究論著等項目。另附有「書名筆畫綜合索引」及「臺灣古典小說戲曲書目」、「臺灣古典小說戲曲書目書名筆畫綜合索引」。

- 中國古典戲曲小說研究索引　于曼玲編　廣州　廣東高等教育出版社　2冊　1992年8月

　　本索引分「戲曲」及「小說」二編，收錄一八一七至一九九二年年初的中國古典小說文獻研究書錄。包含大陸及臺、港、日、韓、美、蘇等地中文資料。除「總論」外，依作品作家的時代先後排列。並附有「作者索引」，供使用者檢索。

四、文言小說

　　倘若已知道小說的性質，則可以利用下面的工具書幫忙掌握更進一步的資料，包括版本源流及作者考辨，或是書志著錄情形，都可以利用下列的工具書查找。

- 中國叢書綜錄　上海圖書館編　上海　上海古籍出版社　1986年

　　中國的文言小說可分為筆記及傳奇二種，篇幅都不大。大多分散編入到各種叢書之中，只有少數才會單獨的流傳。故若要查找文言筆記小說或

傳奇，以利用叢書最為方便。而目前最有利於檢索叢書的，便是《中國叢書綜錄》。《綜錄》的每個子目都著錄有書名、著者、卷數及所屬叢書名稱，對於要查找文言的小說作品，可說是最為便利。

・中國文言小說總目提要　寧稼雨編　濟南　齊魯書社　1996年

是中國文言小說的第一部總目提要，收錄先秦至一九一九年止的文言小說，計三千二百餘種的小說條目。依時代順序，分為「唐前」、「唐五代」、「宋遼金元」、「明代」、「清代到民初」（1911-1919）五編。每一編包括「志怪」、「傳奇」、「雜俎」、「志人」、「諧謔」五類，按作者生年順序排列。另附有「剔除書目」及「偽訛書目」助於考證，「書名、作者筆劃索引」及「書名、作者音序索引」，利於檢索。其資料詳實，有功學術，是極有用的入門書。

・中國文言小說書目　袁行霈、侯忠義編　北京　北京大學出版社　1981年

收錄先秦至清末二千多種書目。依時代順序先後編排為「先秦、漢、魏晉、南北朝、隋」、「唐、五代」、「宋、遼金元」、「明」、「清」五編。分別著錄了書名、存佚情形、作者、出處、版本等子目，並有按語簡略說明。另附有「書名檢索」，便於查檢使用。

・古小說簡目　程毅中著　北京　中華書局　1981年

收錄先秦至五代小說，以志怪、傳奇為主，共收有三百多種文言小說。以類相從而不以時代先後為序，可以說是古小說書目的簡編。著錄有篇名、存佚、作者、分類、版本等，對於作者生平及版本源流則不涉及。並附有「存目辨證」一百餘種，另有「書名索引」、「作者索引」、「筆劃檢字」及「音序檢字」。

・唐五代志怪傳奇敘錄　李劍國著　天津　南開大學出版社　1993年

全書共分六卷，按發展先後分為「初興期」、「興盛前期」、「興盛後期」、「低落期」、「繼續低落期」五卷，及第六卷「偽書辨證」。對於書名、卷數標目、存佚情形、作者時代事蹟、歷代書志著錄都詳加考釋，對於唐五代的傳奇作品可說是做了相當詳盡的整理。另還附有「作者索引」、「篇名索引」，以供檢索。

‧唐代小說敘錄　王國良著　臺北　嘉新水泥公司文化基金會　1979年

全書分為「現存書目」、「殘缺書目」、「輯存書目」、「亡佚書目」、「存疑書目」五部分。依作品時代先後排列，對於唐代的筆記小說及傳奇，都做了書名、作者、版本、卷數、內容等考證；並附有「諸家書志分類異同對照表」。精簡扼要，頗具有參考價值，便於研究者檢索時使用。

‧宋代傳奇敘錄　李劍國著　天津　南開大學出版社　1997年

收錄兩宋傳奇文與志怪傳奇小說集共二百餘種。與《唐五代志怪傳奇敘錄》相同，依作品時代先後分為「北宋前期」、「北宋中期」、「北宋後期」、「南宋前期」、「南宋中期」、「南宋後期」及「遼金」；另有「存目辨證」，對於明清擅改割裂之作及偽書進行考辨。著錄有書名、卷數標目、版本存佚情形、作者時代事蹟、歷代書志著錄等子目；另對其主要內容、藝術水準、源流影響亦加以評論和介紹，學術價值極高。並附有書名及作者索引，易於檢索利用。

五、白話小說

白話小說雖然出現的時間較晚，但卻受到大多數人的喜愛，如著名的《金瓶梅》、《紅樓夢》等，還有專門的研究論著目錄及資料彙編出現。要查找白話小說的資料，可利用下列工具書：

‧中國通俗小說書目　孫楷第編　北京　人民文學出版社

1982年

原為一九三三年北平圖書館印行。是我國第一部全面且完整的古代通俗小說的書目，出版後深受學者歡迎，曾經多次重印，目前則有一九八二年人民文學出版社的新版。本書收錄自宋代到辛亥革命止的語體小說八百餘種，共十卷。分別著錄了書名、存佚、版本、藏書處、故事源流內容等項目，內容充實，資料詳備。依作者的時代先後為序，同一故事內容或故事同屬一系統的作品，則不論作者是誰，都附於最初著錄此一故事之下。此一體例對後世影響很大。另附有「書名索引」及「著者姓名別號索引」，依注音符號排列，亦有助於檢索。孫氏另有《日本東京所見小說書目》，一九八一年人民文學出版社重印出版，亦是參考價值極高的小說書目。

·倫敦所見中國小說書目提要　柳存仁著　北京　書目文獻出版社　1982年

共收明清小說一三四部，分別著錄了書名、卷數、版刻版式、版本考證、內容價值及著者自己的見解，頗具有學術參考價值。

·中國通俗小說總目提要　江蘇社會科學院明清小說研究中心編　北京　中國文聯出版公司　1990年

收錄自唐代至清末的通俗白話小說為主，共著錄有一千一百多部小說。本書是在孫楷第的《中國通俗小說書目》的基礎上擴充而成。依時代先後為序，無法斷定時間先後的則以「內容」來分類。全編以「書」為單位，一書一題，並著錄書名、作者、版本、內容提要及回目五個部分。書後並有附錄七種：「本書未收《中國通俗小說書目》著錄之書目一覽」、「《中國通俗小說書目》補編」、「《晚清小說目》補編」、「中國通俗小說同書異名通檢」、「中國通俗小說總目音序索引」、「中國通俗小說總目筆畫索引」、「中國通俗小說總目作者姓名及別號索引」，依大陸通行的漢字拼音為標準，依據英文字母順序排列。

本書是由各撰稿人分工撰寫條目而成。有些條目內容跟實際情形有所

出入，然而瑕不掩瑜，對於研究中國通俗小說者而言，仍是相當完備且便於使用的工具書。

· 話本小說概論　胡士瑩著　北京　中華書局　1980年

除了論述話本小說的淵源及發展演變，也對話本小說做了全面性的討論。另還論述現有的話本及擬話本名目，和相關的書志著錄。對於研究話本的使用者而言，是一部具有重要性的書籍。

· 三言二拍資料　譚正璧編　上海　上海古籍出版社　1980年

輯錄有關《三言》、《二拍》的本事來源等相關資料。

· 明清小說序跋選　大連圖書館參考部編　瀋陽　春風文藝出版社　1983年

收錄以大連圖書館所藏的明清通俗小說的序跋為主，約一百一十篇。對於原書無序跋者，只作內容簡介及版本說明。但對其中數十種孤本及善本小說，仍做了部分的介紹，有助於研究者使用。

· 水滸研究論著目錄索引　湖北省文學學會水滸傳研究會及武漢師範學院中文系資料室所編印　1981年

有關《水滸傳》的研究資料也很多。其中《水滸研究論著目錄索引》是參考價值較高的研究論著。全書收錄一九○三年至一九八一年間的相關研究論著，分為四個部分：「魯迅評論《水滸》文章目錄索引」、「《水滸傳》研究專著目錄索引」、「《水滸傳》研究論文目錄」（分1903—1949、1949—1966、1972—1976、1977—1981年4月）及附錄「李贄研究」與「金聖嘆研究論著目錄」。對於《水滸傳》的研究者而言，實用完備。

· 金瓶梅資料匯編　朱一玄編　天津　南開大學出版社　1985年

· 金瓶梅資料匯編　侯忠義、王汝梅編　北京　北京大學出版社　1985年

· 金瓶梅資料彙編　黃霖編　北京　中華書局　1987年

・金瓶梅資料續編（1919—1949）　周均韜編　北京　北京大學出版社　1991年
・金瓶梅研究資料彙編　魏子雲編　臺北　天一出版社　1987年

　　前四本是大陸所出的有關《金瓶梅》的研究資料彙編，所收的資料都十分豐富。而魏子雲的《金瓶梅研究資料彙編》收錄論述序跋外還有插圖，亦頗具參考價值。

・紅樓夢書錄　一粟編　上海　上海古籍出版社　1981年（增訂本）

　　自《紅樓夢》問世到一九五四年十月止，分版本譯本、續書、評論、圖畫譜錄、詩詞、戲曲電影等幾大類，分別著錄相關資料九百多種。

・紅樓夢研究文獻目錄　宋隆發編　臺北　臺灣學生書局　1982年

　　收錄一七九四（乾隆五十九年）至一九七九年兩百年間有關《紅樓夢》的論著。分為版本、目錄、中文專書、中文論文、翻譯、日文論著、西文論著等七部分。附錄有當代學者數篇《紅樓夢》學術論文，及「著譯者索引」、「筆畫檢字表」。

　　《紅樓夢》代表了中國白話通俗小說的最高成就。在中國小說的研究上也是成果最為豐碩的一部小說，並形成了一種專門的學問。有關於《紅樓夢》的研究資料，目前有《紅樓夢集刊》定期刊行，可以取得最新的研究訊息。

六、辭典

　　小說研究的盛起雖然是這近百年的事，但是有關的研究成果相當豐富。若要查詢小說詞語、術語或小說人物，可以使用辭

書,幫助掌握基本的資料。

·中國小說辭典 秦亢宗主編 北京 北京出版社 1990年

收錄辭目一千五百八十七條,分為「小說名詞術語」、「作家簡介」、「作品簡介」、「小說人物簡介」、「小說名著故事梗概」五部分。並附有「筆畫索引」及「音序索引」,可供檢索利用。

·中國古典小說用語辭典 田宗堯編 臺北 聯經出版事業公司 1985年

收錄自宋至清末的白話通俗小說(《三國演義》除外)中的詞語約兩萬條,依首字筆畫順序排列而成。只列出「詞語」在小說中的用法,而不列一般平常的用法。並附有「引用書目」及「小說成語彙纂」,便於參考。

·古代小說百科大辭典 白維國、朱世滋編 北京 學苑出版社 1997年

分為作家、文言作品、白話作品、國內研究、海外研究、小說美學、小說知識、情節欣賞、人物形象、語言文化十類。作家、作品、人物、情節按時代先後排列,其餘則按內容分類排列。其中海外研究及國內研究提供了一些研究者的簡介概況,有助於學術交流。並附有「筆畫索引」檢索利用。

七、結語

除了上述的工具書外,亦可以使用網路資源來幫助取得相關的資料。如國家圖書館的《中華民國期刊論文索引影像系統》及大陸的《中國期刊網》,都可以取得現在最新的研究資訊,可資利用。

古典小說除了是一種敘事文類外,也是一種側面的社會與歷史的反映;相關的研究課題不斷的出現,也促使小說研究的範圍

不斷擴大。除了掌握基本資料外,如何在這些基礎上能有更進一步的研究,是我們應當注意的地方。

臺灣現代文學資料的檢索與利用

陳美雪

世新大學中國文學系副教授

　　臺灣文學的發展,可分為兩大階段:從明鄭之後一直到日治初期是古典文學的時期;日治中期起,新文學萌芽,並日漸茁壯。國民政府遷臺五十餘年,除政策性的鼓勵外,民間也設有各種文學獎,新文學在這數十年中得到充分的發展。但國民政府擔心臺灣意識抬頭,並不支持大家研究臺灣文學。因此,儘管臺灣文學創作一直蓬勃發展,研究成果卻相當有限。

　　近十多年來臺灣意識高漲,研究臺灣文學的人日益增多,大學裏的臺灣文學研究所也年有增設。雖然如此,研究臺灣文學的基本工具書仍舊缺乏,要檢索臺灣文學資料也頗為困難。筆者近年來開始著手編輯《臺灣文學參考用書指引》,現在將其中部分資料摘出,撰成此文。

一、人物傳記資料

　　《孟子‧萬章篇》曾說:「頌其詩,讀其書,不知其人可乎?」可見了解作品應先知道作者的生平事跡。基於這個道理,要欣賞現代文學作品,也應先從作家的生平經歷入手。有關臺灣作家的傳記資料,依體裁可分為索引、辭典、合傳、影像等,茲分別羅列如下:

㈠索引

・辛亥以來人物傳記資料索引　王明根主編　上海　上海辭書出版社　1990年12月

・中國文化研究論文目錄（傳記）　中華文化復興運動推行委員會主編　臺北　臺灣商務印書館　1985年12月

㈡辭典

・中國現代史辭典（人物部分）　臺北　近代中國出版社　1985年6月

・當代臺灣人物辭典　崔之清主編　鄭州　河南人民出版社　1994年7月

・臺灣新文學辭典　徐迺翔主編　成都　四川人民出版社　1989年10月

・臺灣文學家辭典　王晉民主編　南寧　廣西教育出版社　1991年7月

㈢合傳

・臺灣近代名人誌　張炎憲、李筱峰、莊永明編　臺北　自立晚報社文化出版部　5冊　1987年1月

　每冊皆有文學作家的傳記。第一冊有張文環，第二冊有張深切、王詩琅，第三冊有賴和、朱點人、楊逵、楊華，第四冊有陳虛谷、吳濁流、吳新榮、鍾理和，第五冊有張我軍。

・臺灣與海外華人作家小傳　王晉民、鄺白曼編　福州　福建人民出版社　1983年8月

・日據時期臺灣新文學作家小傳　黃武忠著　臺北　時報出版

公司 1980年8月

- 臺灣作家印象記 黃武忠著 臺北 眾文圖書公司 1984年5月

- 復活的群像——臺灣三十年代作家列傳 林衡哲、張恒豪合編 臺北 前衛出版社 1994年6月

- 臺灣歷史人物小傳（日據時期） 國家圖書館特藏組編 臺北 該館 2002年10月

- 苗栗縣籍作家芬芳錄 黃鳳嬌、宋雪麗編 苗栗縣 苗栗縣立文化中心 1994年

- 彰化縣作家資料檔案摘要 彰化縣立文化中心編 彰化縣 彰化縣立文化中心 1993年6月

㈣影像

- 作家之旅 古蒙仁等著，謝春德攝影 臺北 爾雅出版社 1984年

本書以圖像為主，文字說明為輔，收錄楊逵、鍾理和、林海音、白先勇、黃春明、林懷民等六位作家之圖片及說明文字。

- 楊逵影集 陳春玲、黃滿理、邱鴻翔編 臺北 滿理文化工作室 1992年9月

- 賴和手稿影像集 林瑞明編 彰化 財團法人賴和文教基金會 5冊 2000年5月

- 王昶雄全集影像卷 許俊雅編 王昶雄全集 第11卷 臺北縣 臺北縣政府文化局 2002年10月

二、檢索作品

　　要檢索臺灣新文學作品，可從下列幾種途徑入手：㈠利用目錄索引；㈡利用各種選集；㈢利用個人全集等。茲分述如下：

㈠作品目錄

- 台灣に於ける文學書目　黃得時、池田敏雄合編　愛書第14輯　1941年（昭和16年）5月
- 日據時期臺灣文學雜誌總目・人名索引　中島利郎編　臺北　前衛出版社　1995年3月
- 中華民國作家作品目錄　封德屏主編　臺北　行政院文化建設委員會　7冊　1999年6月
- 當代臺灣作家編目（1949—1993，爾雅篇）　張默、隱地編　臺北　爾雅出版社　1994年1月
- 臺灣女作家文學作品書目　國立中央圖書館編　臺北　國立中央圖書館　1984年2月
- 近二十年短篇小說選集編目　隱地、鄭明娳編著　臺北　書評書目出版社　1975年3月
- 近三十年新詩書目　林煥彰編　臺北　書評書目出版社　1976年2月
- 創世紀四十年總目（1954—1994）　張默、張漢良編　臺北　創世紀雜誌社　1994年9月
- 笠詩刊三十年總目（1964—1994）　吳政上、陳鴻森編　高雄　春暉出版社　1995年10月

㈡作品選集

近數十年來出版很多文學大系、作品全集，其實這些都只能算是作品選集。今將較重要者羅列如下：

- 光復前臺灣文學全集　鍾肇政、葉石濤主編　臺北　遠景出版社　12卷　1979年7月
- 日據下臺灣新文學　李南衡主編　臺北　明潭出版社　5冊　1979年3月
- 日本統治期臺灣文學：臺灣人作家作品集　中島利郎等編　東京　綠蔭書房　6冊　1999年7月
- 日本統治期臺灣文學：日本人作家作品集　中島利郎、河原功編　東京　綠蔭書房　6冊　1998年
- 中國現代文學大系　余光中主編　臺北　巨人出版社　8冊　1972年
- 當代中國新文學大系　劉心皇編　臺北　天視出版公司　10冊　1981年

上述各種選集，大都包含小說、詩、散文、評論等文類，另有專選某一文類的選集。

※專選小說的選集有：

- 臺灣作家全集（短篇小說卷）　臺北　前衛出版社
  日據時代　10冊　1991年2月
  戰後第一代　11冊　1991年7月
  戰後第二代　15冊　1993年12月
  戰後第三代　14冊　1992年4月
- 年度短篇小說選　臺北　爾雅出版社
  此書從民國五十五年（1966）起，每年選編一冊，已連續出版三十餘

年，是檢索年度小說相當重要的工具書。

・年度臺灣小說選　臺北　前衛出版社

從一九八二年起，每年一冊，至一九八七年為止，以後未見出版。

※在散文選集方面，以下各書所收份量較多：

・臺灣散文鑑賞辭典　盧今、王宇鴻主編　太原　北岳文藝出版社　1991年12月

・年度散文選　臺北　九歌出版社

從民國七十年（1981）起，每年出版一冊，至民國八十二年（1993）為止，以後未見出版。

・年度臺灣散文選　臺北　前衛出版社

從一九八二年起，每年一冊，至一九八六年為止，以後未見出版。

※在新詩選集方面，以下各書所收內容較為豐富：

・臺灣新詩鑑賞辭典　陶本一、王宇鴻主編　太原　北岳文藝出版社　1991年12月

・年度詩選　臺北　爾雅出版社

自民國七十一年（1982）起，每年出版一冊，至民國八十年（1991）為止，以後未見出版。

・年度臺灣詩選　臺北　前衛出版社

自一九八二年起，每年出版一冊，至一九八五年為止，以後未見出版。

・混聲合唱——「笠」詩選　趙天儀等編　高雄　春暉出版社　1992年9月

※在文學評論選集方面，以下各書所收內容較多：

・日本統治期臺灣文學：文藝評論集　中島利郎等編　東京　綠蔭書房　5冊　2001年4月

・年度文學批評選　臺北　爾雅出版社

從民國七十三年（1984）起，每年出版一冊，至民國七十七年（1988）為止，以後未見出版。

- 臺灣精神的崛起——「笠」詩論選集　鄭炯明編　高雄　春暉出版社　1988年3月

(二)個人全集

- 賴和先生全集　李南衡主編　臺北　明潭出版社　1979年3月
- 賴和全集　林瑞明編　臺北　前衛出版社　6冊　2000年
- 張深切全集　張深切全集編輯小組編　臺北　文經社　12卷 1998年1月
- 楊逵全集　彭小妍主編　臺北　國立文代資產保存研究中心籌備處　14冊　1998年6月
- 王詩琅全集　張良澤編　高雄　德馨室出版社　11卷　1979年6月
- 呂赫若小說全集　林至潔譯　臺北　聯合文學出版社　1995年7月
- 王昶雄全集　許俊雅編　臺北縣　臺北縣政府文化局　11冊 2002年10月
- 吳濁流作品集　張良澤編　臺北　遠行出版社　1997年
- 陳秀喜全集　李魁賢編　新竹　新竹市立文化中心　10冊 1997年5月
- 鍾理和全集　張良澤編　臺北　遠行出版社　8冊　1976年11月
- 鍾理和全集　鍾鐵民總編輯　高雄縣　高雄縣立文化中心 6冊　1997年

・林海音作品集　張玲玲等編輯　臺北　遊目族　12冊　2000年5月
・鍾肇政全集　陳宏銘等編　桃園縣　桃園縣立文化中心　27冊　2000年
・陳映眞作品集　陳映眞著　臺北　人間出版社　15卷　1988年4月
・七等生作品集　七等生著　臺北　遠景出版公司　1986年5-7月

三、後人研究論著

　　臺灣文學的研究雖然蒸蒸日上，但相關的工具書仍不夠完備，一部最急需的《臺灣文學研究論著目錄》亦付闕如，要檢索臺灣文學的研究成果就相當困難。所幸國家圖書館於一九九四年完成《當代文學史料影像全文系統》，收集近兩千位作家之生平傳記、手稿、照片、著作年表、作品目錄、評論文獻，翻譯文獻、名句、文學獎得獎記錄等，為研究臺灣文學的讀者提供相當豐富的資料。

　　除《當代文學史料影像全文系統》可提供豐富的資料之外，其他可利用的工具書有：

㈠檢索國內研究成果

　　檢索國內研究臺灣現代文學的成果，可分專著和論文兩方面來進行。

　　※檢索專著，可利用下列工具書：
・中華民國出版圖書目錄彙編　國立中央圖書館編　臺北　該

館　1964年—

・中華民國出版圖書目錄　國立中央圖書館編目組編　臺北
　該館　1960年—

　　近期出版的圖書，可查國家圖書館編《全國新書資訊月
刊》。另外，也可利用圖書館線上公用目錄來檢索。

　　※檢索單篇論文，可利用下列工具書：

・中國文化研究論文目錄　中華文化復興運動推行委員會主編
　臺北　臺灣商務印書館

　　本書收民國三十八年（1949）至六十八年（1979）間有關中國文化的
論文有十二萬條。其中第二冊文學、第五冊傳記，與臺灣文學有關的條目
有數千條。

・中華民國期刊論文索引　國立中央圖書館期刊股編　臺北
　國立中央圖書館　1978年

　　民國五十九年（1970）一月創刊，民國六十七年（1978）起出版年度
彙編本。現在已不出紙本，作成電子檔，是檢索國內研究成果最重要的資
料庫。

・臺灣文獻分類索引　臺灣省文獻委員會編

　　民國五十年（1961）創刊，每年一冊，收集有關臺灣研究的資料條
目。其中有不少臺灣文學的論著條目。

　　※檢索學位論文，可利用下列工具書：

・國內有關臺灣文學研究的博碩士論文目錄　吳浩編　臺灣文
　學觀察雜誌　第1期　頁131-137　1990年6月

　收錄時間下限為民國七十七年（1988），收論文二十七篇。

・國內有關臺灣文學研究的博碩士論文目錄㈡　吳浩編　臺灣
　文學觀察雜誌　第9期　頁134-137　1994年11月

　為上文之續編，除補上文遺漏外，增收至民國八十一年（1992），計收

論文五十二篇。

・有關臺灣文學研究的博碩士論文分類目錄（1960—2000）
　方美芬編　文訊　第185期　頁53-66　2001年3月

　收民國四十九年（1960）至民國八十九年（2000）間之學位論文三四
一篇。

・臺灣當代文學研究之博碩士論文分類目錄（1999—2002）
　徐杏宜編　文訊　第205期　頁36-42　2002年11月

　收民國八十八年（1999）至民國九十一年（2002）間之學位論文一七
四篇。

　　此外，文訊雜誌社自一九九六年起編印的《臺灣文學年
鑑》，將每年的文學作品和研究論著，按時間先後排列，可窺知
每一年間現代文學創作和研究的總成果。

㈡檢索國外研究成果

・大陸有關臺灣文學研究資料目錄　蔣朗朗編　臺灣文學觀察
　雜誌　第6期　頁89-131　1992年9月
・日本的臺灣文學研究　孫立川、王順洪編　日本研究中國現
　當代文學論著索引（1919—1989）　頁323-335　北京　北
　京大學出版社　1991年8月
・臺灣文學研究在日本　下村作次郎編　臺灣文學觀察雜誌
　第6期　頁60-88　1992年9月
・戰後日本における台灣文學研究　下村作次郎編　文學で讀
　む台灣　附錄二　頁333-367　東京都　田佃書店　1994年1
　月
・臺灣文學研究在美國　應鳳凰著　漢學研究通訊　第16卷第
　4期　頁396-403　1997年11月

器物圖象的檢索與利用
——以青銅器爲例

葉純芳

東吳大學中國文學系博士生

一、前言

　　青銅器在中國眾多古代文物裏，是最早得到收藏和研究的器物之一。第一個利用古彝器來證史事的人是西漢的張敞，《漢書·郊祀志》說：「張敞好古文。」①這裏所指的「古文」，即青銅器上的銘文；又許慎《說文解字·敘》說：「郡國往往於山川得鼎彝，其銘文皆前代之古文。」②可見早在漢代，已有出土和度藏研究青銅器的記錄。由於地不愛寶，其後的各個朝代，青銅器不斷地被挖掘出來，到了北宋，已出現專門著錄青銅器的書籍，而且對青銅器的研究，已涉及到形制、紋飾、銘文、功用、組合等各方面，雖然只能算是奠基的工作，卻已頗具規模了。直到清代，考據學盛行，學者致力於文字的考訂工作，帶動青銅器銘文的研究，使青銅器在學術上的價值更加彰顯。自從晚清學者

---

① （漢）班固著，（唐）顏師古注：《漢書》（臺北：洪氏出版社，1975年9月），頁1251。

② （漢）許慎著，（清）段玉裁注：《說文解字》（臺北：藝文印書館，1994年12月），頁770。

王國維提出「二重證據法」③後，青銅器更是近現代學者研經治史不可缺少的重要文物。

青銅器的重要性若此，我們該如何尋得呢？以下提供讀者幾種管道，可以使我們輕而易舉地找到所需的青銅器圖象。在此之前，我們首先必須說明的是青銅器的價值不僅在其形制、紋飾、功用，更可貴的學術價值顯現在青銅器上的銘文，它對我們研究古代歷史、文化，甚至驗證文獻上的資料，都有著舉足輕重的地位。因此本文所要介紹的青銅器圖象，也包括銘文的摹本、拓本。

二、查尋青銅器圖象的方法

㈠利用專科目錄

對於傳世青銅器圖錄不熟悉的讀者，要找尋青銅器的圖象，最快的方法應該是求助於專科目錄，目前較易見的專科目錄有：

·金石書錄目　容媛輯，容庚校　臺北　中央研究院歷史語言研究所　1930年6月

此書目屬於檢索工具書的工具書，第二大項「金類」中有「圖象之屬」，收錄自宋至民國仍存世的圖錄四十一種，詳記年代、編輯者、版本，偶加斷語，以免讀者誤用，如：

---

③ 一九二五年，王國維在〈古史新證〉中提出「二重證據法」，其一重證據──「紙上之史料」，指的是紙上的文獻、已有的古典文獻；另一重證據──「地下之材料」，指的是出土的地下文獻與文物。參見王國維：〈古史新證〉，《王國維論學集》（北京：中國社會科學出版社，1997年6月），頁38-39。

吉金志存四卷 清寶坻李光庭（樸園）輯　咸豐九年自刻本所收以錢幣
為多彝器偽者十九圖既不精說亦簡陋

・歷代著錄吉金目　福開森編　上海　商務印書館　1939年1
月初版；臺北　臺灣商務印書館　1971年6月臺一版

　此書目以存世著錄書為限，收錄民國二十四年以前所出版的著錄書共
八十種。編排方式以器類歸納，如鐘、鼎，各歸一類。各類再依銘文的字
數多寡排列，每一器先列銘文，再將此器著錄情形、斷代以及收藏狀況或
同器異名繫之於後。

・金文著錄簡目　孫稚雛編　北京　中華書局　1981年10月

　此書目收編範圍以《三代吉金文存》、《商周金文錄遺》，《文物》、
《考古》、《考古學報》三雜誌及各種銅器圖錄中有銘文拓本者為主，編者
見過原拓而未見著錄的青銅器，或近代學者引用較多的宋代、清代著錄的
金文，也酌量收入，共一百四十八種參考資料。此書目又兼收日本所出版
的青銅器圖錄或研究資料共三十一種。書目中亦依器類分，並以銘文字數
多寡作為排列順序。由於此書目所參考的資料最多，且偽器不收，因此是
目前所見最為完整且嚴謹的青銅器著錄書目。

・青銅器論文索引　孫稚雛編　北京　中華書局　1986年6月

　第五大類「器物」第五項「圖象紋飾」（頁168-171），收錄研究青銅器
圖象、紋飾的篇目，不僅可以找到所需的青銅器圖象，也可了解學者對此
器的研究情況以及學術價值。

・青銅器銘文檢索　周何總編，季旭昇、汪中文主編　臺北
文史哲出版社　1995年

㈡利用歷代青銅器圖錄

　我國自宋代開始有研究、著錄青銅器的專門著作出現。宋代

著錄青銅器的書有三十多種，王國維根據宋代存留的著作統計，著錄的青銅器有六四三件，其中疑為偽器的有十九件，秦、漢以後的有六十件，夏、商、周三代的有五六四件④，這是一個不小的數量。而流傳至今，較重要的著作有：呂大臨的《考古圖》、王黼的《宣和博古圖》、薛尚功的《歷代鐘鼎彝器款識》、王俅的《嘯堂集古錄》、王厚之的《鐘鼎款識》。以今人的眼光來看，這些著作的成果雖然不及清代，但《考古圖》、《宣和博古圖》二圖對於青銅器的摹寫、形制、考訂名物乃至於出土地、藏器家，只要能考證得到的，無不畢記，對研究者而言，仍有其參考價值。這幾部書，北京中華書局已將其分冊出版，名之為「宋人著錄金文叢刊」，包括：1.《鐘鼎款識》，據清道光二十八年（1848）阮氏積古齋本影印，一九八五年出版。2.《嘯堂集古錄》，據宋淳熙三年以前刻本影印，一九八五年出版。3.《歷代鐘鼎彝器款識法帖》，一九八六年出版。4.《考古圖》，據《四庫全書》影印，與（宋）趙九成撰《續考古圖》、(宋)呂大臨撰《考古圖釋文》合刊，一九八七年出版。

　　元、明兩代，前者蒙古人入主中原，文化不興；後者理學盛行，論道者眾。一般收藏家雖然也注重這些古器物，但是並沒有較好的作品傳世。

　　清代對銅器的蒐集整理，比起宋代要興盛得多。這主要是由於小學家治學的目的在於通經考史，經世致用，誠如阮元所說青銅器銘文「其重與九經同之⑤」。同時，清代的青銅器比宋代有

---

④ 王國維：《宋代金文著錄表》，收入《王國維遺書》（上海：上海書店出版社，1996年8月），第3冊。

更豐富的發現，為研究者提供了一個良好的環境。

　　乾隆十四年（1749），敕命梁詩正等人仿宋代《宣和博古圖》的體例，將清廷內府收藏的古代銅器，編為《西清古鑑》四十卷⑥；乾隆四十四年（1779）再敕命編成《寧壽鑑古》十六卷⑦，體例與《西清古鑑》相同。乾隆四十六年（1781），又敕命王杰等編《西清續鑑甲編》二十卷，至乾隆五十八年（1783）成書，同時又編成《西清續鑑乙編》⑧。以上四書即所謂的「西清四鑑」⑨。共收錄清內府所藏青銅器四千餘件，比起宋代所收錄的銅

---

⑤ （清）阮元：〈商周銅器說・上篇〉，《積古齋鐘鼎彝器款識》（臺北縣：藝文印書館，1969年，《百部叢書集成》影印《文選樓叢書》本），頁3。

⑥ 全書收商、周至唐代銅器1436件、鏡93面。每卷先列器目，每器繪其圖象，記其大小尺寸、重量、摹寫銘文並加以考釋。此書收說雖富，且摹寫尚精，但銘文縮小，多有失真，所收偽器幾至十之三四，書中見解陳舊，多不足取。參見姚孝遂主編，董蓮池著：〈文字學的興盛期──清代的文字學〉，《中國文字學史》（長春：吉林教育出版社，1995年），第6章，頁316-317。

⑦ 共收清內府所藏銅器600件，及銅鏡101面。同前註，頁317。

⑧ 《甲編》收商周青銅器844件，鏡100面，雜器31件；《乙編》收商周青銅器798件，鏡100面。二書皆縮小銘文，記有重量，有釋文或簡單說解。同前註，頁317。

⑨ 《西清四鑑》由於受時代的限制，收的偽器較多，對青銅器的定名、斷代也有不少錯誤，劉雨所編的《乾隆四鑑綜理表》（北京：中華書局，1989年4月）詳細著錄「四鑑」中有銘青銅器的原定器銘、現定器銘、字數、時代、著錄、釋文、藏地等各項內容，為使用《西清四鑑》的讀者提供不少方便。

器，多了大約四倍左右，「這四部書雖然偽器過多，說解陳陋，摹寫每有失真，但卻是金石學史上的一次壯舉」。⑩因為朝廷帶動了私人收藏家的興趣，私人著錄的書也相繼問世。

　　這一時期著錄銅器的書籍，主要有兩類：一是仿照宋代《考古圖》的體例，以記錄銅器圖形為主，並附上銘文和考釋。上述由官府所編的四部書即是此類。屬於這一類型的私人著作有：

時　　　代	編撰者	書　　　　　　　　　名	卷／冊數	藏器數
嘉慶六年	錢　坫	十六長樂堂古器款識考	四卷	49
道光十九年	曹載奎	懷米山房吉金圖	一卷	60
同治十一年	吳　雲	兩罍軒彝器圖釋	十二卷	110
同治十一年	潘祖蔭	攀古樓彝器款識	二卷	50
光緒十一年	吳大澂	恒軒所見所藏吉金錄	不分卷二冊	136
光緒三十四年	端　方	陶齋吉金錄	八卷	148
宣統元年	端　方	陶齋吉金續錄	二卷	21

　　另一種是仿照宋代薛尚功《歷代鐘鼎彝器款識法帖》的體例，只摹錄銘文，不繪圖形，以考釋銘文為主，這類著作有⑪：

　　清代學者在著錄方法上改正宋代學者的缺失，開始注重對所收器物的器形、花紋的摹繪，對器物尺寸、重量的標記，對來源及流傳情況的介紹，提高了著錄資料的可信度。

　　民國以來，由於王國維的「二重證據法」受到學者的認同，青銅器的研究較之前代更加盛行，以下介紹幾部較有學術價值的

⑩ 同註⑥，頁317。

⑪ 參見屈萬里：《先秦文史資料考辨》（臺北：聯經出版事業公司，1993年9月），頁83-102。

時　　代	編撰者	書　　　　　名	卷／冊數	藏器數
嘉慶九年	阮　元	積古齋鐘鼎彝器款識	十卷	551
道光二十二年	吳榮光	筠清館金文	五卷	267
光緒十二年	徐同柏	從古堂款識學	十六卷	365
光緒二十一年	吳式芬	攈古錄金文	三卷九冊	1334
光緒二十二年⑫	吳大澂	愙齋集古錄	二十六冊	1144
道光二十五年	方濬益	綴遺齋彝器款識考釋	三十卷	1382

青銅器圖錄，依照出版順序，有：

· 兩周金文辭大系圖錄考釋　郭沫若著　上海　上海書店出版社　1999年7月（本書最早於1932年在日本印行，1935年作者彙集銘文拓本、摹本等正式於中國出版，1957年科學出版社重印，本書即根據重印本印行）

全書共二冊，上冊為圖錄，下冊為考釋。郭氏對兩周的青銅器作系統的整理，並依照他的方法找出年代可徵或相近的西周銅器銘文共一六二器，又依據國別，共求得三十二國銅器銘文共一六一器。這部書對研究周代金文是不可缺少的參考書。

· 海外吉金圖錄　容庚編　北平　燕京大學考古學社　3冊　1935年

本圖錄收日本所藏中國青銅器一五八件。

· 海外中國銅器圖錄　陳夢家編　上海　商務印書館　1946年；臺北　臺聯國風出版社　1976年

本圖錄共收歐美各國所藏中國古銅器一五〇件。

· 美帝國主義劫掠的我國殷周銅器集錄　中國科學院考古研究

⑫ 此書成於光緒二十二年（1896），但直到一九一八年才出版。

所編　北京　科學出版社　1962年

本書所收器物為中國大陸易幟前，美國在大陸或劫掠，或透過管道私下購買我國大量珍貴文物，其中青銅器是重要部分。本書所選錄的八四五件青銅器，僅限於禮器或祭器的一部分。全書共分三部分：一是器物的圖象，共有照片一千餘幅；二是器物銘文，共約五百餘拓片；三是說明，記錄各器的尺寸、銘文、年代、著錄、流傳經過的簡略考釋。

・歐洲所藏中國青銅器遺珠　李學勤、艾蘭（Sarah Allan）編著　北京　文物出版社　1995年

　有以上四部圖錄，我國流落海外的青銅器應大致可以掌握。

・殷周青銅器分類圖錄　陳夢家編，松丸道雄改編　東京　汲古書院　2冊　1977年

・金文總集　嚴一萍編　臺北縣　藝文印書館　10冊　1983年12月

本書根據孫稚雛《金文著錄簡目》增刪而成，所收新出土青銅器時限至一九八三年六月。收錄以三代銅器之銘拓為主，有前人摹繪的器形或題跋，也一併收錄。偽器不收，但《三代吉金文存》等書中，從銘文內容看確定為偽作或疑偽之器，為便於查對，仍然收錄，但會加按語。對已知出土地的青銅器，於各器之後註明。《金文總集》為臺灣地區從事蒐集青銅器圖錄最完整者。由於部頭頗大，嚴一萍、姚祖根並編有《金文總集目錄索引》（臺北縣：藝文印書館，1988年）一書，以便檢索。

・殷周金文集成　中國社會科學院考古研究所編　上海　中華書局　18冊　1984年8月—1992年4月

本書收錄的青銅器資料，包括殷商、西周、春秋和戰國時期的各類器物，年代下限斷至秦統一以前，所收器銘的總數在萬件以上，並盡可能剔除偽器，堪稱歷代圖錄最為完善者。本書的內容以銘文為主體，沒有銘文的商周銅器一概不加收錄。但是編者考慮商周銅器的器形和花紋的研究，

常常對於銘文的斷代和考釋有決定性的意義，所以將器物的圖象一併收入，以便參考。尤其是從前未曾發表過，或者僅發表在現已不易找到的書刊上，以及原先發表的圖形模糊不清，本書皆儘量收齊。

伴隨此《集成》出版的相關書籍：

- 殷周金文集成引得　張亞初編　北京　中華書局　2001年
- 殷周金文集成釋文　中國社會科學院考古研究所編　香港　香港中文大學中國文化研究所　6冊　2000年

《金文總集》和《殷周金文集成》是海峽兩岸各自編纂的大型青銅器集錄，為便於使用者檢索，由臺灣師範大學國文系教授季旭昇主其事，編纂《金文總集與殷周金文集成銘文器號對照表——附商周青銅器銘文選器號對照》（臺北縣：藝文印書館，2000年1月），對需參照二書的使用者而言，確實能減省許多時間。

- 商周青銅器銘文選　馬承源主編，上海博物館商周青銅器銘文選編寫組編　北京　文物出版社　4冊　1986年8月-1990年4月

收錄商器廿一篇，西周器五一二篇，東周器三九二篇。本書所選的青銅器，上自商代，下迄戰國，以其銘文內容能反映時代的政治、經濟和文化背景，並具有一定史料研究價值者為限。除青銅器銘文拓本外，並附有釋文。銘文除少數器銘篇幅甚大，裝訂不便，予以縮印外，其餘皆按原尺寸大小印刷。

- 中國青銅器圖錄　李建偉、牛瑞紅編　北京　中國商業出版社　2冊　2000年6月

本圖錄以青銅器的功用分類，分為鼎、酒器、兵器、食器、水器、樂器、量器、雜器、銅鏡，最後有青銅器紋飾介紹及紋飾的圖錄。全書以彩色印刷，遇青銅器有銘文，則以拓本形式附於圖片下方，銅器形制、紋飾

若具特色，便將銅器圖片局部放大，以顯其特色。圖片下方對器名、形制、年代、實物尺寸、出土地、藏地皆有說明。

還有一些圖錄是針對青銅器上面的紋飾圖象而集結成書的，如：

- 商周青銅器紋飾　上海博物館青銅器研究組編　北京　文物出版社　1984年
- 中國古代青銅金銀器紋飾　張廣立編繪　北京　人民美術出版社　1986年
- 青銅器紋飾藝術集　鄭隆編著　呼和浩特　內蒙古人民出版社　1991年
- 中國青銅器銘文紋飾藝術　雷鳴編著　武漢　湖北美術出版社　1992年
- 中國青銅器圖案集　周泗陽、萬山編繪　上海　上海書店出版社　1993年
- 河南商周青銅器紋飾與藝術　河南省文物考古研究所編　鄭州　河南美術出版社　1995年

(三)利用各地博物館藏器出版品

利用歷代青銅器圖錄，除了編輯者特別說明外，讀者或許會對所錄器是否存世感到不確定。這時，我們可以利用各地博物館的藏器出版品來找尋。臺灣地區收藏青銅器的單位不外是國立故宮博物院、中央研究院歷史語言研究所以及國立歷史博物館等地。這些單位所出版的青銅器圖錄有：

1、國立故宮博物院
- 商周青銅粢盛器特展圖錄　1985年
- 商周青銅酒器特展圖錄　1989年

- 故宮青銅兵器圖錄　陳芳妹編　1995年
- 故宮商代青銅禮器圖錄　陳芳妹編　1998年

2、中央研究院歷史語言研究所

- 史語所購藏青銅器銘文拓片

傅斯年圖書館裱裝拓本，收青銅器銘文拓片六十七張。

3、國立歷史博物館

- 國立歷史博物館館藏青銅器圖錄　1995年

大陸地區各省博物館收藏青銅器的圖錄，目前臺灣可以查閱到的有：

- 故宮青銅器　北京故宮博物院編　北京　紫禁城出版社　1999年
- 故宮藏先秦青銅器　北京故宮博物院編　北京　紫禁城出版社　2002年
- 北京圖書館藏青銅器銘文拓本選編　北京圖書館金石組編　北京　文物出版社　1985年
- 北京圖書館藏青銅器全形拓片集　北京圖書館編　北京　北京圖書館出版社　1997年
- 上海博物館藏青銅器　上海博物館編　上海　上海人民美術出版社　1964年
- 上海博物館中國古代青銅館　上海博物館編　上海　該館　1998年
- 咸陽博物館・青銅器與金銀器　王曉謀編著　北京　文物出版社　2002年
- 陝西省博物館、陝西省文物管理委員會藏青銅器圖釋　陝西省博物館、陝西省文物管理委員會編　北京　文物出版社　1960年

- 扶風齊家村青銅器群　陝西省博物館編、陝西省文物管理委員會編　北京　文物出版社　1963年
- 陝西出土商周青銅器　陝西省考古研究所、陝西省文物管理委員會、陝西省博物館編　北京　文物出版社　1979年
- 陝西青銅器　李西興主編　西安　陝西人民美術出版社　1994年
- 中華國寶：陝西珍貴文物集成・青銅器卷　吳鎮烽主編　西安　陝西人民教育出版社　1999年
- 安徽省博物館藏青銅器　上海人民美術出版社編輯　上海　上海人民美術出版社　1987年
- 山西文物館藏珍品・青銅器　張希舜主編　太原　山西人民出版社　出版年不詳
- 巴蜀青銅器　四川省博物館編　成都　成都出版社；澳門紫雲齋出版公司　1992年
- 雲南青銅器　雲南省博物館編　北京　文物出版社　1981年
- 雲南李家山青銅器　玉溪地區行政公署編　昆明　雲南人民出版社　1995年
- 河南出土商周青銅器　河南出土商周青銅器編輯組編　北京　文物出版社　1981年

㈣利用幾種考古性質期刊、研究報告

　　對於新出土的青銅器，除非有類似「青銅器群」大量的集體出土，否則新出土的青銅器，通常會伴隨著其他門類的器物出現，因此不會有專門的青銅器圖錄出版。這時，我們可以從考古性質的期刊、研究報告中尋找。如：

- 考古　考古編輯部編　北京　科學出版社

1955年創刊，月刊。原名《考古通訊》，1959年改為現名。原為雙月刊，1958年改為月刊，1972年又改為雙月刊，1983年再改為月刊。

·考古學報　考古學報編輯部編　北京　科學出版社

1936年創刊，季刊。原名《田野考古報告》，1947年改名《中國考古學報》，1953年改為現名，1960年8月至1962年6月及1966年至1972年11月休刊。

·考古與文物　考古與文物編輯部編　西安　該編輯部

1980年創刊，雙月刊，1980-1981年為季刊。

·文物　文物編輯委員會編　北京　文物出版社

1950年創刊，月刊。原名《文物參考資料》，1959年改為現名。自1966年第5期之後停刊，至1972年第1期起復刊。

·北方文物　北方文物編輯部編　哈爾濱　北方文物雜誌社

1981年創刊，季刊。原名《黑龍江文物叢刊》，1985年改為現名。

·文物天地　文物天地編輯部編　北京　文物出版社

1976年創刊，月刊。1976-2001年為雙月刊，2002年起為月刊。

·華夏考古　華夏考古編輯部編　鄭州　華夏考古編輯部

1985年創刊，季刊。

·江漢考古　江漢考古編輯部編　武漢　江漢考古編輯部

1980年創刊，季刊。

這些考古性質的期刊中，都有專欄針對中國大陸新出土的器物作介紹或學者研究的成果。如果讀者對於翻閱每期考古類期刊感到不方便，劉龍勳所編的《一九七七年以來新出商周彝銘彙編（一）》（臺北：大安出版社，2001年8月）或許可以節省讀者許多查閱上的時間。李學勤撰《新出青銅器研究》（北京：文物出版社，1990年），亦可參考。

中央研究院歷史語言研究所針對殷墟出土的青銅器，將其分

類，作成研究報告。除圖錄外，更有考古學家的研究成果。如：李濟、萬家保同著，石璋如、高去尋編輯《古器物研究專刊》（1964-1972年），共五本，其內容為：第一本《殷虛出土青銅觚形器之研究》；第二本《殷虛出土青銅爵形器之研究》；第三本《殷虛出土青銅斝形器之研究》；第四本《殷虛出土青銅鼎形器之研究》；第五本《殷虛出土伍拾參件青銅容器之研究》。

㈤利用現代藝術叢書

我們還可以利用現代大型的藝術叢書，找尋青銅器的圖錄。如：

- 中國青銅器全集　中國青銅器全集編輯委員會編　北京　文物出版社　1993-1998年12月

本書為《中國美術分類全集》中的青銅器部分，全書共十六卷，至大陸各地實物拍攝，彩色銅板紙印刷出版，收錄器物三千餘件，較具特色的是收錄大量流散海外的青銅器精品，兼顧學術及藝術價值。其各卷內容為：第一卷夏商；第二至四卷商；第五至六卷西周；第七至十一卷東周；第十二卷秦漢；第十三卷巴蜀；第十四卷滇、昆明；第十五卷北方民族；第十六卷銅鏡。

- 中華五千年文物集刊·青銅器篇　吳哲夫總編輯，楊美莉主編　臺北　中華五千年文物集刊編輯委員會　1988-1991年
- 中國美術全集第III集·工藝美術編　中國美術全集編輯委員會編　北京　文物出版社　12冊　1985-1988年

青銅器在第四至五冊。

- 文物鑑賞叢錄·青銅器　國家文物鑑定委員會編　北京　文物出版社　1997年
- 中國歷代文物鑑賞·青銅器卷　寧雲龍編著　瀋陽　遼寧畫

報出版社　1998年

三、結語

　　由以上的介紹，讀者或許發現大部分都是屬於商、周時期的青銅器圖錄，因為商周是青銅器最輝煌的時期。商代晚期青銅器上出現了銘文，較早的銘文只有幾字，大都是族徽圖象、人名或父祖名；到了西周，青銅器上的銘文漸多，臺北故宮博物院鎮院之寶之一的「毛公鼎」，共有四九九字，是目前銘文最長的一件青銅器，記述著周宣王的誥誡，是一篇完整的冊命，是研究周代的重要史料。目前坊間可見的青銅器圖錄頗多，繁簡互見，讀者可依個人所需，選擇適合的圖錄參考。不過，筆者建議讀者在使用這些圖錄之前，可以先參考一些青銅器研究的入門書，如：

- 商周彝器通考　容庚編　臺北　大通書局　1973年
- 殷周青銅器通論　容庚、張維持合著　北京　科學出版社　1958年
- 中國古代青銅器　馬承源著　上海　上海人民出版社　1982年
- 古代中國青銅器　朱鳳瀚著　天津　南開大學出版社　1999年

　　這些書籍幫助我們了解研究青銅器的術語、專有名詞，當我們使用這些圖錄時，能更得心應手。

　　以上所列的各種青銅器圖錄，筆者僅能根據所見，將較重要的圖錄介紹，但「較重要」的角度因人而異，或許仍有許多因筆者見識淺陋，而未及介紹者，望博雅君子見諒。

文學類 I060

學術資料的檢索與利用

主　　編　林慶彰
責任編輯　吳家嘉

發 行 人　陳滿銘
總 經 理　梁錦興
總 編 輯　陳滿銘
副總編輯　張晏瑞
編 輯 所　萬卷樓圖書(股)公司
排　　版　浩瀚電腦排版(股)公司
印　　刷　維中科技有限公司
封面設計　小雨
發　　行　萬卷樓圖書(股)公司
臺北市羅斯福路二段 41 號 6 樓之 3
電話 (02)23216565
傳真 (02)23218698
電郵 SERVICE@WANJUAN.COM.TW
大陸經銷
廈門外圖臺灣書店有限公司
電郵 JKB188@188.COM
香港經銷
香港聯合書刊物流有限公司
電話 (852)21502100
傳真 (852)23560735

ISBN 957-739-433-7
2018 年 8 月初版六刷
2003 年 3 月初版
定價：新臺幣 360 元

如何購買本書：
1. 劃撥購書，請透過以下帳號
　 帳號：15624015
　 戶名：萬卷樓圖書股份有限公司
2. 轉帳購書，請透過以下帳戶
　 合作金庫銀行 古亭分行
　 戶名：萬卷樓圖書股份有限公司
　 帳號：0877717092596
3. 網路購書，請透過萬卷樓網站
　 網址 WWW.WANJUAN.COM.TW
大量購書，請直接聯繫，將有專人
為您服務。(02)23216565 分機 10

如有缺頁、破損或裝訂錯誤，請寄
回更換

國家圖書館出版品預行編目資料

學術資料的檢索與利用 / 林慶彰主編.
　-- 初版.-- 臺北市：萬卷樓, 民 92
　　面；　 公分
ISBN 957-739-433-7(平裝)

1.資料檢索法

019.9　　　　　　　　92003416